CEM QUILOS DE OURO

Obras de Fernando Morais publicadas pela Companhia das Letras

Olga (1993)
Chatô, o rei do Brasil (1994)
Corações sujos — A história da Shindo Renmei (2000)
A Ilha (2001)

FERNANDO MORAIS

Cem quilos de ouro
E outras histórias de um repórter

COMPANHIA DAS LETRAS

Copyright © 2003 by Fernando Morais

Capa
Raul Loureiro

Edição de texto
Claudio Marcondes

Revisão
Isabel Jorge Cury
Olga Cafalcchio

Dados Internacionais de Catalogação na Publicação (CIP)
(Câmara Brasileira do Livro, SP, Brasil)

Morais, Fernando
     Cem quilos de ouro : e outras histórias de um repórter / Fernando
Morais. — São Paulo : Companhia das Letras, 2003.

     ISBN 85-359-0449-2

     1. Repórteres e reportagens I. Título.

03-6697   CDD-070.449981

Índice para catálogo sistemático:
1. Reportagens brasileiras 070.449981

[2003]
Todos os direitos desta edição reservados à
EDITORA SCHWARCZ LTDA.
Rua Bandeira Paulista 702 cj. 32
04532-002 — São Paulo — SP
Telefone (11) 3707-3500
Fax (11) 3707-3501
www.companhiadasletras.com.br

Sumário

Nota do autor   9

1. Cem quilos de ouro   11
2. O sonho da Transamazônica acabou   37
3. Primeiro rascunho de *A Ilha*   81
4. O homem de Fidel na CIA 107
5. A guerrilha na Nicarágua 131
6. República fantasma 157
7. Confissões do frade 172
8. O Napoleão do Planalto 213
9. O solitário da Dinda 231
10. Entre Kane e os malditos da *beat generation* 255
11. Encontro marcado com Chatô 276
12. Ele mandou prender Pinochet 308

*Para os queridos Jujo, Valentia e Saladino,
que há trinta anos compartilham estas aventuras comigo.*

Nota do autor

Este livro foi concebido originalmente para ser lançado na coleção Jornalismo Literário, da Companhia das Letras. O editor Luiz Schwarcz sugeriu que eu reunisse trabalhos publicados por mim para que fizéssemos uma seleção, a qual seria submetida ao jornalista Matinas Suzuki Jr., organizador da série.

Durante dois meses, o jovem jornalista Marcos Simieli varejou redações, departamentos de documentação, acervos particulares (alguns localizados em cidades do interior), arquivos de grandes jornais e revistas, da imprensa nanica e de jornais clandestinos. Conseguiu assim localizar quilos de material de minha autoria.

Havia, claro, coisas impublicáveis (ou irrepublicáveis), mas o que me surpreendeu foi encontrar reportagens de que já não me lembrava mais (como uma entrevista com Geraldo Vandré para o *Jornal da Tarde*, na véspera do Festival da Canção de 1967). No decorrer da leitura, acabei me convencendo de que um livro que resultasse da seleção não se encaixaria na série Jornalismo Literário, por mais diversas que sejam as definições do conceito. Havia ali reportagens escritas dentro de um estilo que se poderia chamar de "jornalismo literário", sim, mas também perfis que estavam muito distantes desse gênero, entrevistas do tipo pingue-pongue (pergunta-e-resposta) e até trabalhos, como no caso da conversa com Otto Lara Resende, Rubem Braga e Moacyr Werneck de Castro, em que o autor nem sequer aparecia no texto.

Expus meu ponto de vista a Luiz Schwarcz, que tinha opinião um pouco diferente. Depois de ter lido o material e ajudado na seleção final, ele concordou quanto à não-inclusão na coleção, mas continuou acreditando que tínhamos um livro na mão. Foi dele, também, a sugestão para que cada capítulo fosse precedido de um breve texto revelando como aquela matéria tinha sido feita. Concordei entusiasticamente. A idéia me trouxe à lembrança a maior parte das questões levantadas por jovens jornalistas e estudantes de comunicação em debates pelo Brasil afora: como tal reportagem foi feita? Foi pauta sua ou do jornal? Em que circunstâncias o trabalho se desenvolveu? Quanto tempo você levou para conseguir essa ou aquela entrevista? Que dificuldades enfrentou? Que dilemas éticos? Havia censura? Como era o Brasil daquela época?

Não sei se terei conseguido, mas minha intenção, ao escrever os textos de apresentação sugeridos pelo editor, foi tentar responder a pelo menos algumas dessas perguntas.

Os títulos de parte dos trabalhos publicados a seguir foram substituídos para facilitar a compreensão do leitor.

À exceção da reportagem "Cem quilos de ouro", que abre o livro, as demais foram organizadas cronologicamente.

Agradeço a colaboração especial do jornalista Ricardo Setti, que ajudou do começo ao fim, e a Claudio Marcondes, Emanuela Vercesi, Ewaldo Dantas Ferreira, Luiz Schwarcz, Maria Emília Bender, Marília Cajaíba, Marisilda Valente, Nelson Lopes, Rolf Kuntz e Wagner Homem.

F. M.
São Paulo, novembro de 2003

1. Cem quilos de ouro

No final de 1988 eu trabalhava na pesquisa e nas entrevistas que iriam se transformar no livro Chatô, o rei do Brasil. *Certa noite, em um jantar com amigos, o advogado Manuel Alceu Affonso Ferreira contou que acabara de voltar da Bahia, onde vivera uma dramática experiência. Seu irmão mais novo, o empresário Guilherme Affonso Ferreira, o Willy, fora libertado depois de passar cinco dias em poder de seqüestradores, que exigiam nada menos que cem quilos de ouro para libertá-lo.*

Naquela época os seqüestros não eram um crime tão comum quanto hoje (o mais célebre deles, o do empresário paulista Abílio Diniz, só aconteceria um ano depois). Mas como esse teve lugar na Bahia, acabou recebendo uma cobertura discreta nos jornais do Rio e de São Paulo. Pedi a Manuel Alceu que consultasse o irmão para saber se aceitaria contar os detalhes do seqüestro para uma reportagem. Com o sinal verde da Bahia, ofereci a matéria a Juca Kfouri, diretor de redação da revista Playboy, *e me preparei para ir a Salvador. Na véspera do embarque, porém, recebi um inesperado telefonema do governador de São Paulo, Orestes Quércia, que eu não via desde sua eleição, em 1986:*

— *Vou reformular meu secretariado e estou te convidando para ser o novo secretário da Cultura do Estado.*

Pedi um tempo para pensar e consultar a família, mas ele foi peremptório:

— *Nada feito. A posse dos novos secretários será daqui a três dias e você tem que decidir agora. É pegar ou largar.*

Pegar significava largar a matéria que já me deixava com água na boca. Contei a história do seqüestro e propus uma solução de compromisso: eu aceitava o convite, desde que pudesse ir para a Bahia atrás da reportagem. Ele podia me nomear, mas minha posse ficaria adiada por cerca de dez dias.

Desembarquei em Salvador já com meu nome publicado no Diário Oficial *de São Paulo. Eu pressentia que, apesar de ser um ótimo assunto, essa não seria uma reportagem trabalhosa. Na verdade, foram menos de quatro dias de trabalho ininterrupto: tomei um longo e minucioso depoimento de Willy, ouvi os policiais e as pessoas da família encarregadas das negociações (entre elas o irmão Manuel Alceu), falei com gerentes de bancos e donos de supermercados, reconstituí o trajeto de Willy antes que fosse apanhado pelos criminosos, fiz uma pesquisa nos jornais e nos arquivos da polícia de Salvador e retornei a São Paulo. Cinco dias depois o texto estava na redação de* Playboy.

Realizado em dezembro de 1988 e publicado em fevereiro de 1989, "Cem quilos de ouro" seria meu último trabalho como repórter antes do retorno à política. Só quase quatro anos depois, em 1992, é que eu voltaria a escrever.

Quando a primeira luz do dia entrou pelas frestas do barracão já deviam ser seis da manhã. A claridade iluminou e identificou o objeto que alguém enfiara sob a lona, na escuridão da noite. Era uma Bíblia encadernada, provavelmente subtraída de algum criado-mudo de hotel. Aos 37 anos, o empresário Guilherme Affonso Ferreira, o Willy, nunca havia tido a curiosidade de abrir uma Bíblia. Mas a vida inteira ouvira o avô, o pensador cristão Alceu Amoroso Lima, e a tia Lia Amoroso Lima — a "irmã Maria Tereza", abadessa do Convento das Beneditinas Enclausuradas em São Paulo — dizerem que ali, naquele livro, estava o conforto dos aflitos e desesperados. Nas circunstâncias em que se encontrava, era um presente sob medida. Abriu o volume nas primeiras páginas, ao acaso, e deu com os olhos no seguinte trecho:

> Ló sumiu de Segor e foi morar nas montanhas com as duas filhas, pois tinha medo de ficar em Segor. Instalou-se numa caverna com as duas filhas e a mais velha disse à mais nova: "Nosso pai já está velho e não há aqui homens com quem nos possamos casar, como faz todo mundo. Vamos embebedar o pai com vinho e dormir com ele para ter filhos dele". Embebedaram o pai naquela noite e a mais velha foi dormir com ele sem que ele nada percebesse, nem quando ela se deitou nem quando se levantou. No dia seguinte a mais velha disse à mais nova: "Ontem eu dormi com o pai. Vamos embebedá-lo também esta noite e tu vais dormir com ele para gerar descendência de nosso pai". Também naquela noite embebedaram o pai e a mais moça dormiu com ele. Ele, porém, nada percebeu, nem quando ela se deitou nem quando se levantou. Assim as duas filhas de Ló conceberam de seu pai. A mais velha deu à luz um filho a quem chamou Moab, que é o antepassado dos atuais moabitas. Também a mais nova deu à luz um filho a quem chamou Ben-Ami, que é o antepassado dos atuais amonitas. (Gênesis 19:30-38)

Fechou o livro com raiva e jogou-o num canto da jaula. Para quem recorria à Bíblia em busca de apoio espiritual, encontrar um pai engravidando as próprias filhas parecia um mau presságio para o primeiro dia de cativeiro. Tudo começara na noite anterior, uma sexta-feira de dezembro de 1988. Willy deixara seu moderno gabinete de presidente da Bahema, empresa distribuidora de máquinas Caterpillar para o Norte e Nordeste, para repetir uma rotina diária: pegou seu carro, um Fiat Uno azul-metálico, e guiou durante meia hora pelo trânsito caótico de Salvador, na Bahia, até a academia de ginástica, que fica a quinhentos metros de sua casa, no ermo e elegante bairro do Horto Florestal. Ao terminar os exercícios eram oito da noite. Decidiu tomar banho em casa e saiu de bermudas, camiseta e tênis. Ao chegar perto do carro, estacionado sob um poste de luz na rua deserta, havia um Monza escuro parado ao lado do Fiat, com três homens dentro. Quando o viram chegar, os homens desceram do carro e um deles, de boné na cabeça, fez um sinal para os outros. Willy se assustou, caminhou alguns passos de costas, mas já não havia tempo de escapar. Os três o cercaram — eram fortes e aparentavam ter entre trinta e quarenta anos — e Willy agitou o chaveiro no ar:

— Podem levar o carro.

Infelizmente não eram ladrões. Um deles, com uma algema saindo pelo bolso da calça, aproximou-se com uma carteirinha e anunciou:

— Polícia Federal!

Willy foi agarrado pelos três, algemado com as mãos nas costas e colocado aos safanões no banco de trás do Monza. Enfiaram um capuz de tecido grosso na sua cabeça e o deitaram no banco. Um dos homens ia sozinho na frente, guiando o carro, e os outros foram atrás, segurando a presa. Com 1,80 metro de altura, Willy ia meio dobrado, com a cabeça sobre o colo de um e os joelhos dobrados junto às canelas do outro. Mal o carro arrancou, um deles perguntou:

— Como é o seu nome?

— Guilherme Affonso Ferreira.

— Quanto tempo faz que você voltou do Japão?

— Uns vinte dias.

— Quanto tempo ficou por lá?

— Uns cinqüenta dias, mais ou menos.

O que perguntava dirigiu-se aos outros:

— É ele mesmo.

O que a Polícia Federal poderia querer com ele, um empresário sem nenhum deslize em sua vida pessoal e profissional, sem problemas com a polícia, com a Justiça, com ninguém? A curiosidade sobre a viagem ao Japão o deixou apavorado. E se ele tivesse sido transformado, inocentemente, em uma dessas "mulas" que sempre aparecem nos noticiários de tv? Será que alguém tinha colocado cocaína na sua bagagem, na viagem do Japão ao Brasil? O pensamento foi interrompido por mãos que agarraram sua cabeça e tentaram obrigá-lo a aspirar um chumaço de algodão embebido em éter, espremido contra a boca e o nariz por fora do capuz. Willy se debateu, tentando dizer que não era preciso violência, que não ia reagir, mas na confusão os homens não entenderam nada. O que ia na direção ordenou:

— Ele não vai ficar quieto, dá logo a injeção.

Agarraram seu braço, passaram cuidadosamente o chumaço com éter sobre a pele, como fazem os farmacêuticos, e enfiaram a agulha. O líquido injetado não produziu nenhum efeito, mas Willy achou mais prudente fingir que estava dopado. O carro rodou por duas horas, mais ou menos, com os quatro em silêncio. Pelas gretas do capuz dava para ver que os três gesticulavam muito, como quem não conhece direito o caminho. Andaram no meio do trânsito e depois pegaram algo que parecia ser uma estrada asfaltada. Como Willy se mexesse muito, tentando arrumar uma posição menos incômoda para o corpo, eles pararam o carro no meio do trajeto e um dos homens que ia atrás passou para o banco da frente, permitindo que ele esticasse um pouco mais as pernas. Voltaram a rodar em silêncio até que o carro parou e alguém perguntou em voz baixa:

— Quem vai abrir o portão?

O carro entra em um lugar fechado e Willy é conduzido ao interior de um cômodo de luzes apagadas. Alguém ergue uma lona e, amparando-o como a um cego, força-o a se agachar, quase a se arrastar, para entrar por uma portinhola metálica de pouco mais de meio metro de altura. Pelos ruídos em volta Willy nota que os três que o haviam agarrado na porta da academia ficam em outro cômodo e que agora está sob a guarda de outros dois. De cócoras, passa as pontas dos dedos no piso e percebe que é uma superfície de madeira áspera. Um homem aproxima-se através das grades — então aquilo não era um caixote, mas uma cela — e retira as algemas de seus braços. Em seguida, ouve uma voz com leve sotaque nordestino:

— Pode tirar o capuz.

Dois lençóis e um colchãozinho de solteiro, ralo, vagabundo, são atirados a seus pés. Willy se levanta e tenta explorar, pelo tato, o lugar onde se encontra. Em minutos descobre que não é uma cela: está preso em uma jaula de circo, feita de grossos canos de ferro, medindo dois metros por um e com 1,80 metro de altura — aparentemente, feita sob medida para seu tamanho. O único acesso a ela é a portinhola por onde entrou, trancada do lado de fora por dois cadeados enormes. Habituando-se à escuridão, seus olhos conseguem identificar o resto: a jaula está encostada no canto de um cômodo e cercada por um encerado desses usados em caminhões, com as pontas amarradas ao teto por meio de cordas. A cortina de lona cerca a jaula por todos os lados, menos o de cima. Pelas grades do teto Willy percebe que é uma construção pobre, de telhado à vista, sem revestimento. No vão entre a parede e as telhas, distingue um fio elétrico que termina em uma lâmpada. Só então começa a desconfiar que não vai acontecer o jantar que ele e Cláudia, sua mulher, tinham combinado com um casal de amigos para aquela sexta-feira à noite.

A suspeita se transforma em certeza quando uma voz anuncia:

— Isto é um seqüestro. Precisamos de um nome para servir de interlocutor e intermediário. Alguém de sua confiança.

O primeiro nome que lhe vem à cabeça é o de Édson Carvalho de Oliveira, seu amigo e vice-presidente financeiro da Bahema. Do outro lado do encerado o homem pergunta:

— Quer escrever um bilhete para ele?

— Quero. Um para ele e outro para Cláudia, minha mulher.

Passaram folhas de papel e uma caneta pelas grades e a lâmpada pendurada no teto foi acesa. O primeiro bilhete foi para Cláudia:

Cláudia, meu amor. Estou bem, na medida em que é possível estar bem numa cela de dois metros por um. As pessoas que estão tomando conta de mim estão sendo gentis, e até, de certa maneira, amáveis. Só na hora em que fui seqüestrado é que houve alguma violência. Você pode imaginar a vontade de estar aí com as crianças e você. É tudo que tenho pedido a Deus. Os homens me pediram um homem de confiança para servir de negociador. Dei o nome do Édson, mas não sei se dei o telefone correto. Em seguida dei o nosso telefone, para você não pensar que eu tinha dado uma esticadinha depois da ginástica. Imagino a barra que você está passando. Logo estaremos juntos de novo. Espero que isto dure pouco e que permitam que eu lhe escreva. Embora esta não seja a hora mais apropriada para declarações, jamais tive tanta certeza de quanto eu a amo. Beijos para dona Gabriela, dona Cristiana e Guigão. Diz para ele que o papai está no Japão e volta logo. Willy.

ᴘs: Não esqueça de mandar beijos para o papai e a mamãe.

O bilhete para Édson foi escrito na mesma linguagem informal e bem-humorada e, como no de Cláudia, Willy tentava transmitir a impressão de que os seqüestradores eram pessoas de boa índole, que o tratavam bem. As duas folhas de papel foram colocadas sob a lona, alguém veio recolhê-las e depois apagou a luz. Minutos depois o homem que anunciara o seqüestro devolvia o bilhete dirigido a Édson:

— Olha, doutor, o pessoal está bravo com o senhor. Estão achando que foi pouco enfático no bilhete e que não está levando a sério a hipótese de ficar conosco um mês ou, se preciso, um ano. Como é que o senhor insinua no bilhete pro Édson que eu sou sua babá, porra?

Willy tentou se explicar, mas não houve jeito. Deram-lhe de novo papel e caneta e o homem começou a ditar:

— Comece assim: "Caro Édson: eu exijo que a polícia fique de fora disso...".

Willy o interrompeu:

— Mas não vão acreditar que é espontâneo, nunca uso essa linguagem.

— Está bem, doutor, faça como o senhor achar melhor.

— Outra coisa, companheiro: você podia parar com esse negócio de "doutor"? Não sou doutor, nem terminei meu curso de engenharia. Então, nada de doutor.

Sem perceber, Willy acabara de batizar seu carcereiro, que a partir daquele momento seria o "Companheiro". O bilhete acabou saindo como Willy queria. Porém, mais importante do que isso, ele sentia que começava a controlar a situação. Foi um bilhete curto:

Édson amigo. Estou numa enrascada brava, companheiro, e você será a minha salvação. É vital deixar a polícia fora disso, de qualquer maneira. Tenho certeza de que você vai ter pulso suficiente para isso. Você é o homem da negociação. Com sua ajuda volto logo. Guilherme.

A injeção aplicada dentro do carro parecia começar a fazer efeito e Willy adormeceu em seguida. Dormiu ao som de ruídos bucólicos: um bezerro que mugia, galos cantando, música vinda de um rádio distante, vozes de gente ao longe e, a cada meia hora, o barulho remoto de um veículo passando em alta velocidade por uma estrada. Mais tarde, os seqüestradores tentariam convencê-lo de que toda aquela sonoplastia era artificial e tinha sido montada especialmente para confundi-lo e transmitir-lhe a impressão de que estivera preso na zona rural.

Em Salvador, uma operação de guerra começava a ser montada para tirá-lo o mais cedo possível daquele lugar. Cláudia, sua mulher, ficara sabendo do seqüestro minutos depois da cena à porta da academia. Alguns alunos tinham visto seu marido ser levado à força para dentro do Monza e correram para avisá-la. Ela comunicou-se com o irmão de Willy, Francisco Affonso Ferreira, o Chiquito, também diretor da Bahema, que conseguiu localizar em São Luís do Maranhão o filho do presidente da República, Fernando José Sarney. Horas depois, Cláudia receberia um telefonema do diretor da Polícia Federal, Romeu Tuma, que estava em Volta Redonda, onde cinco operários haviam sido mortos por tropas do Exército durante uma greve. O governador da Bahia, Waldir Pires, mandou que policiais locais vigiassem a casa do empresário, em cujo telefone foi acoplado um sistema de gravação.

Uma amiga da família, sobrinha do general Ivan de Souza Mendes, ministro-chefe do SNI, sugeriu que o tio fosse acionado. Confusa, Cláudia consultou Tuma por telefone. Sem achar o delegado, acabou falando com o filho deste, também policial, que a demoveu da idéia de recorrer ao SNI. "Não me parece que seja necessário", disse ele. "Num caso como esse, acho que a primeira providência do general Ivan seria consultar meu pai." Diante da pouca experiência da polícia baiana em seqüestros, outro irmão de Willy — Manuel Alceu Affonso Ferreira, advogado e ex-juiz do TRE paulista — decidiu pedir ajuda ao secretário de Segurança Pública de São Paulo, Luiz Antonio Fleury Filho. Este colocou à disposição da família uma equipe do Grupo Anti-Seqüestro, o GAS, que poderia embarcar para Salvador a qualquer momento, desde que uma liturgia burocrática fosse previamente cumprida: a solicitação teria que partir do secretário de Segurança Pública da Bahia. Mas o secretário baiano estava licenciado, participando da campanha eleitoral.

Devia ser meia-noite de sexta-feira quando foi feito o primeiro contato:

— Dona Cláudia, o seu marido foi seqüestrado. Agora queremos o telefone do Édson.

O vice-presidente da Bahema já estava na casa de Willy. Veio correndo, mas a chamada foi pouco elucidativa:

— É o Édson? Estamos ligando apenas para comunicar que o Guilherme está voando. Nada de polícia, nada de jornal.

Edson se apavorou:

— Como assim, "voando"? O que é isso? Não botem a mão no rapaz!

— Pode ficar tranqüilo, não vai acontecer nada com ele. Vamos nos comunicar de novo com você.

Édson passou o número do seu telefone para o seqüestrador, que desligou sem dizer mais nada. Foi para casa, onde também já havia sido instalado um sistema de gravação de telefonemas — e aguardou a noite inteira sem que um novo contato fosse feito. Na manhã de sábado já se pôs em campo. Antecipando-se aos seqüestradores, procurou Marcos Gorodetzky, gerente regional do Citibank, contou-lhe o que ocorrera e pediu que montasse um plano para levantar tanto dinheiro quanto possível naquele dia mesmo. Horas depois, Gorodetzky respondia que o banco pouco poderia fazer, já que não era comum manter muito dinheiro em caixa nos fins de semana. Apesar disso, ele já havia feito um contato com Mamede Paes Mendonça, que colocara à disposição da Bahema o total arrecadado naquele dia pelos caixas de sua rede de supermercados. Édson e Chiquito foram falar com ele e já o encontraram de posse da cifra que a rede arrecadaria até o fim do dia: algo em torno de 160 milhões de cruzados velhos, dinheiro que ficaria num cofre, à disposição dos Affonso Ferreira. Ao final do encontro, o distraído Mamede Paes Mendonça — empresário conhecido por sua simplicidade e pela mania de presentear os amigos com modestos brindes de sua rede — lamentou o que ocorria com Willy e entregou a Édson um isqueiro com a marca do supermercado:

— Tome, Édson, leve o meu abraço solidário e este presentinho para a viúva...

Já era dia claro quando Willy percebeu que Companheiro acabara de entrar no cômodo. Enfiou pelo canto da lona uma xícara plástica com café, um prato de carne cozida, talheres e um pijama enorme, grande demais até para alguém alto como ele. Deixou tudo aquilo num canto da jaula, como quem alimenta uma fera no zoológico, mas não se retirou. Pelos ruídos da casa era possível perceber que os homens que o haviam seqüestrado tinham ido embora durante a noite e que agora estava sob a custódia de Companheiro e de um guarda-costas deste, que ficava no outro cômodo. O seqüestrador caminhou de um lado para o outro antes de começar a falar:

— O senhor deve considerar o que lhe aconteceu como uma provação de Deus. Nós fizemos uma lista de quarenta nomes e sorteamos um para pegar. Saiu o seu.

Surpreso com a loquacidade de Companheiro, Willy deu corda à conversa. Perguntou que critérios tinham usado para selecionar os quarenta nomes. Companheiro contou vantagem:

— Não pense que tiramos de colunas sociais, onde só aparece gente sem dinheiro e sem importância. Os melhores nomes estão é na *Gazeta Mercantil*. Na nossa lista só tinha gente como o senhor, como Francisco Queiroz, genro de Norberto Odebrecht, como Ângelo Júnior, filho de Ângelo Calmon de Sá, como o dono da ICI. Aliás, doutor, o senhor precisa cuidar melhor da sua segurança. Durante os preparativos da operação, seu nome de guerra, entre nós, era "Passarinho". Sabe por quê? Porque o senhor anda pra lá e pra cá sozinho, sem ninguém por perto. Tem que cuidar melhor, botar guarda em casa, na firma, botar segurança para olhar suas crianças, sua esposa.

Quando Willy quis convencê-lo de que havia um equívoco, e que ele não era rico como os outros nomes citados, Companheiro aproveitou:

— A propósito, estamos pensando em pedir quatro milhões de dólares de resgate. O senhor acha que é uma boa pedida?

Apesar da cortina de lona que os separava, Companheiro deve ter percebido o susto de Willy:

— Olha, Companheiro, se é isso, então dançamos. Vamos ficar aqui o resto da vida, porque nem minha empresa nem minha família têm como arrumar quatro milhões de dólares. Seu plano é bom, mas tem um defeito: pegaram o homem errado.

— Pois é: por que é que a Bahema tem setenta por cento do patrimônio investido em ações, através de participação em outras empresas? Vocês não investem em ouro?

Willy ficou impressionado com o grau de informação de

Companheiro sobre sua empresa e sobre a economia do país. Explicou que 70% era exagero, mas que desde 1984, quando se tornou uma empresa aberta, de fato a Bahema decidira fazer uma carteira de ações:

— Quem opta por essa política de investimento não tem como investir em ouro. Nós acreditamos que o Brasil tem potencialidade, estamos apostando, acreditamos no que produzimos.

— Vocês são loucos, este país está perdido. Eu perguntei isso porque, na verdade, vamos pedir menos. Queremos um milhão de dólares, mas em ouro. Vamos pedir cem quilos de ouro, doutor.

— Quanto é cem quilos de ouro, em cruzados?

— O grama hoje está cotado a doze mil cruzados, então dá mais ou menos um bilhão e duzentos. O que é que o senhor acha?

— Olha, Companheiro: vocês querem um negócio rápido, coisa de ir ao banco, pegar o dinheiro, e vocês me soltam, não é? Então posso lhe dizer de memória quanto dá para pedir: nós devemos ter no banco hoje uns trinta milhões de cruzados.

Ele saiu, fechou a porta, ficou reunido com outras pessoas e quando voltou, meia hora depois, estava ameaçador:

— Os homens estão achando que o senhor não está levando isto aqui a sério, e querem engrossar. Imagine, trinta milhões... Só para montar este seqüestro gastamos três vezes esse valor, doutor. Estamos nisso desde abril. O senhor está brincando com a gente?

— Então vocês peçam o que quiserem.

— O senhor acha que engana a gente com essa história de que a Bahema só tem trinta milhões disponíveis? Uma empresa com a liquidez da sua? Por favor, doutor...

O seqüestrador encerrou o assunto. Fechou a porta e sumiu. No meio do dia, quem serviu a comida foi o suposto guarda-costas dele. Willy disse que não podia continuar tomando café, que aquilo ia acabar com seu estômago. O homem puxou conversa, falou de futebol e confessou que era corintiano roxo. A partir daquele momento, os dois criminosos deixaram de ser anônimos para sua vítima. Um era o Companheiro; o outro, o Corintiano. No fim da tarde, Companheiro reapareceu silenciosamente. Colocou uma xícara de chá no canto da jaula, ficou alguns minutos do outro lado da lona e, aparentemente deitado no chão, de repente começou a falar:

— Que coisa chata, doutor. A gente imaginava que fosse pegar um troglodita... E me cai aqui o senhor, uma pessoa sensível, preocupada com o Brasil...

Willy perguntou se era possível colocar um pouco mais de açúcar no chá. Companheiro se levantou, foi até o outro cômodo e deu ordens para que Corintiano fizesse um novo chá para o doutor, com mais açúcar. Willy retomou o assunto:

— Daqui a três dias vai haver eleições municipais em todo o Brasil. Isso é uma maneira de tentar melhorar as coisas, você não acha?

— Melhorar com políticos corruptos como os nossos? Não seja ingênuo, doutor. Veja esse negócio das eleições: lá em São Paulo meu candidato é o Maluf. É safado? É, mas pelo menos esse eu sei quem é. Os outros, nem isso.

O silêncio de Willy o surpreendeu:

— O senhor não concorda comigo? Já sei. O senhor acha que quem faz o que estou fazendo com o senhor não pode pensar as coisas que eu penso. Eu sei que este seqüestro é uma coisa detestável. E sei também que Deus jamais me perdoará por estar submetendo o senhor a isso, a ficar aí dentro, preso como um animal... Pena eu não poder contar minha vida ao senhor, seria mais fácil entender...

Calejado paciente do ortodoxo psicanalista Carlos Pinto Correia, Willy percebeu que aquilo estava virando uma típica sessão de análise. A situação era exemplar: os dois deitados, uma jaula coberta de lona a proteger os contendores, o que Companheiro queria era falar de si. Naquele barracão perdido em algum ponto da Bahia, ele tinha quem o ouvisse, sem nenhum risco. E prosseguiu:

— Entrei nesta por puro desespero. Eu e Corintiano vamos ficar com apenas dez por cento do resgate, estou nisto apenas pelo dinheiro. O senhor já entrou em uma escola pública alguma vez? Claro que não, suas filhas estudam nas Irmãs Maristas. Eu também queria colocar meus filhos numa escola particular, mas é impossível.

Companheiro ficou horas falando. Já era noite de sábado, o cômodo estava completamente escuro e ele continuava:

— Não é preciso muito para saber das desgraças deste país, basta ler os jornais. O senhor não freqüenta alta sociedade e não deve saber disso, mas a filha de Ângelo Calmon de Sá vai reunir as amiguinhas e passar o Natal em Paris; enquanto isso, meus filhos não podem nem freqüentar uma escola decente. Pode uma coisa dessas? Desculpe o desabafo, meu palpite é que a gente deveria ter pego um diretor de multinacional, mas acabamos pegando o doutor, né?

Então Companheiro parou de falar. Willy ouviu o som de soluços e sentiu que uma mão se esgueirava sob a lona e atravessava as grades da jaula. O seqüestrador estava pedindo socorro ao seqüestrado. De mãos dadas, os dois puseram-se a chorar em silêncio.

O telefone tocou pela primeira vez na casa de Édson no sábado à noite. O seqüestrador falou pouco:

— Guilherme está bem. Tem uma mensagem num posto de gasolina em Amaralina, atrás do restaurante Pequim. Nada de polícia, nada de jornal. É só.

Foi Chiquito quem buscou a mensagem — na verdade, os bilhetes de Willy para Cláudia e Édson. Às onze da noite o telefone tocou de novo, dessa vez para anunciar o valor do resgate. A conversa foi com Édson, o negociador:

— Queremos cem quilos de ouro para libertar o Guilherme.

— Cem quilos? A família não tem esses recursos. Além disso, na Bahia não há cem quilos de ouro disponíveis. Vamos arranjar uma fórmula mais razoável.

— Essa é a fórmula razoável. Não erramos a pessoa, eu escolhi o homem certo, no meio de uma lista enorme.

— Mas todos queremos solucionar isso o mais depressa possível, portanto o melhor é ser mais razoável.

— A pressa é de vocês. Eu tenho estrutura aqui para mantê-lo preso por até cinco anos. Não temos a menor pressa.

E desligou o telefone. Àquela altura, as formalidades tinham sido cumpridas e o delegado Francisco Basile, do GAS de São Paulo, já estava em Salvador com sua equipe. Não havia unanimidade na família sobre se deveria ser seguida a orientação dos policiais — negociar o máximo possível e só pagar o resgate em último caso. Manuel Alceu, o irmão jurista de Willy, viajou para Salvador com os pais e as duas irmãs e passou a decidir em nome da família. A notícia vazara para a imprensa e, para não colocar em risco a vida de Willy, Manuel fez um acordo com os jornais: diariamente haveria uma entrevista coletiva à imprensa, no saguão do Hotel Méridien, quando a família revelaria aos repórteres o que estava acontecendo, sob a condição de que as notícias só fossem divulgadas quando o seqüestro chegasse ao fim. A mãe, a mulher e as irmãs de Willy defendiam o pagamento imediato do resgate. O pai e os irmãos preferiam seguir a orientação do GAS: negociar até o último instante. Os policiais advertiam que, se os seqüestradores fossem amadores, o pagamento do resgate não garantiria em nada a sobrevivência de Willy. Ao contrário:

com o ouro nas mãos, poderiam até matá-lo para evitar testemunhas. Apesar dos protestos de Cláudia, Édson seguiu a orientação da polícia e decidiu esticar as negociações enquanto fosse possível.

Quando Companheiro chegou, na manhã de domingo, trazendo uma xícara de chá e um pratinho com biscoitos, Willy tentava fazer um exercício de alongamento dentro da jaula. Como um macaco, escalou as grades, prendeu as pernas na parte superior e ficou algum tempo pendurado, de cabeça para baixo. Companheiro tentou consolá-lo, dizendo que sabia o que era estar preso:

— Em 1968 eu passei dezesseis dias na cadeia.

— Foi por motivos políticos?

— Não... Quer dizer, fui preso por engano...

— Então você não devia fazer essa crueldade comigo. Abra esta jaula, por favor, abra. Juro que não vou complicar a sua vida, Companheiro. Pode me colocar em outro lugar, em um quarto, me trancar lá dentro, mas na jaula eu não agüento mais ficar. Por favor...

— Pode acreditar em mim, doutor, as chaves dos cadeados não estão aqui, ficaram com os homens...

— Companheiro, não vai dar para ficar aqui por muito tempo, não. Vou acabar enlouquecendo.

Willy estava começando um outro jogo. De manhã ele ouvira Corintiano perguntar se iriam embora naquele mesmo dia. Companheiro dissera que não, por causa da dificuldade da família em conseguir cem quilos de ouro na Bahia. Agora Willy tentava retomar a conversa que indiscretamente ouvira:

— Vocês já pensaram que terça-feira é o dia ideal para vocês se mandarem? É dia de eleição, vai estar todo mundo concentrado nisso.

— É, já pensamos nisso. Terça-feira pode ser o dia ideal para a operação desmonte. Vamos destruir tudo por aqui e ir embora. Não se preocupe que isto está esquematizado há muito tempo. Desde a outra vez, quando íamos pegá-lo na sua volta do Japão.

Willy se espantou com aquela informação. Companheiro contou que o seqüestro tinha sido planejado para o retorno de sua viagem, vinte dias antes. Um grupo já o esperava no aeroporto do Galeão:

— O senhor não ia chegar às seis e meia e pegar o vôo das nove e meia para Salvador? Pois é: entre a ala internacional e a nacional nós íamos agarrá-lo. Mas aí o senhor antecipou sua volta.

— Mas no Galeão? Como é que vocês iam me tirar de um aeroporto tão movimentado?

— O senhor não faz nem idéia. Ali no Galeão passa tudo. Sabe quanto custa para botar um coreano dentro do Brasil, pelo Galeão? Apenas quinhentos dólares. Por quinhentos dólares por cabeça o senhor passa quantos coreanos quiser pelo Galeão.

Companheiro falava andando de um lado para o outro do cômodo e reclamando que "os homens" não davam notícias. Saiu, ficou fora por alguns minutos e voltou trazendo papel higiênico, um pacote de saquinhos plásticos de lixo onde Willy deveria defecar, uma garrafa vazia para que urinasse, outra de álcool para a higiene. Horas depois, quando Willy usou os sacos plásticos pela primeira vez, os dois ficaram desconcertados com a situação. Foi Willy quem falou, entregando-lhe o saquinho:

— Desculpe, Companheiro, não tem outro jeito. Você vai ter que carregar...

Mais tarde, depois de Willy ter utilizado os sacos plásticos pela segunda vez, Companheiro parecia preocupado:

— O senhor está com um princípio de diarréia. Isso acontece sempre?

Willy exagerou um episódio ocorrido meses antes para fazer terrorismo:

— No Natal passado perdi doze quilos em uma noite com uma diarréia assim. É de fundo nervoso, não tem nada que cure. É assim que meu organismo expressa o nervosismo. Se você quiser me dar remédio eu tomo, mas acho que não resolve. Acho melhor dizer isso aos homens.

Os homens, na verdade, já estavam ficando impacientes, e isso ficou claro no contato que fizeram com a família naquele domingo à tarde. Édson esticou a conversa e disse que tinham conseguido 200 milhões de cruzados em dinheiro e mais cinco quilos de ouro — o que, somado, dava o equivalente a 23 quilos de ouro. Do outro lado da linha o seqüestrador ameaçou:

— Édson, eu represento a linha mais moderada do grupo, mas a ala radical está achando isso uma sacanagem. Se vocês continuarem com essa conversa, os contatos passarão a ser feitos de mês em mês. Decidam logo o que querem fazer.

— Mas o senhor tem que entender que não dá para conseguir cem quilos de ouro de uma hora para a outra. Para levantar um empréstimo desse valor no Citibank, há um ano, a Bahema levou quatro meses em tramitações burocráticas.

— Isso é problema de vocês. E acho bom andarem depressa porque o Guilherme está com uma diarréia muito forte. Que remédio damos a ele?

Édson lembrou-se de um anúncio que vira várias vezes na tv e, na pressa, declamou a fórmula do comercial:

— Dá soro caseiro. É uma pitada pequena de sal e um punhado de açúcar misturados num copo d'água.

O seqüestrador desligou. Já na manhã seguinte Édson saiu em campo. A família se reuniu e decidiu levantar imediatamente um empréstimo de 500 milhões de cruzados que, convertidos para a moeda dos seqüestradores, davam cerca de 43 quilos de ouro. O estrito rigor que envolve operações bancárias desse vulto foi deixado de lado pelo Citibank. Sem que ninguém da família tivesse que assinar um só papel naquela hora, uma ordem de pagamento foi emitida para São Paulo, onde o próprio banco comprou o ouro. No fim da tarde um grupo de homens de uma empresa transportadora de valores, todos armados, embarcava no aeroporto de Cumbica num vôo doméstico para Salvador, levando nas mãos dois enormes sacos. Às dez da noite, 172 barras de ouro de 250 gramas cada uma eram depositadas num cofre bancário da capital baiana.

Mas ainda havia mais ouro: amigos da família, em Salvador, conseguiram juntar mais cinco quilos e os colocaram à disposição de Édson. No alto da serra da Cantareira, na zona norte de São Paulo, irmã Maria Tereza, que soubera por telefone do seqüestro do sobrinho, raspou o fundo dos baús do Convento das Beneditinas e recolheu o que ali havia de ouro — moedas antigas, peças sacras e até o velho anel de um monsenhor — e enviou tudo à Bahia, na esperança de ajudar a salvar Willy.

Nessa noite Companheiro aproximou-se da jaula, no escuro — a lâmpada só era acesa durante o dia —, e começou a falar:

— Doutor, deixaram um equipamento grande aqui. Tem câmera de vídeo, gravador, polaróide. Vou ter que fazer uma foto sua para a família saber que está tudo bem. Vamos acender a luz e o senhor estende o lençol na parede mais estreita da jaula, para fazer fundo para a foto.

Quando estava tudo pronto, Companheiro ergueu a lona de um dos lados da jaula e por alguns segundos apareceu de corpo inteiro diante de Willy, mas com a cabeça coberta com um capuz com buracos no lugar dos olhos. O corpo que Willy viu era de um homem de uns quarenta anos, baixo, um pouco barrigudo e com a pele clara, muito clara, e os braços cobertos de pêlos também claros. Ele colocou a câmera entre as barras verticais da jaula e disparou o flash duas vezes. Cinco minutos depois, já com a cobertura de lona novamente arriada, trouxe uma das fotos para Willy datar e assinar.

Nessa noite Willy teve dificuldades para dormir. Queixou-se com Companheiro, e pouco depois a mão do seqüestrador aparecia sob a lona e colocava num canto da jaula dois comprimidos de Diempax. Na conversa sobre insônia, Companheiro reclamou que também vinha dormindo e comendo mal desde o primeiro dia do seqüestro, mas terminou ele próprio se consolando e dizendo que aquilo iria acabar:

— Na hora em que sua família arrumar o ouro começamos a operação desmonte.

Na terça-feira, Companheiro despertou animado, garantindo a Willy que naquela noite iriam embora dali. À tarde, o refém pediu para fazer a barba:

— Não quero chegar em casa muito barbudo, as crianças vão ficar assustadas.

Companheiro colocou na jaula um tubo de creme de barbear, um aparelho de lâminas descartáveis e, como fizera nas manhãs anteriores, deixou ali pasta de dentes, escova, um pequeno balde plástico com água, sabonete e duas toalhinhas de mão. Enquanto Willy se barbeava, o seqüestrador contava coisas fantasiosas sobre a "operação desmonte": inventou que a jaula seria serrada em pedacinhos de trinta centímetros e que provavelmente a própria casa onde estavam seria demolida e os escombros jogados num buraco gigante, a ser cavado no terreno. Mas o dia foi passando e nada de vir a ordem de partir. Willy percebeu que Companheiro estava agitado, caminhando de um lado para o outro. A noite chegou e eles continuavam lá. O relógio Rolex do prisioneiro tinha sido devolvido com os ponteiros mexidos, mas ele calculou que deveriam ser nove horas quando um carro passou pelo portão, saindo uma hora depois. Companheiro entrou no cômodo e Willy perguntou:

— Veio gente aí, não é?

Ele respondeu seco:

— Não.

Um pouco mais tarde, Corintiano apareceu e sentou-se ao lado da jaula. Willy insistiu na pergunta e ele confessou:

— Não sei mentir para o senhor. Os homens vieram aqui para dizer que a coisa está enrolada. Não sabemos quando o senhor vai ser libertado.

Willy chamou Companheiro. Corintiano percebeu que seria uma conversa pessoal e saiu dali. Willy estava tendo uma crise de raiva e de depressão, falava aos gritos:

— Porra, Companheiro, até você? Você era a última pessoa em quem eu podia confiar, a última esperança que me restava aqui. Você prometeu que tudo ia se resolver hoje e agora mentiu para mim. Depositei minha confiança em você e você me traiu.

No silêncio do cômodo, Willy percebeu que Companheiro estava chorando. O seqüestrador enfiou as mãos sob a lona, passou-as pelas grades e pediu:

— Segura aqui minhas mãos, doutor.

Willy tateou no escuro, segurou as mãos de seu carcereiro e ouviu a promessa feita com segurança:

— Eu lhe prometo, doutor. Amanhã vamos embora daqui de qualquer jeito, aconteça o que acontecer.

Entre soluços, ele continuava falando:

— Não vou lhe mentir e dizer que tanto faz para mim ir embora com ouro ou sem ouro. Mas se eu sair desta sem nada não tem importância, eu até me livro dessa culpa mais facilmente.

Willy segurou as mãos com firmeza:

— Veja lá o que está prometendo, Companheiro. Não posso me decepcionar de novo com você.

Foi mais uma noite de sono tumultuado. Na quarta-feira, o clima era de partida. À tarde, Willy pediu que trouxessem de novo o aparelho de barbear. Companheiro ficou meio sem jeito de admitir que era supersticioso:

— Não é por nada, não, doutor, mas ontem o senhor se preparou para ir embora, e acho que esse negócio de fazer barba não deu muita sorte.

Willy entendeu que por trás daquela conversa estava embutida a ameaça de adiar de novo o fim do pesadelo. Perdeu a paciência, ameaçou berrar, chamar a atenção, pedir socorro. Companheiro veio acudir:

— Doutor, eu estou com o senhor, estou do seu lado, não mentiria nunca para o senhor. Até fiz terrorismo com os homens, disse que o senhor estava evacuando sangue, que corria o risco de morrer aqui. Sabe o que responderam? Se o senhor colocar a operação em risco, a ordem que nós temos é de eliminá-lo. Para provar que não estou mais com os homens, que estou com o senhor, posso lhe entregar as balas do meu revólver. Pelo amor de Deus, fique tranqüilo. Prometo que vamos embora daqui hoje...

Willy não aceitou ficar com a munição do seqüestrador. Os argumentos dele, porém, o convenceram. Mas o dia foi passando sem que surgisse nenhum indício de que o seqüestro estivesse acabando. A esperança era de que seria muito arriscado tirá-lo dali com o dia claro. Quando anoiteceu e ninguém apareceu para abrir a jaula, ele decidiu correr o risco e chamou Companheiro:

— Já devem ser dez da noite e você não cumpriu sua promessa. Eu tenho uma proposta a lhe fazer, para você ficar bem comigo e com Deus. Você não vai ter que fugir da polícia, quando sairmos daqui? Então eu lhe pago a sua parte, os seus cinco por cento — aí, em vez da polícia, você vai ter que fugir dos seus parceiros.

Desde o momento em que soubera do valor do resgate exigido, Willy havia pensado mil vezes na possibilidade de tentar dividir o grupo, mas o medo o impedira de fazê-lo. E se Corintiano ouvisse e o delatasse aos outros? A jogada tanto poderia colocá-lo em liberdade como significar a assinatura de sua pena de morte. Companheiro levantou-se do chão indignado e deu um violento murro na parede:

— Puta merda, doutor! O senhor não entendeu nada!

Apavorado diante da perspectiva de tudo ir por água abaixo, Willy ainda tentou consertar a situação:

— Por favor, Companheiro, não considere isso como um suborno! Eu não estou comprando você, não é nada disso, só estou facilitando sua vida, para que você possa fugir. Se você está prometendo me libertar a troco de nada, fazendo um gesto digno, é minha obrigação dar-lhe condições para fugir dos outros.

Mas Willy, desnorteado, estava falando sozinho. Companheiro tinha deixado o cômodo e ido para fora. Minutos depois, o preso ouviu o que parecia ser o ruído de um esmeril em funcionamento. Como Companheiro havia comentado que "os homens" tinham receio de receber barras de chumbo banhadas a ouro, ele imaginou que estivessem esmerilhando o produto do resgate. Mais algumas horas se passaram e, como ninguém viesse libertá-lo, Willy começou a berrar:

— Isto aqui virou uma fábrica de loucos! Eu não fico mais um minuto nesta merda! Tirem-me daqui, senão eu me mato!

Quando Companheiro entrou no cômodo, Willy chorava convulsivamente. O seqüestrador tentou acalmá-lo:

— Espere, doutor, estamos arrumando tudo para o senhor sair daqui. Calma.

Corintiano entrou, irritado:

— Não fique dando explicações, Companheiro. Ele se quiser que confie em nós.

Willy deitou-se de novo sobre o colchonete no chão da jaula. Por volta de meia-noite Companheiro entrou:

— Pode ir se preparando. Daqui a quarenta minutos vamos embora. Vista o pijama e pegue essas mantas para se agasalhar.

Willy concluiu que o teste do esmeril deveria ter dado resultados positivos: o ouro tinha sido entregue, era puro mesmo e estava tudo resolvido. Minutos depois, Companheiro voltou chacoalhando as chaves dos cadeados que trancavam a jaula. A oferta de dinheiro tinha tirado o tom amistoso da voz do seqüestrador:

— Bote o capuz que vamos embora. Estamos trocando nossa vida pela sua. Espero que pelo menos o senhor não nos entregue à polícia. Se perguntarem, diga que passou esses dias no quarto andar de um prédio no centro de Salvador. Diga que só viu os três homens que o pegaram lá na academia de ginástica.

Como "trocando nossa vida pela sua"? No banco traseiro do fusquinha que o levava — com Corintiano e Companheiro na frente —, Willy achou que aquilo soava a teatro vagabundo. Gente que parecera tão sensível agora punha a mão em cem quilos de ouro e ainda vinha fazer o papel de mocinhos? O carro rodou por uma hora, mais ou menos, entrou por uma estrada de terra e parou. Quando Willy desceu e tirou o capuz da cabeça, a escuridão em volta era total. Companheiro aproximou-se para abraçá-lo e Willy percebeu que o seqüestrador estava chorando.

Willy caminhou da meia-noite às cinco da manhã por uma estrada asfaltada a que chegara depois de andar no atalho de terra onde tinha sido deixado pelos seqüestradores. Parecia um espantalho: paletó de pijama cinco números mais largo, bermudas, meias, tênis e uma manta cobrindo o corpo. O letreiro luminoso de um ônibus que passara por ele em alta velocidade trazia o nome de ITABAIANA, o que o levou a imaginar que estivesse em Sergipe. Depois de cinco tentativas frustradas, desistiu de conseguir carona: os motoristas jogavam o caminhão sobre ele com o pé no fundo do acelerador. Quando o dia começou a clarear, viu as luzes de uma vila, aproximou-se e descobriu que estava em Conceição do Jacuípe, a poucas dezenas de quilômetros da capital baiana. Esperou o posto telefônico abrir e fez uma ligação a cobrar para sua casa. Sentiu as pernas bambearem quando Cláudia, sua mulher, contou-lhe que o resgate ainda não tinha sido pago e que Édson ainda estava negociando com os seqüestradores. Companheiro cumprira a promessa de libertá-lo, com ouro ou sem ouro.

Meses antes do seqüestro, Willy conhecera num jantar social o banqueiro norte-americano John Reed, presidente do Citibank, em viagem de negócios ao Brasil. Semanas depois, Willy recebeu dele uma carta gentil, agradecendo a acolhida. No fim da carta, Reed colocava as agências do Citibank no Brasil à sua disposição "para tudo o que fosse necessário". No dia seguinte à sua libertação, foi a vez de Willy escrever a Reed, contando que precisara do banco num momento de desespero e descobrira que a oferta não tinha sido apenas o gesto formal de um homem de negócios.

Durante os dias em que Willy esteve nas mãos dos seqüestradores, o preço do ouro subiu rápida e surpreendentemente no mercado. Feitas as contas, a família lucrou 15 milhões de cruzados com a alta. Descontadas as despesas com o seguro e o transporte do ouro de São Paulo para Salvador, ainda sobraram 7 milhões de cruzados. Que hoje estão nos cofres do Convento das Beneditinas Enclausuradas de São Paulo.

2. O sonho da Transamazônica acabou

Em meados de 1974 o governo anunciou que as obras da rodovia Transamazônica tinham chegado ao fim. Tratava-se de um megaprojeto do regime militar celebrado como a maior ousadia da engenharia humana: milhares de operários operando máquinas gigantescas (muitas delas desembarcadas na selva por helicópteros militares de carga) tinham rasgado o Brasil de leste a oeste, ligando a Belém–Brasília aos confins da Amazônia, onde as fronteiras do Brasil e do Peru se confundem no meio da mata. Para os militares, era a "obra do século". O fotógrafo Alfredo Rizzutti e eu fomos destacados pelo Jornal da Tarde *para percorrê-la de ponta a ponta — uma tarefa que não era novidade para nós. Ambos já tínhamos estado lá, quatro anos antes — juntamente com o repórter Ricardo Gontijo, que em 1974 já deixara o* JT *para trabalhar na TV Globo —, quando o governo anunciou a construção da estrada, em 1970. Da primeira vez, no entanto, ainda não havia estrada alguma. Para percorrer cada cidade e vila no trajeto previsto da Transamazônica, tivemos de viajar em aviões da FAB, em barcos que desafiavam os rios da Amazônia e até em lombo de burro. Pioneiros, fomos nós que le-*

vamos aos colonos incrédulos a notícia fantástica do nascimento da grande estrada. A primeira reportagem recebeu o prêmio Esso de Equipe de 1970 e acabou por se converter em nosso livro-reportagem: publicado pela editora Brasiliense, Primeira aventura na Transamazônica *trouxe-me o prazer, pela primeira vez, de ver um livro de minha co-autoria esgotar sucessivas edições em livrarias.*

Quatro anos depois, embora a estrada já estivesse oficialmente inaugurada (em solenidade que contou com o presidente da República, general Emílio Garrastazú Medici), as informações que nos chegavam não eram nada animadoras. Seríamos de novo pioneiros, já que até então ninguém havia feito todo o trajeto. Segundo o DNER e a Petrobras — que detinha o monopólio de distribuição de combustível ao longo da rodovia —, se quiséssemos de fato percorrer os mais de 3 mil quilômetros de terra no meio da selva, deveríamos estar preparados para guiar até dezoito horas por dia, enfrentar de novo o inferno dos mosquitos, pó, calor e sujeira, dormir em redes ou em camas malcheirosas, e comer carne de bode por dias a fio. Nosso plano era iniciar a aventura, aboletados no pequeno e resistente jipe Xavante, em Estreito, no quilômetro 1555 da Belém–Brasília, marco zero da Transamazônica, e de lá seguir até Rio Branco, a capital do Acre.

Tudo resolvido, o jipe foi colocado em uma carreta e enviado para Belém; Rizzutti e eu fomos de avião até a capital do Pará. De lá, já no Xavante, seguimos pela Belém–Brasília até Estreito (cerca de setecentos quilômetros). E ali, no marco zero da nossa reportagem, iniciamos a viagem pela Transamazônica, até Rio Branco, de onde o jipe finalmente foi despachado para São Paulo também de carreta. Para enfrentar um estirão de estrada onde praticamente não havia oficinas mecânicas ou reboques e onde até os postos de gasolina eram raros, junto com os equipamentos normais levávamos todo um estoque de peças e apetrechos: dois pneus sobressalentes, um cabo de aço extra para o guincho, um carburador, uma bomba

38

de gasolina, uma bobina, duas correias de ventilador, dois tampões para o cárter, dois platinados, dois condensadores, uma engraxadeira, um jogo de correntes para as rodas (para o caso de encontrarmos atoleiros), um jogo de molas espirais traseiras e um de molas dianteiras, um cabo de acelerador, um de embreagem e um de velocímetro. Antes da partida, participamos de um rápido curso na Gurgel, fábrica do jipe, para aprender a trocar peças e fazer pequenos consertos no Xavante, já que seria impossível encontrar mecânicos no trajeto. E foi com alguma surpresa que, ao chegarmos a Rio Branco, notamos que as peças sobressalentes estavam intactas. O carro só veio a se ressentir do péssimo estado da Transamazônica no fim da viagem, depois de ter rodado cerca de 4 mil quilômetros, quando faltavam apenas duzentos quilômetros para o fim. Um barulho estranho começou a nos preocupar, e vimos que o amortecedor traseiro esquerdo não tinha resistido a tantas pancadas e estava partido — e, ironicamente, amortecedor sobressalente era das poucas coisas em que não tínhamos pensado... Retiramos a peça quebrada e seguimos até Rio Branco a uma velocidade média de trinta quilômetros por hora. Na capital do Acre, poucas pessoas acreditavam que tivéssemos feito todo o trajeto da estrada com o Xavante — aquele jipinho aparentemente frágil e pequeno. Como nos disse um caboclo, à entrada de Rio Branco, "um amortecedor quebrado não é nada para o primeiro carro a percorrer a Transamazônica inteira, de ponta a ponta".

Em 1970, havíamos percorrido 5296 quilômetros em cima de uma promessa e de um projeto que só existia nos mapas. Partimos de João Pessoa, na Paraíba, e chegamos até Cruzeiro do Sul, na fronteira do Acre com o Peru. Vimos índios, onças, quatis, pássaros em profusão. Quatro anos depois, somente a pesca abundante lembrava a aventura anterior. Os pássaros haviam se refugiado no interior da mata, a estrada espantara os animais selvagens e os índios estavam confinados em suas reservas. Mas se em 1970 chegamos a

ser presos, por suspeita de subversão, dessa vez enfrentamos dificul-
dades que quase nos levaram a desistir da missão, abandonar tudo
e voltar para casa. Na primeira viagem testemunhamos o entusias-
mo das populações com a perspectiva da chegada do progresso e da
grandiosa obra que prometia casa, comida e terra fértil para cerca
de 5 milhões de nordestinos vítimas da seca e da miséria que, dizia
o governo, seriam transferidos para as margens da megarrodovia.
Em 1974, após percorrer todos os perigos e desafios da estrada, após
atravessar 136 rios em seis balsas e cruzar 130 pontes de madeira,
Alfredo Rizzutti e eu ainda tínhamos dúvidas:
— Valeu a pena?

Esta foi uma das últimas reportagens que escrevi para o Jornal da Tarde. *Esperei para vê-la publicada, o que aconteceu em se-*
tembro de 1974, em vinte páginas distribuídas em cinco edições do
JT, *saí em férias e quando retornei foi para pedir demissão: eu ia*
trabalhar na revista Visão.

Os mistérios prometidos pelos folhetos de propaganda do
governo só aparecem depois de vencidos os primeiros cem quilômetros, quando as árvores começam a ficar mais altas e a vegetação, mais cerrada. Então, vêem-se também casas de colonos,
queimadas, soldados. Para quem espera encontrar na Transamazônica os perigos e segredos prometidos nos folhetos distribuídos pela Petrobras, os primeiros cem quilômetros são decepcio-
nantes. Nós tínhamos saído de Belém com muito medo de viajar.
A decisão de percorrer os 3312 quilômetros que ligam Estreito,
em Goiás, a Rio Branco, no estado do Acre, tinha causado espanto até nos engenheiros do 19º Distrito do DNER, em Belém, criado exclusivamente para conservar a estrada.

Até então, ninguém havia feito a travessia total da Transamazônica, de ponta a ponta, e as informações sobre o estado de conservação e sobre as possibilidades de conseguir gasolina no caminho eram as mais contraditórias. Até Altamira era certo que conseguiríamos passar: mas, e daquela cidade em diante? Esse trecho já tinha sido percorrido algumas vezes por um engenheiro do DNER, Paulo Barreto, e as informações disponíveis eram as mais animadoras: a estrada estava trafegável, segundo avisaram semanas antes os postos do Departamento, situados em diversos pontos. Mas uma chuva mais forte poderia muito bem ter destruído pontes e provocado desabamentos de aterros.

O abastecimento de gasolina também seria precário. A direção da Petrobras em Belém só podia garantir que haviam sido instalados onze postos ao longo da Transamazônica, mas era impossível saber quais deles estavam ativos ou não. Nós viajávamos num jipe Gurgel Xavante, cujo tanque de gasolina, de aproximadamente trinta litros, dava uma autonomia de cerca de 240 quilômetros. Além disso, levávamos dois galões sobressalentes, de vinte litros cada um. Ao todo, tínhamos uma autonomia de 550 quilômetros e, como havia postos da Petrobras a cada trezentos quilômetros, nós só corríamos um risco: encontrar dois postos, seguidos, desativados. "Se isso acontecer", advertiu-nos um funcionário da Petrobras, "vocês talvez tenham de ficar alguns dias acampados na estrada, esperando que passe algum veículo para socorrê-los."

Íamos preparados: uma barraca de camping, dois sacos de dormir, duas camas de campanha, um fogãozinho a gás, um lampião, duas lanternas, cantis — e quase vinte latas de Repelex, para enfrentar "o único bicho da Amazônia que não respeita nem comitiva oficial": o terrível pium, mosquitinho preto que deixa o corpo inchado e com pequenas gotas de sangue no local da picada. Como arma, apenas um revólver calibre 32. Mas, como levar o revólver? Tanto na Petrobras como no DNER, fomos avisados: entre Estreito e Marabá existem três barreiras dos batalhões antiguerrilha do Exército [*segundo o SNI, os guerrilheiros ligados ao PC do B estavam reduzidos, na época, a vinte combatentes*]. Se tentássemos passar pelas barreiras com o revólver, certamente seríamos presos, ainda que levássemos porte de arma, documentos, cartas de apresentação. Mas ninguém recomendava que, por causa disso, viajássemos desarmados. Além da possibilidade, não muito remota, de encontrarmos animais selvagens, existia o risco de sermos assaltados. Na Petrobras e no DNER falavam de cobras gigantescas, de onças que vinham rondar as barracas à noite, de ladrões que se vestiam como índios para cercar carros na beira da estrada: "Se aparecer alguém pedindo carona, pode jogar o carro em cima que é assaltante".

Com revólver seríamos presos, sem revólver estaríamos expostos a onças, cobras e assaltantes. Decidimos que seria mais fácil enfrentar os ladrões e os animais selvagens e devolvemos o revólver à redação, em São Paulo, por intermédio do correspondente do jornal em Belém. Para substituí-lo compramos um terçado — um facão com lâmina de oitenta centímetros, usado na região para desmatamento. Com ele passaríamos sem problemas pelas barreiras do Exército. Se fosse preciso, compraríamos uma espingarda em Altamira, já fora do alcance dos batalhões antiguerrilha.

O que nos tranqüilizou foi uma carta-circular, assinada pelo diretor do 19º Distrito do DNER, dirigida a todos os postos-residências ao longo da estrada. Quando não houvesse hotéis, poderíamos pernoitar nesses postos, de onde seria possível fazer contato por rádio com Belém. Caso ficássemos mais de três dias sem comunicação, seria fácil para o DNER localizar o trecho em que estávamos parados, por falta de gasolina ou qualquer outro problema.

Por tudo isso, a estrada nos decepcionou bastante, já no primeiro dia da viagem. Nos cem quilômetros iniciais, a partir de

Estreito, a Transamazônica é exatamente igual a qualquer estrada de terceira classe do interior de São Paulo. Naquele trecho, a misteriosa selva amazônica é apenas um rastro acinzentado, quase invisível, no horizonte.

A pista é de terra vermelha, cercada por uma vegetação rasteira como as capoeiras nordestinas, e com um movimento de veículos muito intenso. A cada minuto passavam por nós, em alta velocidade e levantando nuvens de pó, ônibus, jipes, caminhões cheios de colonos. A única surpresa são as serras muito altas que a estrada vai riscando em todo o percurso.

O Xavante avançava sem problemas, atingindo até cem quilômetros por hora em certas retas. Beirando a estrada, alguns barracos de palha ou pau-a-pique — os tapiris — com placas indicativas: são "hotéis", "restaurantes" e "lanchonetes". No quilômetro 120, quase duas horas depois da partida, a estrada sai de Goiás e entra no Pará. Aos poucos, quase sem que se perceba, a paisagem vai mudando, a mata vai se aproximando da estrada, já podíamos ver de perto árvores de mais de cinqüenta metros de altura. No quilômetro 133, encontramos o primeiro posto de gasolina e, apenas como medida de segurança, completamos o tanque. Para nossa surpresa, o Xavante conseguia fazer, em condições difíceis, dez quilômetros com um litro de gasolina. Esta marca passaria a servir para nós como medida para os cálculos futuros, quando os postos começassem a ficar mais raros.

Às onze da manhã, três horas depois de partirmos, chegamos à beira do rio Araguaia. Bandos de meninos vendiam doces, cerveja em lata, utensílios de alumínio para cozinha, pencas de bananas, fumo de rolo. A balsa do DNER descarregava um ônibus da Transbrasiliana que fazia o trajeto Altamira–Marabá–Estreito. Do outro lado do rio, um helicóptero do Exército fazia evoluções no ar, os soldados lá de cima olhando de binóculo o movimento das pessoas.

Do lado de lá, após cinco minutos de travessia, atracamos no "Porto Jarbas Passarinho". Um quilômetro depois, a primeira barreira militar. As placas pintadas com a palavra REPORTAGEM e o nome do jornal não diminuíram o rigor da busca. Dois soldados com ar cansado queriam saber tudo: o que fazíamos ali, para onde íamos, por que o carro não estava em nosso nome, para que levávamos tanta bagagem. Com muito custo consegui convencer o soldado a nos liberar da revista da bagagem: seria muito aborrecido ter que abrir um por um os fardos que trazíamos amarrados na parte traseira do Gurgel Xavante. Olhando com desconfiança o terçado sob o banco dianteiro, o soldado levantou a barreira e nos deixou passar.

A mata ia se fechando em torno da estrada. Pouco depois do rio Araguaia, vimos uma cena que se repetiria até Altamira: as queimadas nos terrenos de colonos, usadas para limpar a área desmatada e iniciar a semeadura. Às vezes as queimadas davam um aspecto lúgubre à paisagem: no meio da mata verde-escura, uma gleba inteira cinzenta, feita de tocos de árvores queimadas, moitas de capim ainda fumegando. E, no centro desse braseiro, a casa do colono, isolado com sua mulher e seus filhos.

Meia hora depois, o meu companheiro de viagem, Alfredo Rizzutti, pediu que eu parasse o carro na beira da estrada, que ele ia fotografar uma dessas glebas queimadas. Isso se repetiu mais algumas vezes. Na terceira parada, notamos que o helicóptero do Exército nos seguia, fazendo sobrevôos. Com a ajuda de uma teleobjetiva pude ver que éramos observados através de binóculos. Assustados com as notícias de centenas de prisões feitas na região pelo Exército, nós levávamos, além de toda a documentação necessária, um argumento que às vezes costuma valer mais do que qualquer carta de apresentação: uma página do jornal *O Liberal*, de Belém, que publicara uma reportagem sobre nós, com fotos, relatando "o pioneirismo de nossos confrades de São Paulo".

Alfredo e eu tínhamos uma péssima experiência anterior: quatro anos atrás, quando fizemos a primeira viagem pelo roteiro da Transamazônica, então ainda um projeto no mapa, passamos um dia inteiro na prisão, no interior do Maranhão, confundidos com "terroristas que haviam tentado fazer explodir a usina de Boa Esperança". E isso apesar de viajarmos num carro com chapa oficial, cedido pelo ministro Mário Andreazza, e de levarmos a tradicional carta do jornal solicitando "das autoridades em geral todo o apoio para o melhor desempenho da missão". Essas lembranças e a presença do helicóptero nos assustavam, mas poucos minutos depois ele desapareceu.

A média de velocidade começou a cair a partir do rio Araguaia. As quinze pontes de madeira construídas sobre os igarapés entre Estreito e Marabá haviam sido carregadas pelas chuvas do último inverno. Junto com as pontes, a água levou também um pedaço da estrada, e para o trabalho de reconstrução as construtoras tiveram de mudar o trajeto da Transamazônica quinze vezes, só nesse trecho, fazer desvios e montar novas pontes em locais onde o terreno fosse mais seguro.

De dez em dez minutos, mais ou menos, tínhamos de reduzir bastante a velocidade do carro, colocá-lo em primeira e passar cuidadosamente sobre as pontes novas. Às vezes elas não passavam de dois troncos de árvores cortadas por ali mesmo, colocados lado a lado sobre o rio. Para que cada pneu passasse exatamente sobre um tronco, era preciso que um de nós descesse do carro e orientasse o que estava na direção, a fim de evitar queda dentro dos rios.

No quilômetro 200, depois de uma curva, surgiu a segunda barreira do Exército. Dois soldados de óculos escuros, com aparência de índios, pediram preguiçosamente que mostrássemos os documentos, explicássemos nosso destino etc., tudo como na primeira barreira. E mais uma vez passamos sem problemas.

Nesse anda-pára-anda levamos seis horas para percorrer os primeiros 257 quilômetros da Transamazônica e só à uma e meia da tarde começamos a ver, abaixo do nível da estrada, os telhados das primeiras casas de Marabá. A grande atração da cidade naquele dia estava estacionada num posto de gasolina: o carro do casal Ute e Peter Muller. Atraídos pelas notícias da Transamazônica que chegavam a Munique, na Alemanha, sua cidade natal, os dois jovens resolveram montar um pequeno apartamento na carroceria de uma perua Ford e pretendiam fazer o mesmo trajeto que íamos percorrer até Rio Branco, no Acre. Boa parte da população se aglomerava em torno da perua branca com as palavras MÜNCHEN-GERMANY pintadas na carroceria, olhando à distância e sem poder trocar uma palavra com os estrangeiros. Peter só falava alemão e Ute arranhava um pouco de inglês. Como companhia eles levavam um pequeno mico-estrela comprado na Bahia.

A Transamazônica mudou bastante a vida dos habitantes de Marabá. Mudou para pior: a passageira euforia que a cidade viveu com a chegada das máquinas, dos engenheiros e das centenas de operários foi substituída por um aumento considerável nos índices de doenças na região, provocado pela abertura da mata virgem que cercava a cidade; os preços subiram tanto, apesar de o alto poder aquisitivo ter ido embora com os homens da estrada, que uma galinha chega a custar até cinqüenta cruzeiros; as famílias reclamam das dezenas de prostíbulos que apareceram para servir os operários mas que não foram embora com eles; a diária de um hotel de terceira classe — o melhor da cidade — custa oficialmente setenta cruzeiros, mas acaba saindo o dobro, graças a uma nova fórmula hoteleira: as diárias vencem às seis da manhã, e quem sair às seis e cinco paga uma nova diária. "As caras estranhas são tantas na cidade", reclama uma dona-de-casa, "que Marabá está perdendo um de seus hábitos mais antigos: as mães e as filhas ficavam à tarde, com as cadeiras na calçada, cumprimentando quem passasse. Agora não sabemos mais quem anda por aqui, ou temos medo de que seja mais um desses malucos que a estrada trouxe do Sul."

Marabá ganhou uma linha de ônibus, e seus habitantes, o direito de ir a Altamira, Itaituba e Estreito pela rodovia. Mas não foram realizados dois grandes sonhos que a Transamazônica prometia concretizar: a riqueza trazida pela exploração do minério de ferro da serra dos Carajás, "maior que o quadrilátero ferrífero mineiro", como dizem todos, e a construção da Nova Marabá, que acabaria com o pesadelo das enchentes que todo ano, de dezembro a maio, aterroriza a cidade.

O primeiro sonho morreu quando o governo decidiu que o minério da serra dos Carajás — a ser explorado pela United States Steel e pela Vale do Rio Doce — não seria escoado pela Transamazônica, como o povo esperava, mas seguiria direto para o porto de Itaqui, no Maranhão, por uma estrada de ferro projetada especialmente para esse fim.

A construção da Transamazônica trouxe um novo ânimo aos defensores de um velho plano do ex-governador Magalhães Barata: mudar a cidade para uma região próxima, a salvo das enchentes. Fundada no fim do século XIX, na confluência dos rios Tocantins e Itacaiúnas, Marabá tem sobrevivido com dificuldades a todos esses invernos. Este ano foi preciso decretar estado de calamidade pública, pois em alguns pontos a água subiu doze metros acima do nível do rio, batendo os recordes de 1935, 1945 e 1957, quando houve as piores enchentes.

Desde a enchente de 1937 o povo espera a transferência da cidade. A Transamazônica poderia ser o argumento para sensibilizar o governo federal e se conseguir, de uma vez por todas, dar início à mudança. Mas a estrada ficou pronta e Marabá continua submergindo uma vez por ano. Passado o pesadelo da enchente, começam a aparecer as doenças: malária, febre amarela, tifo, esquistossomose.

Nos bares, na beira do rio e nas portas das pensões, ninguém esconde o que se considera o verdadeiro entrave à construção da nova cidade: a especulação imobiliária. Qualquer pessoa em Marabá tem exemplos concretos disso. Só Miguel Pernambuco, por exemplo, um grande produtor de castanhas, tem mais de duzentas casas alugadas na cidade. Apesar da precariedade desses imóveis — poucos têm teto forrado, por exemplo —, o custo médio mensal de um aluguel é de mil cruzeiros. Como Miguel Pernambuco, há mais três ou quatro homens que controlam o mercado imobiliário de Marabá e que, segundo se diz, seriam capazes de pagar qualquer preço para impedir a construção de uma nova cidade. Esses argumentos se tornam verossímeis quando se sabe que a área para a instalação da Nova Marabá já foi doada à prefeitura pela Sudam — Superintendência do Desenvolvimento da Amazônia — e que todo o projeto urbanístico da cidade está pronto e aprovado, tendo sido feito por um escritório de arquitetura de São Paulo.

Deixamos Marabá e retomamos a Transamazônica, com destino a Altamira, sem resposta à pergunta que repetimos dezenas de vezes na primeira cidade cortada pela estrada: que benefícios a Transamazônica trouxe a Marabá?

Sempre seguindo os conselhos do DNER, evitávamos guiar à noite. Para chegarmos a Altamira ainda com dia claro, seria preciso sair de Marabá antes das cinco da manhã. Mas como a balsa que atravessa o rio Itacaiúnas só começa a funcionar às seis, a única solução foi pernoitar do outro lado do rio, na Rurópolis Amapá, do INCRA, a primeira da estrada. Antes da partida decidimos fazer uma checagem geral no Xavante, embora não houvesse tanta necessidade, pois só havíamos rodado mil quilômetros até ali (740 de Belém a Estreito, marco zero da Transamazônica, e 260 até Marabá). O carro continuava sem problemas, mas como teríamos que rodar mais de quinhentos quilômetros sem paradas, até Altamira, trocamos o óleo do motor e do filtro, e lubrificamos o eixo dianteiro.

Quando o dia começou a clarear estávamos no quilômetro 303 da Transamazônica, na Agrovila Castelo Branco: sessenta casinhas de madeira, uma escola, um restaurante, hospital, clube e uma pequena usina de beneficiamento de arroz, para uso dos colonos da redondeza. Mais uma hora de viagem e encontramos um barraco feito de troncos de árvores, o teto coberto de folhas de palmeiras, transformado em sala de aula. Eunice Marinho, a professora, realizava a proeza de dar aula simultaneamente à primeira e à quarta séries do primário, dividindo o quadro-negro em duas partes: no lado esquerdo, lições de caligrafia para o primeiro ano; à direita, contas de multiplicar e dividir para os alunos do quarto.

Todos os 88 alunos presentes eram filhos de colonos, e o que morava mais perto da escola, um garotinho filho de cearenses, precisava caminhar quatro quilômetros para assistir às aulas, diariamente. Eunice, a professora, tinha vindo de Vitória, no Espírito Santo, para acompanhar o marido, colono recém-instalado numa gleba ali perto. E se gabava de ser a única professora da região com diploma do curso normal. Quando lhe perguntamos quanto ganhava, ela sorriu:

— Ainda não sei, porque estou aqui há apenas quatro meses e os salários estão atrasados há mais de seis. Me parece que são quatrocentos e cinqüenta cruzeiros por mês.

Nos fundos da escola, uma cozinheira preparava o almoço dos alunos: castanha-do-pará moída e misturada com leite em pó fabricado na Nova Zelândia, fornecido pelo governo dos Estados Unidos.

A estrada começou a piorar cada vez mais. Às vezes a erosão provocada pelas últimas chuvas tinha feito estragos tão grandes que sobrava apenas uma estreita faixa de terra, exatamente da largura de um carro de passeio. Em ambos os lados a estrada tinha desabado completamente. Num desses trechos, a camioneta de um engenheiro do INCRA que então nos acompanhava (para mostrar o funcionamento do sistema de colonização) quase despencou. Duas rodas laterais ficaram em terreno firme, e as outras duas arriaram pelo barranco fofo. Alguns metros abaixo dela, um lago formado pelas chuvas do último inverno aumentava os riscos de uma provável queda do veículo. O motorista do INCRA fez duas tentativas para retirar a picape, ligando a tração nas quatro rodas, mas ela afundou ainda mais. Então, pela primeira vez, tivemos oportunidade de experimentar o guincho do Gurgel Xavante. Travamos as rodas do nosso carro e demos várias voltas com o cabo de aço do guincho em torno do pára-choque da picape. Só temíamos que o peso da camioneta, bem maior que o do Xavante, acabasse arrastando os dois veículos para dentro do lago. Mas duas ou três voltas na catraca do guincho foram suficientes para afastar o perigo e trazer de volta a perua do INCRA para a parte mais firme da estrada.

Seguindo o roteiro de viagem feito para nós pelo DNER em Belém, deveríamos almoçar e reabastecer o carro em Rio Repartimento, no quilômetro 410. Com alguma surpresa descobrimos, por volta do meio-dia, que Rio Repartimento é apenas uma pequena favela de tapiris de pau-a-pique, à beira da estrada, onde não havia nenhum restaurante. A única coisa que conseguimos foi renovar o estoque de água mineral e reabastecer o carro, enchendo o tanque e os dois galões sobressalentes.

Por volta do quilômetro 460, passamos com o carro em baixa velocidade, na esperança de poder fotografar índios das tribos paracanã e curucuruí. Com as reservas da Funai perto de Marabá fechadas por causa do surto de meningite no Sul, temíamos o que acabou mesmo acontecendo: atravessar toda a Transamazônica sem ver um índio sequer. Na região do rio Curucuruí — alguém nos disse antes — costumava-se ver alguns índios na beira da estrada, "vigiando a terra". Ali é uma antiga reserva da Funai, delimitada antes da abertura da estrada. Sem saber disso, o INCRA incluiu as terras dos índios entre as glebas a serem distribuídas para os colonos. Por três vezes, as 86 famílias curucuruís e paracanãs ameaçaram invadir as glebas e expulsar as cinqüenta famílias de colonos. O impasse só foi resolvido com a remoção dos colonos para outra área, alguns quilômetros adiante, fora da reserva.

Passamos devagar por aquela região, mas só perdemos tempo.

A média de velocidade que conseguíamos desenvolver nesse trecho era bem mais baixa do que a do trajeto Estreito–Marabá. Das 36 pontes sobre igarapés construídas entre Marabá e Altamira, apenas sete sobreviveram ao inverno deste ano. Tivemos que parar o carro 29 vezes para atravessar as pinguelas colocadas no lugar das pontes destruídas.

Às duas da tarde paramos num barzinho miserável em Arataú, junto ao marco divisório da colonização. Até lá, a responsabilidade é do INCRA de Marabá, e, dali em diante, do INCRA de Altamira. O bar tinha geladeira, que não estava funcionando. Como almoço, carne de veado (que parecia ter sido caçado semanas antes, de tão ruim) e farinha. Mas não tínhamos escolha: ou comíamos ali mesmo ou teríamos que resistir em jejum até Altamira.

Num canto do bar, deitado em uma rede, um demarcador de terras do INCRA comentava que, ao tentar fazer uma demarcação na mata, a quatro quilômetros da estrada, ele tinha encontrado uma pequena tribo de índios, mas todos pacíficos. A temperatura devia girar em torno dos quarenta graus, e o homem contava essas histórias sem muito entusiasmo, preguiçosamente espichado na rede. Do outro lado do bar, nós ouvíamos, bebendo cerveja quente.

Deixamos Arataú sem fome, mas com a sensação de ter comido algo estragado. Na estrada, a poeira começava a se tornar insuportável. Como todo veículo conversível, o Xavante não é muito vedado, e o pó entrava à vontade. Sobre nossa bagagem, na parte de trás, uma camada de terra vermelha ia assentando aos poucos, até que os objetos perdiam por completo a cor original. Nossos rostos, mãos, roupas e cabelos ficavam inteiramente cobertos de pó. Quando cruzávamos com os raros veículos desse trecho da Transamazônica, aumentava a camada de pó sobre tudo o que havia dentro do carro. Viajar com as janelas fechadas era impossível, por causa do calor. Começávamos a sentir de perto o drama da Transamazônica, que já nos havia sido relatado por diversos colonos ao longo do caminho: no inverno, que vai de dezembro a junho, a chuva alaga a região e deixa a estrada intransitável; no verão, de julho a novembro, a poeira toma conta de tudo.

Aí começaram a aparecer com mais freqüência as glebas de colonos à beira da estrada. Nesse trecho os colonos que vieram de fora tiveram mais sucesso: ali estão as únicas terras realmente férteis de toda a Transamazônica, as terras roxas. A maioria dos mineiros, cearenses, gaúchos e maranhenses que se instalaram nesse pedaço da estrada já está ganhando dinheiro com suas colheitas. O mineiro Licurgo Pacheco, por exemplo, plantou 3 mil pés de café em sua gleba, e pretende chegar aos 10 mil, se o INCRA lhe conceder mais cem hectares. E já pôde comprar seis serras elétricas, com o lucro obtido na venda de sua primeira colheita de arroz.

A gasolina chegou ao fim, e recorremos pela primeira vez a um dos tanques de reserva. Às cinco e meia da tarde lembramos que ainda estávamos a setenta quilômetros de distância do rio Xingu, e que as balsas do DNER só funcionam até as seis da tarde. Em meia hora seria impossível chegar lá. Talvez tivéssemos que dormir na margem de cá do Xingu e esperar que as balsas voltassem a funcionar no dia seguinte às seis da manhã. Tentamos recuperar o tempo gasto durante o dia nas paradas para fotos e entrevistas, aumentando a velocidade do Xavante, mas a estrada estava cada vez pior, e a escuridão poderia esconder uma ponte caída ou um buraco na pista. Prosseguimos com muito cuidado, e só às sete da noite chegamos à margem do Xingu.

Pela primeira vez, desde a inauguração da estrada, aquela balsa estava funcionando até as oito da noite, excepcionalmente, para facilitar a passagem da comitiva do vice-presidente da República [*o general Adalberto Pereira dos Santos*], que naquele dia visitava Altamira e adjacências. Com a carta de apresentação do DNER não foi difícil cruzar o rio.

Depois do rio Xingu, a estrada melhora bastante, e o trecho de 62 quilômetros até Altamira foi vencido sem problemas, em pouco mais de uma hora de viagem. Na entrada da cidade encontramos o que talvez seja o pior trecho da estrada e que é, curiosamente, a única parte da Transamazônica asfaltada: os dez quilômetros pavimentados para que o presidente Medici inaugurasse a obra. Como foi um serviço feito às pressas, exclusivamente para a inauguração, o asfalto durou poucos dias. Atualmente só se consegue atravessar os dez quilômetros "asfaltados" guiando em primeira.

A neblina forte que cobria a estrada na chegada a Altamira nos fez perder o rumo. Entramos numa estradinha vicinal e fomos parar ao lado de um acampamento de colonos que jantavam junto de três camionetes, em volta de uma fogueira. Gritamos de longe, perguntando onde era o caminho para Altamira, e eles identificaram nosso sotaque sulista: eram colonos de Barretos, no interior de São Paulo, que acabavam de chegar à Transamazônica. Depois de um rápido diálogo na escuridão, retomamos a rumo certo. Às oito e meia da noite, quinze horas e 569 quilômetros depois de termos saído de Marabá, chegamos a Altamira, no quilômetro 826 da Transamazônica.

Quando os últimos buldôzeres terminaram os trabalhos de abertura da rodovia Transamazônica, no fim do ano passado, ficou sepultado sob a montanha de árvores derrubadas o grande sonho do governo: as terras ao longo da estrada não são "as mais férteis do Brasil", como se apregoou centenas de vezes antes de se iniciar a construção da rodovia. Longe disso, a faixa de terra considerada "boa" para a agricultura, a "terra roxa", está limitada a um trecho de menos de cem quilômetros de extensão, na região de Altamira. O "novo Paraná" não existe.

Mas quando as equipes do Ipean — Instituto de Pesquisas Agropecuárias do Norte — entregaram ao governo os laudos demonstrando que só havia alta fertilidade em cerca de 3,6% das terras ao longo da Transamazônica, não havia mais jeito de voltar atrás. A estrada estava construída, e milhares e milhares de colonos de todo o Brasil já haviam sido deslocados para as glebas às suas margens.

Talvez a dureza dessa realidade explique a dedicação e o sucesso alcançado pelas equipes do INCRA no esforço de colonização da Transamazônica. Um trabalho que consiste — e nisso concordam colonos e funcionários do INCRA — em "tirar leite de pedra". Com todos os defeitos que possa ter, a colonização da Transamazônica está superando as expectativas mais otimistas.

Hoje o esforço do INCRA parece se concentrar na tentativa de corrigir os erros passados. Se o primeiro engano — a esterilidade da terra — é praticamente incorrigível, pois sua recuperação com fertilizantes custaria uma fortuna incalculável, o INCRA procura reduzir os efeitos de outras medidas negativas adotadas anteriormente.

A euforia do início da construção da Transamazônica fez com que o governo atraísse para a estrada, entre 1970 e inícios de 1973, cerca de 4 mil colonos e suas famílias (aproximadamente 60% do total de colonos fixados, hoje, em toda a extensão da estrada). Mas a muitos deles ofereceu-se o que não existia: terra fértil, casa própria, financiamento e garantia de preço vantajoso na safra.

Para compensar as desilusões, que não foram poucas (centenas de famílias desistiram e voltaram às suas cidades de origem), o governo passou a adotar uma política paternalista: cada colono que chegasse à Transamazônica recebia, dependendo do número de filhos, de seis a nove salários mínimos por mês, a título de ajuda de custo. Aí surgiu outro problema: com o dinheiro garantido no fim do mês, muitos colonos tornaram-se indolentes, desinteressaram-se pela terra, deixaram de plantar. Hoje o INCRA mudou radicalmente sua política de colonização. Primeiro suspendeu as transferências em massa de famílias de outros estados para a região, como fora feito durante muito tempo. E distribuiu ordens a todas as coordenadorias estaduais para explicar, com detalhes, que condições iriam encontrar na Amazônia os voluntários que se interessassem.

A "ajuda de custo" foi suspensa, e tudo o que o colono recebe é vendido pelo governo, ainda que a preços simbólicos, para ser reembolsado ao INCRA em prazos que variam de quatro a vinte anos. E, surpreendentemente, o interesse pela Transamazônica renasceu entre pequenos agricultores de todo o país. As novas condições de assentamento se tornaram, por si próprias, uma pré-seleção dos candidatos às glebas: atualmente quem chega à Amazônia sabe o que vai encontrar e tem, conseqüentemente, muito mais disposição para o trabalho.

A faixa de terra estabelecida pelo Ministério da Agricultura para a colonização (cem quilômetros de largura, em cada um dos lados da estrada, entre Estreito e Itaituba) está dividida em duas categorias. Nos primeiros dez quilômetros ficam apenas os colonos. Os noventa quilômetros restantes serão destinados aos projetos pecuários. Na faixa de dez quilômetros, cada colono recebe uma gleba de cem hectares (quinhentos metros de frente por 2 mil de fundo). Entre cada grupo de dez lotes, isto é, de cinco em cinco quilômetros, o INCRA está abrindo estradas vicinais, com 7,5 quilômetros de extensão. Nas vicinais o colono tem direito aos mesmos cem hectares, só que divididos em lotes de quatrocentos por 2,5 mil metros de extensão.

No trabalho de distribuição de terras, deu-se prioridade aos colonos que já viviam nelas antes da construção da estrada, ou que se assentaram lá antes do início da colonização. Na faixa "dos fundos" — os noventa quilômetros destinados à pecuária —, só se permite que os antigos donos permaneçam mediante apresentação de projeto de aproveitamento da área. Com isso, a intenção do INCRA é transformar latifúndios em empresas. Quando há grandes proprietários na faixa "de frente" — nos primeiros dez quilômetros —, o INCRA indeniza o dono, já que aquela área é destinada exclusivamente à colonização, aos pequenos agricultores.

Depois de selecionado e aprovado pelo INCRA, o colono é levado à linha de frente, junto com um agrônomo, para escolher seu lote. Normalmente o INCRA só fornece sementes de subsistência e de árvores frutíferas (só no primeiro semestre o INCRA investiu 400 mil cruzeiros apenas em sementes de arroz e feijão). Numa segunda etapa, quando a semeadura de subsistência já foi feita, o colono recebe do INCRA mudas de laranja, manga, maracujá, abacaxi, abacate, biribá, cupuaçu, cacau e caju. Para ensinar técnicas de plantio, e, principalmente, maneiras de tirar o máximo da terra com pouco ou nenhum investimento, o INCRA fez um contrato com a ACAR — Associação de Crédito e Assistência Rural —, transferindo a este órgão toda a responsabilidade pelo treinamento agrícola dos colonos.

O carinho e a dedicação que os técnicos do INCRA têm para com os colonos, e que se notam à primeira vista, não se confundem com o paternalismo da política de colonização anterior. Tudo o que é fornecido ao colono, por exemplo, é debitado em uma espécie de conta-corrente, a partir do momento em que ele pleiteia a terra: o terreno custa a cada colono 2 mil cruzeiros (vendida a cinco cruzeiros o hectare, a terra custa, ao todo, quinhentos cruzeiros; os 1,5 mil restantes são para cobrir as despesas de topografia). A casa de madeira é vendida também a preço de custo: entre 5 mil e 8 mil cruzeiros, dependendo dos preços de transporte e mão-de-obra à época da construção. O colono tem vinte anos para reembolsar esse dinheiro ao INCRA, com três anos de carência — que é o prazo em que se calcula que ele começará a ter lucro com as lavouras.

As sementes também são vendidas, assim como as mudas de árvores e a sacaria para a venda dos cereais colhidos. Essa dívida com o governo, entretanto, o colono é obrigado a liquidar assim que vende a colheita, o mesmo ocorrendo com os inseticidas utilizados durante a safra. Através do INCRA, todo colono pode solicitar financiamento à Carteira de Crédito Rural do Banco do Brasil. Até agora, segundo informações obtidas em Marabá, Altamira e Itaituba, 40% das solicitações de financiamento foram atendidas pelo Banco do Brasil. Normalmente, em todo o projeto de colonização na Transamazônica, a produção dos colonos é adquirida diretamente pela Cibrazem [*Companhia Brasileira de Armazenamento*], que entrega as safras à Cobal [*Companhia Brasileira de Alimentos*] para comercialização — na região ou em outros mercados.

Em Marabá, entretanto, os agrônomos do INCRA estão iniciando um sistema de venda dos produtos colhidos pelos colonos que poderá se transformar, num futuro breve, em verdadeiras cooperativas de produção. Todo sábado o INCRA aluga três caminhões aos colonos, cobrando apenas a gasolina e o salário do motorista para transportar a Marabá — o maior centro urbano da região — toda a colheita de hortigranjeiros da semana. Verduras, frutas e ovos são vendidos a preços compensadores tanto para os colonos como para os compradores de Marabá, ultimamente espoliados pelos comerciantes após a construção da estrada. A feira também estimula o plantio de novos produtos, evita a perda da produção e já começa a diversificar as culturas da região.

O desenvolvimento do espírito comunitário entre os colonos da região de Marabá cresceu muito depois que a feira foi criada pelo INCRA. No mês passado, um grupo de colonos esteve no órgão solicitando a concessão de uma gleba de 2,5 hectares, junto à Agrovila Castelo Branco, onde será plantada uma horta destinada a testar o plantio de novos produtos. Se der certo, toda a produção dessa horta será vendida em regime comunitário pelos colonos, diretamente ao público, sem intermediários.

O INCRA e a ACAR insistem muito com os colonos para que na metade do lote destinada ao reflorestamento sejam desenvolvidas culturas que valorizem o terreno. Vários viveiros de árvores em fase de extinção estão sendo mantidos pelo INCRA, que pretende fornecer mudas dessas plantas aos colonos.

Os primeiros colonos a chegar à Transamazônica tiveram o privilégio de escolher as melhores terras, na região de Altamira. Isso pode ser comprovado pela comparação dos números relativos à safra de 1974 em Altamira e Itaituba. Os colonos assentados na primeira região produziram 15 mil toneladas de arroz, contra 6,8 mil toneladas em Itaituba; 2,5 mil toneladas de milho, contra 960 toneladas; 1680 toneladas de feijão em Altamira para 420 toneladas em Itaituba.

Mas nem todo o esforço dos jovens agrônomos do INCRA foi bastante para apagar as marcas dos erros cometidos pelo governo há três anos, no início da colonização. A atração de colonos, que deveria ter sido feita paulatinamente, à medida que houvesse condições de recebê-los, foi precipitada: em poucos meses quase todos os lotes à beira da estrada estavam ocupados, e não havia casas nem infra-estrutura para receber tanta gente.

Hoje há cerca de 6 mil colonos espalhados ao longo da Transamazônica. Somados aos seus familiares, formam uma população de cerca de 42 mil pessoas, mas até agora o INCRA só conseguiu dar casa própria a novecentas famílias. Existem, portanto, cerca de 5 mil famílias de colonos vivendo em barracos de sapé e pau-a-pique. Algumas famílias estão há mais de dois anos assentadas na estrada e ainda não receberam suas casas. A solução, nesses casos, tem sido a construção, por eles próprios, de tapiris miseráveis, onde a malária, a febre amarela e dezenas de outras doenças típicas da Amazônia encontram condições ideais para se alastrarem.

Os colonos que não conseguiram lotes à beira da estrada e tiveram de se contentar com terrenos nas estradas vicinais estão em situação ainda mais desesperadora. Para que houvesse acesso a todos os lotes "de fundos", o governo deveria ter construído cerca de 3 mil quilômetros de estradas vicinais. Mas até agora há menos de mil quilômetros de vicinais abertas. E, mesmo assim, as estradinhas que já foram abertas praticamente desaparecem após três invernos amazônicos.

O erro de ter atraído mais colonos do que a região podia sustentar tem sido criticado até por órgãos do próprio governo federal como a Sudam — Superintendência do Desenvolvimento da Amazônia. Em documento divulgado no início deste ano, a Sudam acusa o INCRA de ter feito publicidade excessiva em torno das grandezas da Amazônia, provocando com isso um surto migratório desordenado, "de gente simples que, atraída pela propaganda, busca naquelas áreas uma felicidade difícil de encontrar".

Mas até os menos favorecidos na localização da terra, os que ainda não têm casa própria e nem sequer uma lavoura, até esses colonos têm esperanças na vida na Transamazônica. Como João Olinto de Melo, baiano de Feira de Santana, que, mesmo morando num tapiri e passando fome naquelas épocas do ano em que não consegue plantar nada, acha a Transamazônica melhor que a vida que levava antes. "Se Deus me chamar agora", diz ele, "ainda estarei em situação melhor que a de meus companheiros que ficaram em Feira de Santana, porque moro numa terra que é minha. O danado, seu moço, é trabalhar a vida inteira e no fim ser sepultado na terra do patrão."

Em Altamira, não reconhecemos a cidade que havíamos visitado em 1970, antes do início da construção da estrada. Da vila de casas de quatro anos atrás só restava a pracinha que dá para a margem do rio Xingu. O resto mudou completamente: ruas asfaltadas, iluminação a vapor de mercúrio, dezenas de bares e restaurantes abertos à noite, rapazes cabeludos e moças de minissaia passeando pelas calçadas.

Não havia hotéis vagos na cidade — estavam todos tomados por acompanhantes do vice-presidente da República — e, carta de apresentação à mão, fomos pedir pouso na residência do DNER. Embora sem ter sido batizada oficialmente, Altamira foi a cidade escolhida pelo governo para ser a capital da Transamazônica. Lá a estrada foi inaugurada, lá foi instalado o maior e mais bem-cuidado projeto de colonização, para lá foram levadas as maiores construtoras. Tudo em Altamira é melhor e recebeu mais apoio do que nas outras cidades cortadas pela estrada. Inclusive a residência do DNER, construída para receber eventualmente visitas de ministros e presidentes da República. Para nós foi um alívio poder dormir em apartamentos com ar-condicionado e banheiro privativo, depois de quinze horas de poeira, buracos, mosquitos.

Na manhã seguinte tentamos rever alguns personagens da reportagem feita em 1970. Nosso principal entrevistado de quatro anos atrás fora o italiano Giacomo Dallacqua, o "Jimmi", naquela época o homem mais importante da cidade: a empresa madeireira de Jimmi faturava 1 milhão de cruzeiros por ano, e esse número deveria ser multiplicado várias vezes após a construção da estrada, segundo seus planos.

Mas a Transamazônica não trouxe o que Jimmi esperava — ou melhor, seu impacto foi bem maior do que ele previa. A empresa cresceu muito, o italiano delegou poderes a estranhos, perdeu o controle sobre os negócios, que eram fechados em Belém por procuradores. Ele foi à falência, perdeu as máquinas, teve seus estoques confiscados pelos credores, ficou pobre de uma hora para outra.

O que aconteceu com Jimmi pode ser tomado como exemplo da total desorganização provocada na população de Altamira pela rodovia Transamazônica. Há quatro anos, o melhor salário da cidade era pago pela prefeitura a alguns de seus funcionários: setenta cruzeiros por mês. Da noite para o dia, as construtoras Mendes Júnior e Queiroz Galvão atiraram na cidade 3 mil empregados — de engenheiros a simples operários — cujo salário mínimo era de quinhentos cruzeiros por mês.

A cidade, naquela época, tinha menos de 5 mil habitantes. Junto com os homens da estrada vieram os colonos, os aventureiros, os pioneiros que queriam ganhar dinheiro rápido e fácil. A população subiu para 18 mil habitantes, sem contar os 18 mil colonos e familiares que o INCRA assentou nas margens da rodovia que ia sendo aberta. Casas de comércio eram inauguradas diariamente, quase todas montadas por gente do Sul, que sabia que os seis únicos comerciantes da antiga Altamira não teriam condições de atender aos novos e exigentes habitantes. Muita gente abandonou o garimpo — atividade exercida na cidade havia várias décadas — para se dedicar ao comércio e aos serviços de infra-estrutura destinados ao "pessoal da estrada".

Com o padrão de vida e o poder aquisitivo da população elevados artificialmente pelas pessoas que vinham de fora e tinham salários altos, os preços subiram de maneira assustadora. O número de estabelecimentos comerciais aumentou dos seis de antigamente para 480 casas de tecidos, empórios, lojas de calçados, de bebidas, açougues, casas de ferragens e de material para construção. O preço dos aluguéis se tornou exorbitante — sempre havia quem pagasse mais por uma casinha melhor.

Mas ninguém se lembrou de que a construção da estrada tinha prazo para terminar. No início do ano passado, as construtoras foram embora de Altamira com suas máquinas, seus empregados bem pagos. E com elas foi embora a euforia da Transamazônica, como diz um dos velhos comerciantes da cidade: "O sonho da Transamazônica acabou. Agora está na hora de pagarmos a despesa dessa festança que durou três anos".

Com a mesma rapidez com que o poder aquisitivo da população aumentou dez vezes, a cidade voltou à estaca zero. No dia em que as máquinas foram embora, deixaram de circular na cidade, mensalmente, 2 milhões de cruzeiros. E como as atividades tradicionais de Altamira foram colocadas em segundo plano — todo mundo queria ganhar dinheiro com o comércio —, a exploração de castanha, borracha e minérios decaiu muito e hoje atravessa uma de suas piores fases. A pecuária, que se pretendia implantar em grande escala junto com a estrada, ainda está engatinhando.

Como se não bastassem todos esses prejuízos, a Transamazônica não conseguiu sequer cumprir seu papel fundamental, que seria o de interligar Altamira com o resto do Brasil, por terra. Como diz o interventor da cidade, tenente Filomeno (como todas as cidades cortadas pela Transamazônica, Altamira é área de segurança nacional):

— A estrada é ótima durante seis meses por ano. Nos outros seis, quando chove, Altamira fica de calças curtas, dependendo de aviões até para receber alimentos de Belém, como acontece desde que a cidade existe.

Até Altamira já havíamos rodado mais de oitocentos quilômetros na Transamazônica e não tínhamos ouvido sequer uma resposta objetiva à pergunta inicial: para que serve a Transamazônica? Os mais entusiasmados com a estrada arriscavam justificativas com chavões: "Serve para integrar a Amazônia", ou "A maior obra do século a gente não pergunta para que serve" — ou ainda, como disse um agrônomo do INCRA: "Não faz sentido perguntar qual a finalidade de uma estrada que poderá ser vista pelos primeiros habitantes da Lua". Prosseguindo a viagem, em direção à Rurópolis Presidente Medici, pudemos compreender o entusiasmo das pessoas que chegam a comparar a Transamazônica à Muralha da China: era indiscutível que para vencer aquelas árvores gigantescas, para cortar de ponta a ponta, com uma rodovia, a maior floresta do planeta, fora preciso muita coragem. Mas a pergunta continuava no ar, apesar de tudo isso: para quê?

Na região de Altamira é que se tem uma noção mais real do que foi o trabalho de colonização da Transamazônica, principalmente sob a orientação do atual governo, que decidiu acabar com o paternalismo com que eram tratados os primeiros colonos. Hoje o colono chega, recebe seus cem alqueires de terra, aprende rudimentos de agricultura, ganha sementes e pode, se quiser, se filiar a uma das pequenas cooperativas. Não há mais a ajuda de seis a nove salários mínimos que o governo anterior concedia, como prêmio pelo pioneirismo de colonizar a Transamazônica.

Mas, ainda que o sistema de colonização adotado na Transamazônica fosse o mais perfeito de toda a história do país, caberia outra pergunta — que ninguém respondeu até agora: pagar 700 milhões de cruzeiros (esse foi o custo aproximado da estrada) não é um pouco caro para instalar 7 mil colonos e suas famílias na Amazônia? Isso sem contar o custo da colonização em si (cerca de 50 mil cruzeiros por colono) e da manutenção da estrada (por volta de 51 milhões de cruzeiros anualmente, até que ela seja asfaltada).

A dúvida sobre a verdadeira função da Transamazônica voltou a nos assaltar no caminho para a Rurópolis: pode-se contar nos dedos de uma das mãos o número de veículos que trafegam pela estrada, em um dia de viagem. Vem logo à cabeça a previsão feita pelo ministro Mário Andreazza, em 1970: "Tão logo esteja aberta ao público", disse ele, "a Transamazônica terá um movimento de veículos superior ao da Belém–Brasília". E à medida que íamos avançando nos quilômetros, o número de veículos diminuía mais e mais. O que se via com alguma freqüência eram pedestres: colonos voltando da caça, crianças indo para a escola e os homens da Sucam — Superintendência das Campanhas de Saúde Pública — percorrendo as casas dos colonos para o trabalho de dedetização contra a malária.

A partir de Altamira, muda a paisagem nas glebas à beira da estrada: em lugar das plantações de arroz, comuns nos trechos anteriores, o que se vê é cana-de-açúcar nos dois lados da Transamazônica. A explicação está no quilômetro 960, afastada um quilômetro do leito da estrada: a usina de açúcar Abraham Lincoln, que deverá ser posta a funcionar ainda este mês. A usina custou ao INCRA, seu proprietário e idealizador, cerca de 45 milhões de cruzeiros. Quando estiver funcionando com plena capacidade, ela deverá produzir 500 mil sacas de açúcar por ano. A idéia de construir a usina nasceu da constatação dos técnicos do INCRA de que as terras compreendidas entre os quilômetros 880 e 940 da Transamazônica, ainda sob jurisdição de Altamira, são excepcionalmente férteis para o plantio de cana. "Em Pernambuco, considerado o maior produtor de cana da América do Sul", disse um técnico, "dá para tirar de quarenta a sessenta toneladas de cana-de-açúcar por hectare. Aqui, na Transamazônica, quase caímos de costas ao descobrir que se pode obter até 140 toneladas de cana por hectare."

O grande problema é que os colonos ainda não acreditam na cana-de-açúcar, duvidam que esse cultivo dê dinheiro e que a terra seja boa mesmo. Dentro de três anos — prazo para a Abraham Lincoln funcionar a toda a capacidade —, a usina absorverá cerca de 375 mil toneladas de cana por ano. Isso equivale a garantir mercado para a produção de mais ou menos 550 colonos que queiram se dedicar exclusivamente à plantação de cana-de-açúcar em suas glebas. Segundo estudos feitos pelo INCRA, toda essa produção será colocada na própria região Norte e, se o IAA — Instituto do Açúcar e do Álcool — permitir, será vendida diretamente ao consumidor, de modo a reduzir o preço final do produto. Como subproduto, a Abraham Lincoln colocará no mercado, anualmente, 3,5 milhões de litros de álcool. E o combustível para fazer funcionar a usina será o próprio bagaço da cana.

— Mas, para que tudo isso se torne realidade — explica um agrônomo do INCRA —, será necessário que o IAA ajude, incentivando os colonos, fazendo campanhas para convencê-los de que o plantio da cana-de-açúcar é uma atividade que traz vantagens econômicas. Todas essas glebas que vocês viram aí, na beira da estrada, estão plantadas com cana-de-açúcar graças ao nosso trabalho. Nós temos que conversar com os colonos, um por um, para convencê-los de que plantar cana é um bom negócio.

Depois de viajar tantos quilômetros pela Transamazônica, parando em tapiris miseráveis — que é onde mora a maioria dos colonos —, o que mais surpreende a quem chega à Rurópolis Presidente Medici, no quilômetro 1225 da rodovia, é o excessivo luxo do Hotel Presidente Medici, também de propriedade do INCRA (na Transamazônica quase tudo é do INCRA e quase tudo se chama "Presidente Medici"). Literalmente cercado pela selva por todos os lados, ali os hóspedes podem desfrutar do conforto de um hotel de primeira classe. Em seus quinze apartamentos e duas suítes presidenciais há aparelhos de ar-condicionado, banheiros privativos e vestíbulos. Apesar de cercado por uma mata onde se encontram as madeiras mais valorizadas no mundo, no hotel da Rurópolis utilizou-se apenas madeira do Paraná.

Na Rurópolis, entretanto, esse luxo não é visto nem nas casas dos homens mais importantes de lá, os funcionários graduados do INCRA. Atualmente com menos de mil habitantes, a Rurópolis Presidente Medici — situada no entroncamento da Transamazônica com a rodovia Cuiabá–Santarém — é quase inteiramente uma cidade de funcionários públicos. Seu pequeno comércio está voltado para os colonos assentados nas imediações, em glebas nas margens da Transamazônica ou nas estradinhas vicinais.

É na Rurópolis que estão centralizados também os serviços de assistência médica, dentária e hospitalar, assim como a seção de assentamento de colonos. Uma farmácia, um açougue, um salão de sinuca, um cinema a ser inaugurado, uma quadra de basquete e uma de futebol de salão, o hotel... e acabou a cidade. À noite ela se divide em dois pontos de encontro: o barzinho, onde os colonos jogam víspora, disputando frango assado e uísque nacional, e o hotel, onde os engenheiros agrônomos e médicos do INCRA se reúnem para bater papo e beber Campari. "Uísque não tem mais", lamenta o garçom, "a comitiva bebeu tudo." As comitivas representam a maior receita do hotel. Ministros, missões estrangeiras, governadores — a visita ao hotel da Rurópolis está incluída em todos os roteiros de figurões que visitam a Transamazônica.

Nos 150 quilômetros que ligam a Rurópolis Presidente Medici a Itaituba estão os últimos núcleos de colonização da Transamazônica. A estrada piora ainda mais: para cobrir os buracos abertos pela chuva, as construtoras espalharam uma camada alta de piçarra — um cascalho fino — em toda a extensão da pista. Numa dessas passagens da estrada estivemos perto de um desastre: o Xavante ia a mais ou menos setenta quilômetros por hora quando surgiu um buraco enorme no meio da pista. Frear significava cair dentro do buraco — que já estava muito perto — e provavelmente partir a suspensão do carro. Escapamos do buraco com uma guinada para a esquerda, mas a piçarra estava muito solta e o jipe foi parar no outro lado da pista — ali muito estreita, comida pela erosão. Alguns centímetros mais e teríamos terminado a viagem no fundo de um precipício com vinte metros de profundidade.

Nas beiradas da estrada víamos os últimos colonos da Transamazônica. Na entrada das glebas, bem à margem da estrada, pequenas placas de madeira indicam a origem dos donos: Fazenda Fortaleza, Sítio Minas Gerais, Fazenda Botucatu, Gleba Saudades de Goiânia. Sentado numa pilha de sacos de arroz, encontramos o colono José Augusto de Oliveira, cearense de 34 anos, mas com ar de quase cinqüenta, tuberculoso. A placa REPORTAGEM na porta do carro parece ter-lhe avivado a esperança:

— Moço, pelo amor de Deus, vê se arranja para as autoridades me internarem. Estou ruim dos pulmões há seis meses, estou apartado da minha mulher e dos três filhos esse tempo todo e o INCRA não me interna. Já viram que estou ruim, tiraram sangue, chapa do peito, tudo. Fala com eles que eu sou pioneiro da Transamazônica, estou aqui há dois anos trabalhando feito um burro.

Já estávamos saindo, a mulher vem até a porta do carro reforçar o pedido do marido e confirmar o que ele disse: "As chapas provaram, seu moço. Ele está tísico mesmo".

Ao meio-dia chegamos a Miritituba, à margem do rio Tapajós. Do lado de lá está Itaituba, no quilômetro 1374 da Transamazônica: dezenas de casinhas térreas espalhadas ao lado da igreja matriz, quase escondidas, a distância, pelas águas revoltas do Tapajós, um rio tão largo e violento que a população prefere chamá-lo de mar. Às vezes "o mar está bravo", alguém vai "atravessar o mar", "o mar hoje está ruim de peixe".

Com a transferência do setor de colonização para a Rurópolis Presidente Medici, ocorrida há alguns meses, em Itaituba quase não se fala mais dos colonos. A única história que ficou foi a do carioca que apareceu na cidade no início das obras da estrada. Vindo do Méier, calça boca-de-sino, relógio de ouro, ele conseguiu, graças às afirmações de que tinha "experiência agrícola", uma gleba de cem hectares. O pessoal do INCRA achou estranho que ele, em vez de plantar, durante o verão passado, tenha se dedicado exclusivamente a comprar galões de gasolina e armazená-los em tambores. Quando começaram as chuvas, tudo se esclareceu: Itaituba ficou isolada, sem combustível, o carioca montou em sua gleba um posto particular onde vendia a gasolina armazenada no verão a cinco cruzeiros o litro, o que lhe valeu o apelido de "cigarra", como na fábula. Cigarra só perdeu o direito à gleba quando se descobriu que em vez de arroz ele plantava maconha. Mas em apenas cinqüenta hectares, conforme manda o INCRA, já que, segundo o depoimento de Cigarra à polícia; "os outros cinqüenta hectares estavam destinados ao reflorestamento".

Como em Altamira e Marabá, Itaituba sofreu os efeitos da Transamazônica sem que houvesse qualquer planejamento para as mudanças que a cidade ia viver. Altamiro Raimundo da Silva, prefeito há quatro anos, acha que a simples presença de "jornalistas de São Paulo aqui na cidade é uma prova de que a Transamazônica trouxe progresso a Altamira. Se não fosse a estrada, vocês viriam aqui fazer o quê?".

Quando estivemos em Itaituba, em agosto de 1970, a cidade tinha 1,8 mil habitantes, dois veículos — um jipe e uma camionete — e apenas uma casa de comércio, uma portinha e um balcão onde se vendia de tudo. Calçados, querosene, comida, utensílios de cozinha — tudo podia ser encontrado no Samuca. Tudo naquele tempo era muito pouco, porque a cidade não conhecia os hábitos de Belém, do Rio, das grandes metrópoles. Hoje Itaituba tem 6 mil habitantes, mais de duzentos veículos registrados na prefeitura, e o Samuca, que era só uma lojinha, transformou-se no grande presente da Transamazônica a Itaituba: o Super Tudo Samuca, um supermercado exageradamente grande para o tamanho e as necessidades da cidade. Um estabelecimento como qualquer outro de São Paulo, onde se pode encontrar até comida enlatada estrangeira e uísque escocês. Quando seu estabelecimento tinha só uma porta, ele era apenas o Samuca, mas hoje é Samuel Bemerguy, o dono do Super Tudo, e o maior entusiasta da estrada:

— Só este ano recebemos mais de cinqüenta caminhões frigoríficos de São Paulo. Já se pode comer aqui, em Itaituba, presunto fabricado no Rio Grande do Sul. Se isso não justifica o investimento feito pelo governo na construção da estrada, então eu não entendo de progresso.

Apesar dos argumentos de Bemerguy, a vida de Itaituba não mudou muito com a chegada da estrada. A cidade continua vivendo do extrativismo mineral (ouro e cassiterita) e vegetal (borracha, castanha e pau-rosa, uma madeira exportada para a França, onde é transformada em perfume).

Todos esses produtos continuam sendo transportados para Belém e Santarém pelo mesmo veículo de sempre: o barco, que não deixou de ser o principal meio de transporte da cidade. A arrecadação do município não acompanhou o progresso de Samuca nem o aumento de número de veículos: em 1970, a prefeitura recolheu 700 mil cruzeiros em impostos; hoje essa cifra apenas dobrou para 1,4 mil cruzeiros anuais.

A convite do DNER, iríamos dormir em Miritituba, mas o problema de Marabá se repetiu: tínhamos que sair muito cedo e a balsa só funcionava a partir das seis da manhã. Atravessamos o Tapajós em 45 minutos — esse é o rio mais largo que a estrada corta: 3 mil metros de largura — e dormimos em Itaituba. No dia seguinte iniciaríamos a pior parte da viagem. Ou pelo menos a única inteiramente desconhecida. O movimento de carros (sobretudo oficiais) originários de Marabá nunca vai além de Itaituba. Daí a falta de informações. Ninguém sabia se a estrada estava boa, por uma simples razão: ninguém tinha nada a fazer além de Itaituba. Dali para a frente só havia Jacareacanga e Humaitá, cidades que pouco ou nada têm a oferecer ou a pedir a Itaituba, Altamira, Marabá.

Teríamos que viajar 402 quilômetros até Jacareacanga, reabastecer no posto Petrobras da cidade, dormir por lá e, na manhã seguinte, partir rumo a Prainha (mais 407 quilômetros), onde havia uma residência do DNER. Entre Jacareacanga e Prainha não havia reabastecimento, e só poderíamos almoçar em Sucunduri, no meio do caminho, num velho acampamento da construtora Camargo Corrêa.

Nossos principais receios eram que a estrada não estivesse dando passagem entre Itaituba e Jacareacanga (no que é sabidamente o pior trecho de toda a Transamazônica), e que não houvesse gasolina em Jacareacanga. E, por fim, já estávamos conformados com a idéia de acampar na barraca em Jacareacanga, porque lá não há hotel, pensão, residência do DNER, nada. A cidade está no centro de uma região onde se encontram verdadeiras nuvens do terrível pium. Nossa experiência de 1970 com os temidos insetos da região tinha sido medonha.

Em Itaituba, na véspera da partida, as pessoas nos olhavam

com um sorriso entre o sádico e o penalizado ao saberem que iríamos dormir uma noite em Jacareacanga. E alguns faziam piada:

— Vocês podem oferecer uns duzentos cruzeiros ao tenente que cuida do campo de pouso de lá, para ele passar a noite de plantão em volta da barraca, armado de dois tubos de Repelex, espantando os piuns.

À noite, em Itaituba, Vandick, o chefe do escritório do DNER, recebeu uma mensagem pelo rádio, do engenheiro Abel, de Prainha (que já estava avisado por Belém da nossa chegada), com uma sugestão: para evitar o pernoite em Jacareacanga, a assustadora, nós poderíamos passar por lá apenas para reabastecer, rodar mais 176 quilômetros e dormir em Sucunduri, no acampamento da Camargo Corrêa. O único inconveniente era ter que fazer um estirão de 576 quilômetros num só dia, na pior parte da estrada.

Mas sabíamos que qualquer coisa era melhor que dormir em Jacareacanga e confirmamos ao engenheiro, pelo rádio, que a sugestão tinha sido aceita: dormiríamos em Sucunduri. Para reduzir os riscos fizemos uma nova checagem geral no Xavante: troca de óleo do cárter e do filtro, limpeza total do motor, que estava coberto de pó, lubrificação do eixo dianteiro. O único problema do jipe estava no acelerador, que, também entupido de pó, costumava não voltar à posição normal e nos pregava alguns sustos. Mas isso foi praticamente resolvido pelos mecânicos do DNER em Itaituba. À noite, Samuel Bemerguy, o Samuca do Super Tudo, levou-nos um cacho de bananas de seu sítio e um conselho:

— Se vocês ficarem presos na estrada, já vão sabendo: banana misturada com farinha é um excelente alimento. Dá para resistir até uma semana só com isso.

Banana, gasolina, óleo, ferramentas, peças sobressalentes, bolachas, água mineral, comprimidos de vitamina, cigarros, Repelex. Estávamos preparados para o pior. Se dentro de dois dias não chegássemos a Prainha, o engenheiro Abel poderia se movimentar para que alguém nos socorresse. Nossa única arma continuava sendo o mesmo terçado — havíamos decidido não comprar arma de fogo.

Saímos às cinco da manhã de Itaituba, ainda com o céu escuro. Depois de quarenta minutos de viagem, a trinta quilômetros por hora, descobrimos por que o DNER não quis receber oficialmente da construtora o trecho de estrada que vai de Itaituba a Jacareacanga. Caíra uma chuva pesada e rápida na noite anterior, e a estrada só dava passagem a carros leves como o nosso. Quando o dia clareou, fazíamos ginásticas com o Xavante para evitar os atoleiros. A lama chegava a cobrir quase inteiramente as rodas, mas ainda conseguíamos passar. Ao desaparecer a neblina que cobria toda a estrada, vimos que, pela primeira vez, estávamos no meio da selva fechada, com árvores enormes a meio metro do carro. A Transamazônica ali é um simples caminho, um risco vermelho no meio de milhões e milhões de árvores.

A estrada subia e descia por serras que, de cima, de avião, ninguém nunca suspeitara que existissem naquela parte da Amazônia. O estado lastimável da estrada não se devia à incompetência da construtora — soubemos depois —, mas ao tipo de terreno da região. Algumas ligações entre topos de serras tinham sido feitas através de aterros gigantescos, tão altos a ponto de, em alguns trechos, viajarmos no mesmo nível da copa de árvores com mais de quarenta metros de altura.

A chuva da noite anterior tinha estragado a Transamazônica para valer. Começamos a duvidar que aquele trecho da estrada pudesse resistir ao próximo inverno amazônico, quando choverá durante seis meses sem parar. O carro era levado em segunda marcha, para evitar derrapagens na lama, e isso aumentava o consumo de combustível. No quilômetro 1560 o tanque de gasolina já estava na reserva. Perto do rio Jataí passamos por um posto da

Petrobras que, como quase todos naquela parte da estrada, estava fechado ("Quem vai querer montar um posto para ganhar dinheiro — e uma mixaria — apenas seis meses por ano?", respondem os arrendatários procurados pela Petrobras).

A beleza da selva compensava as dificuldades da estrada: não havia acostamento, o carro passava rente às árvores, ao mato fechado. O barulho do motor do Xavante espantava gaviões enormes, pousados em tocos de pau, gatos-maracajás corriam de um lado para o outro da pista. Vimos dezenas de árvores caídas atravessadas no meio da estrada, cortadas a machado pelos raros motoristas que circulam naquele trecho, para permitir a passagem dos veículos.

O primeiro reabastecimento com a gasolina de reserva foi feito no quilômetro 1606. Três horas depois, já nas proximidades de Jacareacanga, usamos o último galão de vinte litros. Se não houvesse gasolina na próxima parada estaríamos perdidos. Às onze e meia da manhã o sol venceu a neblina e a lama começou a secar. O Xavante já desenvolvia velocidades mais altas, voltávamos a ganhar tempo. Apesar das dificuldades, chegamos a Jacareacanga ao meio-dia, duas horas antes do previsto.

No quilômetro 1799 ficam o posto da Petrobras e o entroncamento que leva a Jacareacanga, a oito quilômetros dali. Como o posto estava fechado, seguimos para Jacareacanga. Se não conseguíssemos comprar gasolina na cidade, teríamos que passar alguns dias ali, até encontrar combustível, de alguma maneira. Jacareacanga tinha gasolina, vendida em latões de vinte litros pela proprietária do único estabelecimento comercial da cidade, um botequim que abastece os mil habitantes de comida, calçados, roupas e gasolina a 3,30 cruzeiros o litro.

A cidade — aliás, um distrito de Itaituba — continua exatamente como a deixamos em 1970, quatro anos atrás. Em nossa visita anterior, nenhum habitante de lá tinha a menor esperança de que a Transamazônica pudesse melhorar sua vida. E realmente nada mudou: as pessoas continuam vivendo do pouco ouro que retiram dos veios próximos, o pium ainda obriga a população a viver trancada em casa, vendo o movimento quase inexistente das ruas através das telas de arame nas portas, nas janelas, nas paredes esburacadas das casas de pau-a-pique que formam a cidade. Um parágrafo da nossa reportagem de 1970 pode ser reproduzido hoje para descrever Jacareacanga sem mudar uma vírgula sequer:

> Jacareacanga é distrito de Itaituba. Jacareacanga é o fim do mundo. Isolada no meio da selva, raramente um avião pousa ali. Vive economicamente do garimpo e da borracha, levada de barco até Santarém em quinze dias de viagem. Quase todos os habitantes da cidade têm ou já tiveram malária, doença comum. Não há lavoura de subsistência, os habitantes da cidade alimentam-se de farinha de mandioca, arroz e pimenta. Quando há um caso de doença grave, a comunicação é feita a Santarém pelo rádio da base aérea, e um avião particular vem buscar o doente. O preço: 1,2 mil cruzeiros.

Só mudou uma coisa: o preço do vôo de avião a Santarém dobrou, agora custa 2,5 mil cruzeiros. Ainda eram duas e pouco da tarde quando saímos de Jacareacanga: então, por que dormir em Sucunduri, apenas um acampamento desativado da Camargo Corrêa, e não ir direto a Prainha, a 411 quilômetros de distância? Resolvemos seguir direto e dormir ainda aquela noite em Prainha. Nessa parada teríamos mais conforto e diminuiríamos o percurso a fazer no dia seguinte, até Humaitá.

A estrada muda por completo a partir de Jacareacanga. A

selva praticamente some das proximidades da Transamazônica, as serras desaparecem e a pista, perto do que havíamos visto de manhã, parecia asfaltada. Até as pontes continuavam inteiras. Chegamos a Sucunduri às quatro da tarde, sob um sol fortíssimo. O cozinheiro da Camargo Corrêa nos arranjou bifes, arroz, goiabada com queijo e água gelada. Ao lado do acampamento, um posto da Petrobras, também fora de operação. Por causa da falta de gasolina na estrada, o engenheiro da construtora é obrigado a fornecer gasolina aos viajantes que passam por ali com o tanque vazio.

— Não há outro jeito — disse ele. — Não podemos vender, porque a gasolina é da companhia. E se não enchermos o tanque dos poucos motoristas que aparecem por aqui, a despesa acaba ficando maior, porque teremos que hospedá-los até que venha um caminhão da Petrobras para abastecer os postos da estrada. E isso a gente não sabe quando vai acontecer.

Para chegar a Prainha teríamos que atravessar dois rios onde não há pontes, mas balsas do DNER: o Sucunduri, ali mesmo, a quinhentos metros do acampamento, e o Acari, 150 quilômetros adiante. Isso segundo o mapa da Petrobras. Como as balsas só funcionam até as seis da tarde, estávamos diante da possibilidade de dormir à beira do Acari, já que seria praticamente impossível fazer os 150 quilômetros até aquele horário. O engenheiro da Camargo Corrêa desmentiu o mapa da Petrobras e nos tranqüilizou:

— Podem seguir sem pressa, que esse mapa está errado. A travessia do rio Acari é feita por ponte de madeira, não existe balsa lá.

No quilômetro 1981 reabastecemos o carro com o primeiro galão de reserva e prosseguimos, já bastante cansados, até Prainha, uma vila do DNER construída para que as máquinas de terraplenagem pudessem ser desembarcadas na selva através do rio Aripuanã.

Ao estacionarmos o Xavante no acampamento de Prainha, quilômetro 2210 da Transamazônica, percebemos que fazia dezoito horas que estávamos viajando quase sem parar: era uma e meia da madrugada. O engenheiro Abel se surpreendeu com nossa chegada. Imaginava que estivéssemos dormindo em Sucunduri, conforme planejado, e não tinha preparado nada para nós. Comemos o restinho de um filé de anta, caçada na véspera, tomamos uma cerveja e desmaiamos na cama do Hotel da Prainha — um acampamento mais refinado, construído para receber o ministro Mário Andreazza e os engenheiros do DNER, durante a construção da estrada.

Estávamos tão cansados da viagem do dia anterior que pela primeira vez acordamos às nove da manhã. Tínhamos apenas Humaitá pela frente, naquele dia. De Prainha até Humaitá são 346 quilômetros, não tínhamos pressa. No tanque do Xavante havia apenas o resto da gasolina comprada em Jacareacanga, e com ela não conseguiríamos chegar a Humaitá. No meio do caminho havia um posto, mas ninguém podia garantir que estivesse aberto. Por via das dúvidas, o engenheiro Abel nos forneceu trinta litros de gasolina.

A estrada voltou a ser plana, mas estava inteiramente esburacada. A mata era menos densa e, ao lado da pista, passamos a ver uma nova paisagem: os enormes alagados provocados pelas chuvas, como na região do pantanal de Mato Grosso. No quilômetro 2464 escapamos por pouco de terminar a viagem ali. Pelas imediações deveria haver, segundo o mapa da Petrobras, um posto de gasolina. Diminuímos a velocidade, e a certa altura Alfredo avisou:

— Ali está a placa da Petrobras.

Reduzi a marcha para tentar enxergar o que ele apontava, quando um baque seco fez o carro tombar para a frente, já com o motor apagado. As duas rodas dianteiras do Xavante tinham caído numa valeta de oitenta centímetros de largura por mais de um metro de profundidade, que atravessava quase toda a extensão da pista. Se viéssemos a sessenta quilômetros por hora, como estávamos pouco antes, teríamos capotado. Com a ajuda de um colono que passava por ali, retiramos o Xavante do buraco, intacto. Apenas a chapa dianteira estava amassada com a pancada. Às duas da tarde chegamos a Humaitá, quilômetro 2556 da rodovia Transamazônica. Nos 1182 quilômetros que ligam Itaituba a Humaitá, cruzamos com precisamente oito veículos, e apenas um deles, um velho jipe, era particular: os outros sete eram caminhões e camionetes de construtoras, ou do governo. Esse dado adquire uma significação especial quando se sabe que esse trecho da Transamazônica custou 360 milhões de cruzeiros, e que sua conservação custará 24 milhões de cruzeiros por ano. E esta é a melhor época do ano para se trafegar pela rodovia.

Pouco antes de entrarmos em Humaitá, um vulto negro atravessou a estrada, a uns duzentos metros à frente do nosso jipe. Não foi possível identificar o animal, mas pelo tamanho e por nossa vontade de ver um animal selvagem — afinal, estávamos na Transamazônica — ficou decidido: aquilo só podia ser uma onça-preta. Em Humaitá começamos a sentir que a estrada — e a viagem — estava chegando ao fim. Para a população da cidade (8 mil habitantes), a Transamazônica não trouxe nenhum benefício. "Nem fama, como aconteceu com Altamira, Marabá e Itaituba", acrescentou um representante do prefeito. As ligações que Humaitá precisava ter com o progresso já existiam antes da Transamazônica, via Porto Velho–Cuiabá–Brasília–São Paulo. Ou, a partir de agora, via Manaus, pela estrada asfaltada que liga a capital amazonense a Porto Velho. A maioria da população trabalha na principal fonte de renda da cidade, a extração de borracha e sorva, uma resina especial utilizada na fabricação de chicletes. "A maior prova de que Humaitá não tem nada a ver com a Transamazônica", disse o representante do prefeito, "é que nem o orgulho de ver a cidade transformada em área de segurança nós tivemos. Isso foi um privilégio destinado a Altamira, Itaituba e Marabá."

Pelo projeto inicial, a Transamazônica deveria seguir em direção ao Acre, depois de Humaitá, passando pelos municípios de Lábrea e Boca do Acre, ambos no estado do Amazonas. Mas no fim do ano passado decidiu-se que essas duas cidades seriam eliminadas da rota da estrada e, com isso, ganharam-se quinhentos quilômetros: o governo resolveu incorporar à Transamazônica os trechos já existentes entre Humaitá e Porto Velho, e entre esta cidade e Rio Branco, no Acre. Os 227 quilômetros que ligam Humaitá a Porto Velho estão quase totalmente asfaltados, já que fazem parte da Porto Velho–Manaus, que o governo pretende pavimentar toda até o fim deste ano, isto é, antes das próximas chuvas.

Na chegada a Porto Velho tivemos que utilizar pela última vez a carta de apresentação do DNER para convencer o piloto da balsa sobre o rio Madeira a nos levar para o outro lado. Já eram quase sete da noite e, como em todo o trajeto da Transamazônica, também ali as balsas paravam de circular às seis. Embora Porto Velho seja considerada oficialmente o quilômetro 2764 da Transamazônica, a estrada é algo tão distante, para sua população, como seria para os moradores de qualquer cidade do Rio Grande do Sul. Porto Velho está ligada ao Sul por Cuiabá e Brasília, e uma rodovia que leve a Humaitá, Altamira, Itaituba ou Marabá não afeta em nada, absolutamente nada, a economia local.

Faltavam apenas 530 quilômetros para o fim da viagem, isto é, para chegarmos a Rio Branco, no Acre, atualmente o ponto final da Transamazônica. Quando os batalhões de engenharia e construção terminarem seu trabalho na região oeste do Acre, a Transamazônica irá até Cruzeiro do Sul, quase na fronteira com o Peru. Mas hoje só se consegue chegar a Cruzeiro do Sul de avião ou de barco, pelo rio Juruá.

A estrada que liga Porto Velho a Rio Branco, embora construída há vários anos, e mesmo sendo uma rodovia fundamental para todo o Acre, está em estado tão ruim, nos primeiros quilômetros, quanto os piores pedaços da Transamazônica. No quilômetro 3020, poucos minutos depois de passarmos por Abunã, encontramos uma fila de quase cinqüenta caminhões — a maioria com placas de São Paulo. As balsas de travessia do rio Mamoré entraram em pane e ficaram alguns dias paradas, antes de chegarmos. Isso bastou para que engarrafasse a circulação de caminhões que iam de São Paulo à capital do Acre, levando mercadorias, e dos que vinham em sentido contrário, trazendo borracha. Alguns motoristas tiveram que esperar dez dias na fila para atravessar o Madeira, e protestavam discretamente, para não serem ouvidos pelos soldados do batalhão de engenharia que se encontravam nas imediações:

— O governo teria feito melhor negócio se gastasse aqui, nessas balsas, a centésima parte do dinheiro jogado fora com a construção da Transamazônica. A gente queria ver o Andreazza parado aqui durante dez dias picado de pium, esperando consertar a balsa.

Em Rio Branco, o povo só sabe da Transamazônica porque o governo colocou a cidade nos mapas, no meio da listra preta que vem cortando o Maranhão, Goiás, Pará, Amazonas, Rondônia, até passar em cima da capital acreana e acabar pouco depois, em Cruzeiro do Sul. Fora isso, as pessoas ficavam espantadas quando dizíamos, na cidade, que tínhamos viajado até ali pela Transamazônica:

— Ah, é... A Transamazônica passa por aqui, não é?

Como Porto Velho e Humaitá, Rio Branco está presa ao Brasil por outra listra negra, há muito presente nos mapas, e sem a qual o estado do Acre estaria isolado, servido apenas por barcos e aviões: a rodovia Pan-Americana, que vai a Porto Velho, Cuiabá, Brasília e daí para o Rio, São Paulo, o Brasil.

Rio Branco cresceu muito nos últimos quatro anos, mas não deve nada disso à Transamazônica. Ocorreu-me uma declaração irônica feita por um político (governista) em 1970: "Para nós, acreanos, a Transamazônica é um empreendimento da mais alta importância. Nós estávamos mesmo precisando de uma estrada de turismo. Agora, aos domingos, a gente vai poder encher o carro de crianças e passear na Transamazônica".

Nem isso: os acreanos fazem turismo indo a Brasília, ou fazendo compras na Zona Franca, em Manaus. Em Rio Branco, quilômetro 3312 da Transamazônica, ponto final da grande aventura do governo, lembrei-me de um desabafo feito antes por alguém, não sei se em Marabá, Altamira ou Itaituba: "A festa acabou, chegou a hora de pagar a conta". A euforia da estrada parece ter existido apenas durante a festa da construção. O sonho da Transamazônica acabou.

3. Primeiro rascunho de *A Ilha*

Como boa parte da minha geração, sempre tive muita curiosidade pelo que se passava em Cuba depois da revolução de 1959. O Brasil tinha rompido relações políticas, diplomáticas e comerciais com a ilha do Caribe poucos dias após o golpe militar de 1964, juntando-se, assim, à maioria dos países latino-americanos que haviam aderido ao boicote anti-Castro promovido pelos Estados Unidos. Todos os passaportes brasileiros vinham com uma advertência impressa: NÃO É VÁLIDO PARA CUBA. Que eu me lembre, depois de 1964 apenas um brasileiro conseguira fazer — e publicar — uma reportagem sobre Cuba: foi Milton Coelho da Graça, da revista Realidade. *Sim, porque não se tratava apenas de conseguir a reportagem: com a imprensa sob censura prévia, era preciso saber se haveria condições para publicar o que fora escrito.*

Minha oportunidade de afinal conhecer aquele país surgiu no começo de 1974. O repórter Rolf Kuntz, do Jornal da Tarde, *acabava de retornar de uma viagem de trabalho ao Canadá, onde conhecera um alto funcionário do governo de Havana que acenara com a possibilidade de se realizar uma reportagem sobre Cuba para o*

JT. *Como tivesse outros projetos em mente, Rolf, ao retornar ao Brasil, sabedor do meu interesse sobre o assunto, me cedeu a vez. E sugeriu que eu corresse atrás do visto.*

Antes de buscar qualquer contato, resolvi consultar o diretor responsável do JT, *Ruy Mesquita. Eu estava na reportagem do jornal fazia mais de oito anos, tinha ganho para o* JT *um prêmio Esso; não era tanta ousadia assim. Bati na porta da sala dele e perguntei:*

— Se eu conseguir um visto de entrada em Cuba o jornal publica o que eu trouxer?

Bigodão preto, cachimbo no canto da boca, paletó de tweed com cotovelos de couro, os pés em cima da mesa abarrotada de laudas e jornais, o dr. Ruy, como era chamado, me olhou por sobre os óculos de leitura com um sorriso irônico:

— Publicar o jornal publica, claro. Só não acredito que o Fidel autorize o visto se souber que você trabalha aqui...

Mesquita referia-se, claro, à tradicional posição crítica do JT *e de seu irmão mais velho, o* Estadão, *sobre o regime vigente na ilha. De todo modo, agora era comigo. Escrevi uma carta-padrão, dirigida ao Ministério das Relações Exteriores de Cuba, fazendo menção ao contato de Rolf Kuntz com o alto funcionário cubano e expondo claramente o meu projeto: passar algumas semanas em Cuba e fazer uma reportagem sobre o dia-a-dia dos cubanos, sobre os ganhos e os atrasos vividos pelo país depois da revolução de 1959. Uma carta enxuta, objetiva, sem revelar simpatia ou animosidade em relação ao regime. A cada cópia da carta anexei meia dúzia de fotos tamanho passaporte e um breve currículo profissional. Fiz um pacote e o despachei pelo correio para um amigo, o jornalista mineiro José Maria Rabêlo, exilado em Paris, que se associara ao líder socialista português Mário Soares e ao ex-governador pernambucano Miguel Arraes na montagem da Librairie Portugaise et Brésilienne, uma movimentada portinha no número 12 da rue des Écoles, no coração do Quartier Latin. Pedi a José Maria que reenvias-*

se pelo correio cada uma daquelas cartas às embaixadas cubanas espalhadas pela Europa (para quem não se lembra, naquela época era perigoso enviar qualquer correspondência para Cuba pelo correio brasileiro, sem contar a dúvida sobre se chegaria ou não). Uma delas haveria de bater em Havana — era essa, pelo menos, a esperança que eu alimentava. Imaginei que em uma semana, no máximo quinze dias depois, alguma notícia eu receberia. Mas passaram-se semanas e meses sem que ninguém jamais respondesse às cartas.

O tempo, no entanto, diria que eu tinha escolhido o caminho certo. Em setembro de 1974, um grupo de editores, repórteres e redatores do Jornal da Tarde *recebeu um tentador convite para trocar o* JT *pela revista* Visão. *A revista quinzenal tinha sido vendida por seu antigo dono, Said Farhat, ao engenheiro Henry Maksoud, dono da empresa de planejamento Hidroservice e do Maksoud Plaza, que ele construía e que foi, durante muitos anos, o mais elegante hotel de São Paulo. Deixamos o* JT *Ewaldo Dantas Ferreira, que assumiu o cargo de diretor de redação da* Visão, *e mais Rolf Kuntz, Gabriel Manzano Filho, Carlos Brickmann, Antônio Carlos Fon, Décio Pedroso, João Vitor Strauss, Ricardo Setti e eu. A revista já contava com um time de craques herdado do antigo dono, com gente como Luiz Weis, Rodolfo Konder, Vladimir Herzog, Zuenir Ventura, D'Alembert Jaccoud, Antônio Marcos Pimenta Neves, Antônio Alberto Prado, Leandro Konder e Osvaldo Peralva, aos quais se agregaram, entre outros, Eduardo Matarazzo Suplicy, José Miguel Wisnik, Humberto Werneck e Gilberto Dimenstein. Da pequena e simpática redação da rua Sete de Abril, seríamos transferidos depois para as elegantes e refrigeradas instalações da Hidroservice, no bairro de Vila Mariana.*

Em dezembro daquele ano ainda não tínhamos completado três meses no novo emprego quando Ewaldo me destacou para ir a Portugal para uma reportagem sobre os primeiros meses da Revolução dos Cravos. Dez dias depois de chegar a Lisboa, encontrei na portaria do hotel um bilhete que dizia: "O embaixador de Cuba em Lisboa está à sua procura. Abração, Marcito". "Marcito" é o apelido do jornalista e ex-deputado Márcio Moreira Alves, cujo discurso pronunciado em setembro de 1968 na Câmara dos Deputados levou os militares a baixarem o ato institucional nº 5. Desde então exilado na França, Marcito mudara-se com a família para Lisboa em abril daquele ano, após o fim da ditadura salazarista. Liguei para a embaixada e fiquei sabendo que o governo cubano decidira me conceder o visto. Uma das minhas cartas caíra nas mãos do então vice-presidente de Cuba, Carlos Rafael Rodríguez, que se informou a meu respeito com José Maria Rabêlo, em Paris. Ainda que com muitos meses de atraso, minha tática dera certo. Telefonei para o Brasil, comunicando o fato à direção da Visão e pedindo autorização para fazer a reportagem. Caso o assunto não interessasse à revista, solicitei que me antecipassem as férias para que fizesse a reportagem por minha conta e iniciativa, depois tentaria publicá-la onde fosse possível. Horas mais tarde Ewaldo ligou, dizendo que meu embarque estava autorizado. Mais que isso: acabei recebendo um enorme dossiê de informações sobre Cuba, providenciado pela redação, incluindo um material inédito no Brasil, resultado de recente — e raríssima — incursão de jornalistas americanos pela ilha.

Quando fui à embaixada cubana buscar meu passaporte, percebi que, inadvertidamente, e contrariamente ao combinado, os funcionários haviam carimbado meu visto de entrada em Cuba no próprio passaporte. O acertado desde o início seria que eles me dariam o visto num papel à parte, para não deixar nenhum registro que me criasse problemas com as autoridades brasileiras. Não havia mais jeito, e passei a ter um insólito documento com a advertência NÃO É VÁLIDO PARA CUBA e, páginas depois, um carimbo com o visto cubano.

Para a viagem, como ainda não havia vôos diretos de Lisboa para Havana, adicionei alguns dólares e troquei o bilhete de primeira classe Lisboa—São Paulo que já possuía por um de classe econômica rumo a Praga, então capital da Tchecoslováquia. Lá embarquei num velho Ilyushin-62 que vinha de Moscou e faria escalas em Bratislava, Madri e São Miguel dos Açores, no meio do Atlântico, para só então aterrissar em Havana.

Passei pouco menos de dois meses em Cuba, período em que fiquei sem nenhum contato com a redação, no Brasil — não só porque as comunicações entre os dois países, na época, eram quase inexistentes, mas também pelo risco de que a chamada pudesse ser gravada pelos órgãos de segurança brasileiros. Percorri todo o país, realizei dezenas de entrevistas com funcionários do governo, trabalhadores, donas-de-casa, jovens, gente da rua, mergulhei em arquivos em busca de estatísticas, documentos, informações, visitei escolas, hospitais e casas de cubanos comuns. Quando entendi que o material apurado era suficiente para produzir um amplo retrato da realidade cubana, dei o trabalho por encerrado. Tomei um avião para Kingston, na Jamaica (cujo primeiro-ministro, o socialista Michael Manley, mantinha excelentes relações com Fidel Castro), e de lá segui para a Cidade do México. Telefonei para a redação da revista, no Brasil, e em linhas gerais contei o que conseguira levantar. Do outro lado da linha, Ewaldo festejou o furo, mas pediu que eu permanecesse no México até que ele voltasse a ligar. Dias depois ele telefonou com outra orientação:

— Embarque para Buenos Aires, hospede-se no hotel tal e me espere que chego lá depois de amanhã. Está tudo bem, mas vá se acostumando com a idéia de ter que cortar a barba. Lá eu te explico.

Sem que eu soubesse, naquele momento o diretor da revista montava uma trabalhosa operação para possibilitar minha volta ao Brasil em segurança. Ewaldo me confidenciou que, além da questão do visto proibido no passaporte, os órgãos de repressão já sabiam de minha viagem a Cuba e que naquele momento todos os seus esforços tinham um único objetivo: garantir minha volta ao

Brasil são e salvo. Para isso, ele tinha feito uma verdadeira romaria a Brasília. Esteve com vários ministros comprometidos com a abertura política que lentamente estava sendo colocada em marcha pelo presidente da República, general Ernesto Geisel, e acabou obtendo pelo meu caso o interesse pessoal do secretário de Imprensa do presidente, Humberto Esmeraldo Barreto, espécie de filho adotivo de Geisel. Por via das dúvidas, e para não chamar de nenhuma forma a atenção dos órgãos de repressão no aeroporto de Congonhas, Ewaldo sugeriu que eu cortasse a barba e o cabelo — abundantes, naquela época —, fizesse fotos com a nova cara e solicitasse ao consulado brasileiro em Buenos Aires um novo passaporte, alegando ter perdido o anterior. Em solidariedade ao meu sacrifício capilar, Ewaldo deixou que eu lhe raspasse o bigode. Para reforçar a simulação segundo a qual eu seria apenas mais um turista brasileiro voltando de férias na Argentina, a revista pagou uma passagem para que Rúbia, minha mulher, viajasse a Buenos Aires e voltasse em minha companhia para o Brasil.

Só depois que cumpri cada uma das recomendações é que Ewaldo comprou as passagens num vôo Buenos Aires—São Paulo, da hoje extinta Cruzeiro do Sul. Viajaríamos separados no avião, como se não nos conhecêssemos: se me pegassem, ele estaria ali para testemunhar e em seguida denunciar a violência e correr atrás de providências para obter minha integridade física e minha liberdade.

Desci com Rúbia em Congonhas com o coração na garganta, mas nada nem ninguém me importunou por causa da viagem. Nem ali nem nunca mais. Fui para a redação, fiz um relato geral da viagem para os colegas e me mandei para a fazenda do meu pai, em Jarinu, a sessenta quilômetros de São Paulo. Durante trinta dias matraquei uma Olivetti Lettera 36, semiportátil (que eu havia trocado por uma bicicleta ergométrica com minha primeira sogra), até aprontar a série de reportagens, para que Visão a publicasse em capítulos. Antes que o calhamaço fosse submetido ao dono, tanto Ewal-

do como outros colegas de redação leram a série, deram palpites, sugeriram mudanças. Devidamente limado, o texto chegou às mãos de Henry Maksoud, que o levou para ler em casa. No dia seguinte ele me chamou à sua sala. É difícil reproduzir com fidelidade um diálogo ocorrido há quase trinta anos, mas lembro-me do essencial. Ele gostara muito do texto, que achara atrativo e sedutor. Não obstante, a revista jamais publicaria a série tal como estava escrita. Maksoud estava convencido de que havia ali um certo tom panfletário e uma indiscutível apologia de um regime socialista. Ninguém ignorava que Maksoud era um homem comprometido com a economia de mercado, um inimigo militante da presença do Estado na economia. Eu não era ingênuo ao ponto de imaginar que a revista publicaria algo frontalmente contra os princípios do dono. Bastava ele apontar os trechos com que não concordava que eu os reescreveria, ou simplesmente os cortaria, desde que isso não desfigurasse a reportagem. Ele respondeu:

— O problema não é um trecho aqui, outro trecho ali. O problema é o tom, entendeu? O tom!

Sim, eu tinha entendido. Entrei na redação com o rabo entre as pernas, dei a notícia aos colegas e fui para casa, tentar mudar o tom da reportagem. Cortei, reescrevi trechos, tirei fora expressões que pudessem parecer simpáticas a Cuba, inverti capítulos e meti a caneta sem dó. Em uma época em que os computadores ainda não passavam de personagens de ficção científica, reescrever uma reportagem de mais de cem laudas era também um exaustivo trabalho físico. Levei o texto de volta à redação, os colegas leram, mas foi tudo em vão. Henry Maksoud leu de novo, continuou não gostando, guardou o texto com ele e não se falou mais nisso. Meses depois eu seria demitido — não por Ewaldo, que já deixara Visão *por divergências com o dono da revista, mas por seu sucessor no cargo, Roberto Muylaert. Aos poucos a maioria da equipe vinda do* JT *seria demitida ou pediria demissão.*

Além de desempregado, eu tinha uma preocupação adicional: não publicar minha reportagem iria reforçar as suspeitas dos órgãos de segurança de que viajara a Cuba não como jornalista, mas como militante de alguma organização política contra a ditadura militar (tais suspeitas, de que o regime considerava que eu fora a Cuba com fins políticos, e não jornalísticos, ficariam comprovadas, anos depois, com a abertura dos arquivos da ditadura e a instituição do habeas data — isso está explícito em uma das minhas fichas policiais). Pensei em publicar em livro a primeira versão da série, mas achei que poderia parecer uma provocação aos militares. Não haveria problemas com direitos autorais, já que os cubanos haviam transformado minha estada em um "convite", com o que não me deixaram pagar despesas de hotel e alimentação.

Foi nessa época que os jornalistas Hamilton Almeida Filho e Mylton Severiano decidiram me entrevistar para o Ex-, um jornal nanico, mensal, que misturava cultura underground com duras vergastadas na ditadura. Pela redação e pelas páginas do Ex- fulguravam estrelas como Narciso Kalili, Paulo Patarra e João Antônio.

Ao final de algumas horas de conversa sobre a viagem, contei a eles meus planos de transformar a reportagem em livro. Eles me pediram um capítulo, mas ainda não havia capítulo nenhum, pois pretendia reestruturar todo o material. Para não deixá-los na mão, escrevi uma espécie de sinopse ou rascunho do que imaginava que seria — e que de fato acabou sendo — o meu livro A Ilha (Alfa Ômega, 1976). Esse texto, que acabou saindo no Ex- de agosto de 1975, é o mesmo republicado a seguir.

Numa quarta-feira ensolarada, eu ia saindo do prédio da Prensa Latina, na avenida 23 — La Rampa, como o povo a chama. Uma mulher e seu filho desceram de um ônibus e o garotinho admirou-se com a minha figura, cabelos compridos e barba:

— *Mamá, mira, mira: un guerrillero!*

Foi essa a imagem que ficou para as crianças: quem usa barba é guerrilheiro, lutou em serra Maestra. E, para reforçá-la, por todo o país vêem-se fotos e cartazes de Che Guevara e Camilo Cienfuegos — barbudos e uniformizados de guerrilheiros. Fazia três semanas que estava em Cuba, e já tinha notado a ausência de barbudos. Dezenas de pessoas me disseram que não existe nenhum preconceito contra cabelos longos e barba, mas hoje é possível contar nos dedos o número de barbudos cubanos: Fidel Castro, seu irmão Ramón, o médico Eduardo Ordaz, diretor do Hospital Psiquiátrico de Havana, e o vice-primeiro-ministro Carlos Rafael Rodríguez — este, dono de um bem cuidado cavanhaque branco. Talvez mais uma meia dúzia de dirigentes de menor projeção, e só.

Um jovem diplomata cubano que me acompanhou boa parte do tempo explicou:

— É que as cubanas preferem os homens de cara lisa, como a minha...

Uma estudante de química deu outra explicação:

— O que acontece é que a barba virou marca registrada, uma característica muito forte: a revolução foi feita por barbudos, e a barba virou símbolo. Então os rapazes, com medo de parecerem pretensiosos, têm um pouco de vergonha de usar barba.

Mas há ainda outra versão, dada por um motorista de táxi:

— Nenhuma das explicações que lhe deram está correta. A verdade é que nas escolas secundárias e no pré-universitário a barba é proibida, assim como o cabelo comprido. Depois, quando o sujeito fica adulto, usa barba se quiser. Quem tiver vergonha não usa.

Todos conhecem também a famosa promessa de Fidel: só

cortar a barba "quando a revolução estiver terminada". Um gerente de supermercado, em Havana, comentou comigo:

— Acho que no dia em que a *libreta* for eliminada, ele corta a barba.

A *libreta*, dizem, é o único osso atravessado na garganta da revolução: o racionamento, imposto à população para que a baixa produção agrícola do país possa abastecer os 9,2 milhões de habitantes. Assim, todos têm de se submeter ao racionamento e enfrentar, indistintamente, a fila dos supermercados, de *libreta* na mão. Até o fim da década passada o mercado negro era feroz, o governo não havia assumido o controle total do abastecimento e da comercialização. Em 1968, um leitão — que custava 135 cruzeiros pela *libreta* — era encontrado no mercado negro por quase 3 mil. Hoje, está tudo sob controle do Ministério do Comércio Interior, e só se compra de *libreta*.

Mas, para os produtos considerados "não essenciais", o Estado — que meteu mesmo a mão em tudo — arranjou uma solução original: assumiu o mercado negro. Por exemplo: cada cubano tem direito a apenas um maço de cigarros por semana, ao preço de 1,80 cruzeiro. Se quiser fumar mais, tem que pagar dezoito cruzeiros o maço. O rum, a 22 cruzeiros pela *libreta* (uma garrafa por mês), é vendido a 198 cruzeiros *por la libre* (fora da tabela). E o charuto, um por semana, a dois cruzeiros. Quem quiser fumar um por dia, paga nove cruzeiros cada. Juan Martínez Tinguao, que antes da revolução editava com Fidel Castro um jornalzinho clandestino e hoje é funcionário do Instituto Nacional da Indústria Turística, fuma entre dez e quinze charutos por dia. Paga caro:

— Eu me sinto como se estivesse sustentando um filho em Paris. O preço é o mesmo!

Com o controle quase total sobre o abastecimento, o governo tem conseguido manter os preços estáveis há treze anos. O que pode variar é a quantidade a que cada um tem direito. Se uma safra é boa, ou se os preços de certo produto caem no mercado internacional, aumenta a cota de cada cubano.

Os locais de trabalho (fábricas, repartições públicas etc.) servem refeições a três cruzeiros cada. E as escolas oferecem café da manhã, almoço e jantar gratuitamente (estas refeições não são somadas à cota de cada um). Gasolina também é racionada, embora o abastecimento seja garantido, pelos russos, a preço fixo, até 1980. Carros particulares de quatro e seis cilindros (Fiat, Zhugulin, Dodge 1800, Ford Falcon, Alfa Romeo) têm direito a 76 litros mensais; os de oito cilindros (geralmente velhos carros americanos de antes do bloqueio econômico imposto à ilha) têm direito a 95 litros. Cada litro custa 1,42 cruzeiro — mas quem quiser passear *por la libre* também pode, só que precisa pagar 4,72 cruzeiros o litro.

Quem casa fica isento do racionamento por algumas horas. No dia do casamento, o noivo e a noiva têm direito, cada um, a quinze caixas de cerveja, quinze litros de rum e meia dúzia de garrafas de champanhe da Criméia. O Estado fornece os carros para transportar os convidados, mas os noivos pagam a gasolina. Roupas e calçados também continuam sob racionamento: cada pessoa tem direito a três pares de sapatos por ano; homens têm uma cota anual de dois ternos; mulheres, uma cota de dez metros quadrados de tecido. A cubana é extremamente vaidosa, os salões de beleza estão sempre lotados. O costume "burguês" permanece, mas recebeu toques "revolucionários": o salão de beleza do Hotel Nacional, em Havana, chama-se Van Troi — homenagem a uma heroína da guerra do Vietnã. Mas o racionamento fez desaparecer os bóbis do mercado, e quem quiser fazer um galanteio a uma cubana deve levar-lhe de presente uma dúzia de bóbis de plástico: é comum ver nas ruas mulheres com o cabelo enrolado em latinhas de talco vazias, ou cilindros de papelão de papel higiênico — transformados em bóbis.

Tudo é do Estado: o Banco Nacional, os táxis, os restaurantes, os hotéis, as bancas de jornais, os açougues, os supermercados, as lojas de roupas, os cinemas, os teatros. E já que tudo é do Estado, o mesmo se dá com os hotéis "de curta permanência". Por vários outros motivos, mas talvez sobretudo por este, os comunistas ortodoxos apelidaram o regime cubano de "socialismo tropical". Em Cuba não existe o moralismo exagerado com que freqüentemente se procura caracterizar os regimes socialistas. Pílula anticoncepcional é vendida em qualquer farmácia, o aborto é livre até o terceiro mês de gravidez, o divórcio é legal. Mas apesar disso, apesar também do "machismo" cubano, é impossível manter uma *garçonnière*.

"Um país com problemas habitacionais não pode se dar ao luxo de oferecer apartamento para esse tipo de desfrute", disse um jornalista divorciado, que mora num hotel. O Estado, então, encarregou-se de dar abrigo aos casais apaixonados e não casados legalmente. Tanto em Havana como em outras capitais de províncias, o Instituto Nacional da Indústria Turística criou e passou a explorar as *posadas* ou albergues — equivalentes aos nossos motéis. São pequenas quitinetes, alugadas a preço fixo em todo o país: as primeiras três horas de permanência custam trinta cruzeiros; cada hora adicional, mais 1,80. Apartamento com ar-condicionado, mais quatro cruzeiros por hora adicional. As *posadas* não têm, claro, a sofisticação dos motéis da Barra da Tijuca, no Rio, ou das avenidas marginais, em São Paulo. Além de ar-condicionado e água quente, o único "luxo" oferecido, em alguns casos, é uma entrada discreta depois de um portão. O casal chega de carro e, sem ser visto, passa a um pátio que dá acesso ao apartamento. O interesse por esse tipo de hotéis é grande. Nos fins de semana, nas *posadas* de Havana, pude ver pequenas filas de casais, alguns deles a pé, de mãos dadas, esperando a hora de ocupar o apartamento.

O cubano faz sua poupança: os serviços básicos são gratuitos (alimentação nas escolas, livros, cadernos, uniformes escolares, assistência médica); o único desconto no salário é de 6% (pagamento de aluguel, para aqueles que não tinham casa própria antes da revolução); e, além disso, não se pode mesmo gastar em determinados alimentos e roupas, que são racionados. Normalmente, as economias são depositadas no Banco Nacional ou gastas em bens de consumo — geladeiras, televisores e máquinas de lavar roupa importados da URSS, do Canadá ou da Espanha e financiados pelo Estado. A maioria, entretanto, prefere gastar o dinheiro bebendo, comendo, dançando, se divertindo de algum jeito. Nos finais de semana, é impossível entrar num restaurante ou boate sem ter feito reserva com dois dias de antecedência, pelo menos.

A nova tentação dos cubanos são os carros recentemente importados da Argentina. Os primeiros a chegar substituíram os velhos Cadillacs e Oldsmobiles americanos nos setores considerados fundamentais: táxis e repartições públicas. Os particulares entraram nas remessas seguintes (ao todo, a Argentina vendeu 45 mil veículos a Cuba). Como são poucos carros, o governo adotou um critério: primeiro os médicos. Os poucos felizardos que conseguiram comprar um Fiat argentino pagaram cerca de 40 mil cruzeiros, financiados em quatro anos. A prestação máxima é de 840 cruzeiros, valor do salário mínimo nacional.

Cuba viveu sessenta anos dependendo dos Estados Unidos. Os soviéticos substituíram os americanos no fornecimento de petróleo, na compra da cota cubana de açúcar, no abastecimento de produtos semi-industrializados. Com o bloqueio decretado pela Organização dos Estados Americanos, Cuba viveu dias difíceis. Não podia dar-se ao luxo de comprar nada a não ser o indispensável para a vida do país. Automóveis, por exemplo: o governo decidiu sobreviver com os velhos carros americanos, tentando mantê-los inteiros até a situação melhorar. Durante dez anos, não entrou um parafuso americano no país. Os cubanos dizem que seus mecânicos chegaram à perfeição de "tirar umidade do pó", em matéria de consertos de automóveis. Cuba voltou ao ponto em que os Estados Unidos se encontravam em 1900: quando precisavam de peças de reposição, botavam um bloco de aço no torno e as fabricavam, uma a uma. Os velhos Fairlanes 1960, usados pela Polícia Nacional Revolucionária, rodaram dez anos sem uma peça comprada no exterior. Dizia-se que um ladrão, a pé, estava mais bem equipado que a polícia, de automóvel. Hoje, abastecido pelo Japão, URSS, Itália e Argentina, o país resolveu o problema dos carros, em parte. Mas ainda li nos jornais pequenas notas da polícia, lembrando que é "expressamente proibido abandonar veículos imprestáveis na via pública".

O cumprimento das leis é fiscalizado pelo próprio povo. Em Trinidad, cidadezinha histórica perdida no interior de Cuba, o chefe do Patrimônio Histórico local, um cinqüentão baixinho chamado Carlos Zerquera, me servia de guia quando se aproximou um caminhão carregado. Zerquera tentou impedir que o motorista cruzasse a cidade, para evitar — conforme explicou — o desmoronamento de edifícios tombados pelo Patrimônio Histórico. O motorista, muito mais forte que Zerquera, insistiu e disse que ia passar assim mesmo. Então Zerquera identificou-se: era também o chefe do CDR local. O motorista obedeceu imediatamente e desviou o caminhão para fora da cidade.

Zerquera é um dos 4,8 milhões de filiados ao CDR — Comitê de Defesa da Revolução, que congrega 80% dos cubanos maiores de catorze anos. O CDR nasceu em setembro de 1960, dez meses depois que os barbudos tomaram o poder. Fidel Castro ainda não tinha anunciado sua adesão ao socialismo. Acabava de voltar dos Estados Unidos, onde tinha feito um longo discurso na ONU. Em Havana, uma multidão o esperava em frente ao palácio, para ouvi-lo falar da viagem. Minutos depois de Fidel Castro começar a falar, explodiu uma bomba. Ele fez uma piadinha nervosa e recomeçou o discurso. Anos depois, ele mesmo contou o episódio a um grupo de jornalistas:

— Enquanto falávamos, explodiram cinco bombas! Você ia falando e, de repente, pam! Tinha que esperar o eco terminar para continuar falando. A quinta bomba engendrou o Comitê de Defesa da Revolução. Porque nós dissemos: se o povo está em toda parte, como é que esses mercenários podem movimentar-se? Vamos organizar o povo! E lançou-se o lema de organizar o povo nas fábricas, nas quadras, quarteirão por quarteirão, rua por rua.

Inspirado na "Frente da Pátria", criada na Bulgária durante a Segunda Guerra Mundial, o CDR tinha o objetivo declarado de "unir as massas em torno da Revolução, do Partido Comunista Cubano e de Fidel Castro". Com o tempo, os inimigos do regime foram desaparecendo: a maioria embarcou na ponte aérea estabelecida entre Havana e Miami; os que ficaram, ou mudaram de opinião ou simplesmente resolveram aceitar a situação. O CDR teve sua primeira prova de fogo um ano depois de criado. Em setembro de 1961 deu-se a invasão da baía dos Porcos, na praia de Girón. Em cada quarteirão, o CDR fechou as esquinas e manteve presos em suas casas os suspeitos, impedindo um possível reforço às forças invasoras.

Hoje, suas ramificações estendem-se por todo o país. E, com o controle total que exerce, o CDR passou a assumir outras funções; em fevereiro, por exemplo, 1 milhão de crianças foram vacinadas contra a poliomielite, em três dias de trabalho. Depois de uma visita a Cuba, o senador norte-americano Jacob Javits (republicano de Nova York) disse à imprensa de seu país que ficou surpreso com a ausência de policiamento nas ruas de Cuba. E realmente só vi mesmo guardas de trânsito circulando pelas cidades, pilotando motos italianas Guzzi-850. A verdade é que não acontece nada no país, nem no lugarejo mais distante, sem que um membro do CDR tome conhecimento. O chefe do CDR funciona como uma espécie de síndico do quarteirão; normalmente é um senhor aposentado, ou uma dona-de-casa, que passa o dia atento à presença de eventuais desocupados nas redondezas (a lei contra a vadiagem pode levar o acusado a penas de até dois anos de detenção), ou até cuidando para que as crianças não cabulem aula.

Em cada quadra, o presidente CDRista (eles falam "cederista") é escolhido por todos os moradores maiores de catorze anos. Cada grupo de vinte quarteirões constitui uma zona, chefiada por um coordenador. Na região rural, o limite de cada CDR é determinado por agrupamentos de casas. A todo visitante, eles repetem mil vezes os exemplos da capacidade de mobilização do CDR. O mais conhecido aconteceu em 1971, e eu tive de ouvir a história pelo menos três vezes durante minha estada. Naquele ano, um grupo de pescadores cubanos foi preso ao invadir águas territoriais norte-americanas. E o Departamento de Estado só avisou que os pescadores tinham sido libertados quando faltavam duas horas para que chegassem a Havana. Horas depois, 2 milhões de cubanos recebiam os pescadores no Malecón, a avenida beira-mar de Havana, contou-me a roteirista Nadieska Morales, uma soviética filha de espanhóis que vivem em Cuba há doze anos, ela própria uma cederista.

— Filmar tudo o que acontece de importante no país e guardar os filmes — disse-me a jovem cineasta — foi um conselho que nós, soviéticos, demos aos cubanos que fazem cinema. Hoje, Cuba é capaz de montar filmes sobre tudo o que se passou de importante no país, desde janeiro de 1959.

Mas a influência do bloco socialista na cultura cubana não se manifesta apenas no cinema: os dois canais de TV de Havana e os outros cinco das províncias apresentam, diariamente, pelo menos um documentário produzido na Europa Ocidental. A TV cubana só entra em cadeia nacional para Fidel Castro falar ou para transmitir alguma partida de beisebol, a *pelota*, o esporte nacional. Como o esporte profissional foi abolido, todos os times são amadores — jogam médicos, operários, estudantes. Quem joga num time principal de província tem direito a folga no trabalho, para treinar. Três anos depois que o esporte deixou de ser profissional, Cuba tornou-se campeã mundial de beisebol e nunca mais perdeu o título. Os esportes são amadores para quem joga e para quem gosta de assistir: nenhum estádio cobra ingressos, os jogos são realizados a portões abertos.

O russo é ensinado nas escolas médias e superiores. É comum ver as pessoas misturando ao espanhol expressões como *tovaritch* (camarada) ou *niet* (não) — assim como nós costumamos falar *good bye* ou *OK*. Mas não se vêem russos nas ruas. Segundo os cubanos, existem 6 mil; as estatísticas norte-americanas falam em 10 mil soviéticos em Cuba, por força de acordos de ajuda científica e militar. As boas relações com o bloco socialista podem ser medidas pelo número de delegações estrangeiras que chegam e saem todos os dias. Durante as semanas em que lá estive, notei que quase todas as edições do *Granma* e do *Juventud Rebelde* noticiavam a presença de uma missão de algum país socialista. A opinião geral é que, se o país não tivesse sido socorrido pela União Soviética, Cuba não teria como evitar a bancarrota. Pela ajuda, os cubanos pagam em açúcar, tabaco, rum e gratidão. Senti isso um dia, quando saí para beber com um grupo de intelectuais, pintores, jornalistas e poetas. O clima era amistoso e contei uma piada sobre Leonid Brezhnev. Em vez de risos, recebi uma resposta seca:

— É... Trata-se de uma piada contra-revolucionária...

Não sei se pelo rum ou pela má receptividade à minha piada infeliz, no dia seguinte acordei com dor de cabeça. Na maior farmácia da avenida 23, em Havana, decorada com pôsteres de Amílcar Cabral e fotos de Che Guevara, peço à atendente gorducha uma aspirina. Ela pede a receita médica, eu não entendo:

— Receita médica pra quê? Quero apenas uma aspirina. E eu sou estrangeiro, como é que vou arrumar uma receita?

— Isto aqui é um país pobre — ela declamou —, não podemos ter o luxo de vender remédio a quem acha que precisa. Quem sabe se você precisa de aspirina é o médico. E ser estrangeiro não muda nada: ali na esquina existe um posto médico. Lá você consegue a receita.

Fui até lá. E consegui a receita. Como teria conseguido — segundo o médico — submeter-me a um eletrocardiograma ou a internamento num hospital para receber um rim transplantado:

— Em qualquer ponto do país — ele acrescentou — o tempo gasto por um paciente para ser atendido é o que ele leva de casa ao posto médico, ou ao hospital.

O país investe hoje 3,6 bilhões de cruzeiros em saúde pública. A taxa de mortalidade infantil foi reduzida a 27,4 por mil nascidos vivos (inferior até mesmo à taxa de algumas regiões dos Estados Unidos). A tuberculose infantil, a malária, a difteria e o tétano foram eliminados. As estatísticas, porém, não significam nada, quando os cubanos começam a falar dos métodos adotados para tratar os doentes mentais. E o hospital de loucos em Havana realmente me surpreendeu. Construído há dois séculos nos subúrbios da capital (hoje com 2 milhões de habitantes), servia ao mesmo tempo de asilo de velhos, prisão e hospício, e era conhecido pelo nome de La Mazorra. Um mês depois de assumir o poder, Fidel Castro chamou o comandante Eduardo Ordaz, o médico dos guerrilheiros em Sierra Maestra, e deu uma ordem: transforme La Mazorra em hospital. Assessorado por um psiquiatra, Ordaz começou a reforma de maneira elementar: pela limpeza total dos quarenta hectares ocupados pelo hospício.

— A limpeza e a alimentação — conta o diretor do hospício, o médico Sidney Orret — já reduziram o índice de mortalidade de quinze óbitos diários para cinco mensais, numa população de 4 mil pacientes.

Os dirigentes do hospital partem do princípio de que "como uma parte da condição do doente mental não está perdida, algumas capacidades do cérebro podem ser aproveitadas". E escolheram a chamada terapia ocupacional como solução para recuperar pacientes. Com o tempo, os médicos desenvolveram métodos próprios, em fases:

O paciente considerado crônico é examinado por uma equipe médica, que decide o tipo de atividade que ele irá desempenhar. O paciente participa da decisão final, escolhe uma das atividades adequadas ao seu grau de insanidade e começa a desenvolver a atividade escolhida — trabalho ou esporte —, que pode, eventualmente, dar-se fora do hospital.

O paciente é transferido para centros de reabilitação espalhados pelo país, nos quais — conforme o estágio de sua doença — prepara-se para ser reintegrado à sociedade ou, no caso dos incuráveis, passa a viver comunitariamente com outros na mesma situação.

— O fundamental — disse-me Ordaz — é que o trabalho exercido seja real, para que o paciente sinta que tem uma utilidade social, que pode produzir como uma pessoa normal.

Os pacientes do Hospital Psiquiátrico de Havana construíram um hospital com duzentos leitos na província de Camagüey; e periodicamente saem, em grupos, para colher cana e laranja. Pelo trabalho que realizam, recebem o mesmo salário pago aos trabalhadores comuns. Só que o dinheiro é depositado num banco instituído dentro do hospital, e ninguém pode mexer nele, a não ser o paciente. Em março passado, os depósitos no banco somavam cerca de 1,8 milhão de cruzeiros (uma média de 450 cruzeiros de "saldo" para cada um dos 4 mil pacientes). O dinheiro acumulado às custas de seu próprio trabalho faz com que o paciente volte a ser respeitado quando retorna à casa:

— Noventa por cento deles tinham no alto da ficha médica um carimbo vermelho: IRRECUPERÁVEL.

A associação do trabalho a quase todas as atividades parece ter se tornado uma obsessão da revolução. Aqui trabalham homens, mulheres, trabalham os loucos e, claro, trabalham os estudantes. Pela janela ampla ouve-se a algazarra do encontro de duas turmas de estudantes — os que saem para o campo e os que retornam para mais um período de aulas. Estou na sala de Augusto, o jovem diretor da escola secundária básica Simon Bolívar, na cidadezinha de San Antonio de Los Baños, interior da província de Havana.

Esse tipo de estabelecimento de ensino começou a ser experimentado em 1966, quando o Ministério da Educação implantou uma escola secundária (do sétimo ao décimo graus), na zona rural de Matanzas, a província onde se deu a invasão da baía dos Porcos. A partir daí, aconteceu a grande virada nos conceitos tradicionais de educação, com base no princípio de associar a formação do jovem ao trabalho produtivo. Na escola pioneira de Matanzas, os alunos — em regime de semi-internato — dedicavam meio período às aulas e meio ao trabalho no campo, orientados por técnicos do Instituto Nacional da Reforma Agrária. Ao final do primeiro ano de experiência, notou-se que o aproveitamento dos alunos era bem superior ao de seus colegas urbanos. O trabalho dos estudantes, instituído inicialmente apenas para estimular o contato dos jovens com a terra, passou a dar resultados mais concretos à medida que eles começaram a produzir. E a multiplicação das escolas no campo fez surgir um item novo nas estatísticas da agricultura cubana: produção de cítricos e hortaliças, pelas mãos dos estudantes.

Ao fim de alguns anos de funcionamento dessas escolas, as autoridades tiveram uma surpresa: quinhentos hectares de cítricos colhidos pelos estudantes, e vendidos no mercado internacional, foram suficientes para pagar todos os gastos da escola em um ano (cada aluno secundário no campo custa ao Estado 6 mil cruzeiros por ano). Hoje existem 150 escolas no campo, cada uma com quinhentos estudantes. Frotas de microônibus recolhem os jovens em casa na segunda-feira de manhã e os levam de volta no sábado à tarde. O ritmo de trabalho é intenso: o jovem levanta às seis da manhã e durante o café já ouve as principais notícias nacionais e internacionais (que um colega lê do jornal *Granma* por alto-falantes espalhados pelo refeitório). Às sete e meia, um grupo de 250 rapazes e moças do sétimo ao nono graus saem para o campo, onde os esperam tratores, arados, colheitadeiras, pulverizadores de herbicida. No mesmo instante, os 250 alunos do oitavo e do décimo graus entram nas salas de aula. Ao meio-dia, todo mundo se encontra no refeitório. E é o alarido provocado por esse encontro que podemos ouvir através da janela de Augusto, o diretor da escola Simon Bolívar. Daqui a uma hora, os trabalhos se invertem: os que foram à aula vão para o campo, os que estavam no campo vão para as salas de aula. Às cinco e meia da tarde, todos se encontram de novo, para uma hora de prática obrigatória de esportes: beisebol, natação, futebol, basquete, voleibol, atletismo. Das sete às oito, jantar; depois, meia hora de "atividade livre", uma hora e meia de estudo individual; e, às dez da noite, cama.

O Ministério da Educação acredita que, até 1980, todas as escolas no campo terão sido pagas com a produção de cítricos dos alunos (um técnico daquele ministério calcula que dez hectares de cítricos bem cuidados podem render até 8 milhões de cruzeiros no mercado internacional). Entusiasmado com o resultado da experiência, Fidel Castro prometeu que, dentro de no máximo dez anos, todas as escolas secundárias serão transferidas para o campo.

Mas a fórmula já está sendo implantada em Havana também na escola vocacional Lênin, inaugurada em fevereiro de 1974 por Leonid Brezhnev, durante visita a Cuba. São 98 mil metros quadrados de área construída, em trinta blocos, onde estudam e trabalham 4,6 mil jovens. Só que, nessa escola, o objetivo é desenvolver vocações e selecionar os jovens que se interessem por carreiras técnicas e científicas. O aluno é igualmente obrigado a dar quinze horas de trabalho produtivo por semana — com a diferença, é claro, de que na escola vocacional essa atividade é dirigida exclusivamente a setores científicos e técnicos. Seus 72 laboratórios de física, química e biologia foram fornecidos pela União Soviética, que também enviou um grupo de cientistas para formar os professores. Das oficinas de trabalho da escola saem anualmente trinta computadores eletrônicos de última geração. Segundo o diretor da escola, os computadores — os primeiros computadores cubanos — foram inteiramente construídos pelos alunos, com componentes soviéticos, franceses e japoneses. Também saem dali, diariamente, duzentos rádios de três faixas de onda e cerca de 100 mil pilhas secas. As exportações de bolas e luvas de beisebol fabricadas na escola vocacional proporcionaram a Cuba, no ano passado, divisas no valor de 7,5 milhões de cruzeiros.

O ensino é gratuito em Cuba em todos os níveis e obrigatório até o sexto grau. A educação geral vai da pré-escola à universidade, dividida assim: pré-escola, dois anos; primário, seis anos; secundário, quatro anos; pré-universitário, três anos. A duração dos períodos universitários varia de quatro a sete anos, conforme o curso. Para evitar que o trabalho sirva de pretexto para que os jovens fujam da escolarização, o governo baixou lei proibindo o trabalho remunerado dos menores de dezessete anos. Na universidade, o estudante continua em regime de trabalho-estudo desde o primeiro ano. Numa espécie de estágio, o universitário é obrigado a dar meio período de seu dia num centro de trabalho ligado à carreira que vai seguir: os futuros médicos nos hospitais, os engenheiros nas indústrias; os agrônomos no campo. Terminado o curso, o recém-formado é destacado pelo Ministério do Trabalho para exercer sua profissão onde o governo considerar necessário. Sobre isso, ouvi estudantes nas universidades de Havana e de Oriente. Muitos me disseram que a vontade do recém-formado de trabalhar neste ou naquele lugar é respeitada. Mas não deixa de haver casos de gente que gostaria de ficar em Havana e tem de mudar-se para Oriente, por exemplo, província que fica a quase mil quilômetros de distância da capital.

A educação moderna que é oferecida aos cubanos, no entanto, parece não ter chegado aos costumes. Os homossexuais são tratados, sem a menor cerimônia, como "desprezíveis indivíduos anti-sociais", nas conversas formais; já o povo os chama jocosamente de *pajaritos* (passarinhos). Um *pajarito*, na escala social revolucionária, só é comparável aos *vacantes* — os vadios, aqueles que tentam sobreviver sem trabalhar. No bar do Hotel Nacional, uma moça me apresenta Pablo, um escultor de trinta anos, que reclama das dificuldades até para encontrar trabalho:

— Tratam a gente como se não fôssemos revolucionários, como se não fôssemos cubanos, mas inimigos do povo, da revolução. E isso acaba criando problemas pra eles mesmos: a lei proíbe a vadiagem, todo mundo é obrigado a trabalhar. Mas quando um homossexual procura emprego, é recusado em quase todos os centros de trabalho. E na rua é ridicularizado e marginalizado.

Mulheres homossexuais? Ouvidos sobre o assunto, os cubanos dão respostas simplistas, tais como "isso não existe em Cuba". Ou simplesmente mudam de assunto. Uma estudante de arquitetura irritou-se com minhas perguntas:

— Isso não existe em Cuba. E é espantoso que um jornalista estrangeiro venha ao país com a maior produção de livros per capita do mundo e se interesse apenas em saber se há lésbicas por aqui.

A resposta mal-educada não resolve minhas dúvidas, mas pelo menos me sugere ir atrás de um novo tema, os livros. Durante anos a indústria editorial cubana viveu daquilo que eles mesmos chamam de "fuzilamento de livros". Quer dizer, eles simplesmente traduziam as obras estrangeiras, sem pagar direitos autorais a ninguém. Até que, recentemente, o feitiço virou-se contra o feiticeiro: o rum Bacardi, que Cuba exportava para vários países, também foi vítima de "fuzilamento": uma empresa registrou a marca internacionalmente e Cuba foi obrigada a mudar o nome de seu rum para Havana Club, sem reclamar.

Para publicar as obras sem pagar direitos autorais, os dirigentes justificavam: "Ao escrever um livro, o autor baseia-se em conhecimentos que pertencem à humanidade. O livro, portanto, pertence à humanidade". E assim, da mesma forma, toda obra produzida em Cuba trazia a inscrição: "Permitida a reprodução total ou parcial em qualquer idioma". Entre obras "fuziladas", compradas ou escritas por cubanos, o Instituto Cubano do Livro editou 34 milhões de exemplares em 1974. Os livros didáticos (23 milhões de exemplares no mesmo período) são distribuídos aos estudantes, mas nas livrarias as prateleiras são pobres em títulos expostos. Um funcionário do Instituto do Livro explica que, em compensação, a Biblioteca Nacional é rica: tem mais de 500 mil volumes. E que há 1,5 mil bibliotecas espalhadas nas escolas, locais de trabalho e sindicatos. Nas livrarias, a maior parte dos títulos trata de temas políticos; mas encontrei, também, por vinte cruzeiros, best-sellers nada revolucionários, como *O chefão*, de Mario Puzzo. A censura não permite a exibição de filmes "contra-revolucionários", mas não há restrição quanto à origem: comprados de distribuidores europeus, chegam a Cuba filmes americanos, brasileiros ou de qualquer outro país participante do bloqueio. Poucos cubanos, porém, ouviram falar de *Laranja mecânica*, de Stanley Kubrick; ou de *O último tango em Paris*, de Bernardo Bertolucci. Mas, durante os dias em que estive no país, encontrei os muros de Havana cobertos de cartazes anunciando o filme *São Bernardo*, do brasileiro Leon Hirzmann.

Não fica apenas nisso o nível de informação que têm os cubanos sobre o Brasil. Jantando uma noite com o diplomata que fora me receber no aeroporto, espanto-me com o que sabe sobre nós. Mostra-se informado sobre a conversa do presidente Geisel, em Manaus, com um grupo de atores a respeito de censura; conhece quase de cor os detalhes do Tratado de Itaipu; sabe os nomes de todos os nossos ministros.

É chegada a hora de ir embora. No saguão do Hotel Nacional, à tardezinha, espero a escritora americana Margareth Randall, para uma entrevista — a última que farei em Cuba. Passeio pelas vitrinas de suvenires, charutos, rum, artesanato, discos de rumba e merengue. Aproxima-se de mim um preto jovem e pergunta, meio timidamente:

— *Extranjero?*

— *Sí.*

— *Ah, venezolano?*

— *No, brasileño.*

E ele, já mais animado:

— *Brasileño! Que bueno! Entonces podemos hablar un poco de Brasil?*

Ele me puxa para o lado, dizendo que era mecânico em Santa Clara, a trezentos quilômetros de Havana. Caminhamos até um banquinho no jardim-de-inverno do hotel, e é o rapaz quem me entrevista:

— *Como és el Brasil?*

Digo que é muito parecido com Cuba: sol, praias, povo fisicamente muito parecido com o cubano. E ele:

— *Hay negros en Brasil?*

— *Sí, mucha gente, como acá en Cuba* — respondo.

Ele pára um segundo, toma coragem e pergunta duma vez:

— *Roberto Carlos es negro?*

Fica um pouco decepcionado com a resposta, e logo muda de assunto:

— *Usted conoce a Fidel?*

Digo que não, que embora o tivesse visto duas vezes nas ruas de Havana, não tinha conseguido falar com ele. O rapaz tira de baixo do braço um exemplar ensebado do livro *A história me absolverá*, escrito em 1953 por Fidel Castro, e me estende:

— *Lleve a Brasil, es un recuerdo de Cuba.*

Então se levantou e foi embora. Não era a primeira nem a segunda vez que ouvia falar em Roberto Carlos, artista muito popular em Cuba. Alguns dias antes, no fim da minha visita ao Hospital Psiquiátrico de Havana, fui homenageado com um show. Um coral, formado pelos internos, cantou para mim meia dúzia de músicas populares cubanas: "Siboney", "Guantanamera" e outras. Quando eu já me preparava para sair, um jovem levantou-se do coro, agarrou o microfone e me emocionou com a música de despedida: "Amada amante", de Roberto Carlos, único artista brasileiro que ele conhecia.

4. O homem de Fidel na CIA

Na primeira viagem a Cuba, no final de 1974, eu não consegui a cereja da reportagem que se transformaria no livro A Ilha*: a entrevista com o presidente Fidel Castro. O vice Carlos Rafael Rodríguez fora incumbido de falar comigo em nome do governo, o que só aconteceria no último dia de minha permanência no país. Por intermédio de Rodríguez, Fidel Castro me mandara um recado: as relações entre os dois países ainda eram muito ásperas para que ele baixasse a guarda com um jornalista brasileiro. Mas o Comandante prometia também que a primeira entrevista dele a um veículo brasileiro seria concedida a mim.*

A partir de março de 1976, passei a trabalhar como editor-assistente da revista Veja*. No final de abril do ano seguinte, recebi um telegrama de Cuba (não imaginava que já fosse possível a troca de correspondência entre os dois países) em que me chamavam para estar em Havana no máximo até o dia 30 daquele mês. Levei a mensagem a José Roberto Guzzo, diretor de redação da revista:*

— Só pode ser a entrevista que Fidel Castro me prometeu dois anos atrás.

— Se é isso, faz as malas e embarca para Cuba.

Tomei um avião até o Peru, dormi em Lima e de lá embarquei para o México, país que acabara de reabrir vôos para Cuba. Duas horas depois de desembarcar na Cidade do México estava eu de novo pousando no aeroporto José Martí, em Havana. A caminho do hotel, festejei com o funcionário diplomático Ricardo Santiago (o mesmo que me recebera dois anos antes) a perspectiva da entrevista com Fidel. O sujeito se espantou:

— Que entrevista?

— Ué, a entrevista que o presidente Fidel Castro me prometeu em 1975. Foi para isso que a revista me mandou a Cuba.

— Desculpe-me, compañero, mas então tenho más notícias a lhe transmitir. Você foi convidado apenas para assistir aos desfiles do Primeiro de Maio na plaza de la Revolución. Nada de entrevista.

Más, não. Péssimas notícias. Passei os dois dias seguintes sem saber que explicação dar à direção de Veja — com a qual eu poderia me comunicar por telex via Judith Patarra, correspondente da revista em Nova York. Ou seja, eu enviava um telex para Judith, ela o copiava e reenviava para a redação, no Brasil. Assim se evitavam problemas com os bisbilhoteiros do regime militar. No dia do desfile, Santiago me apanhou cedinho no hotel para me levar ao palanque de onde veria o desfile. No caminho tentou me consolar:

— Compañero, que cara é essa? Você vai para o palanque A, o espaço VIP do desfile, onde ficam só os convidados especiais.

Não resolvia meu problema, mas de fato fui colocado entre Luís Carlos Prestes, líder histórico e secretário-geral do Partido Comunista brasileiro (na época exilado em Moscou), e um velhinho de cabeça branca e chapéu de palha que só no fim do desfile vim a saber tratar-se de Ernesto Guevara Lynch, pai do Che Guevara. Atrás de nós estava o premiê da Jamaica, Michael Manley, e mais à frente uma delegação do Partido Comunista vietnamita. Naquele palanque só eu não era de algum primeiro escalão. Um movimento coletivo de cabeças na mesma direção revelou que Fidel estava chegando. Com passadas largas, ele caminhou até a cadeira central, ao lado de ministros e chefões do PC cubano. Ao ver que fez um aceno especial para Prestes, imaginei que ali estava minha chance: pedir ao dirigente comunista brasileiro para me apresentar ao Comandante. Falei com Prestes e não enxerguei muita disposição da parte dele. Com um sorriso curto, o secretário-geral do PCB respondeu:

— Vamos ver, vamos ver. Se houver oportunidade...

Na expectativa dessa oportunidade, tive que sobreviver, sob um sol abrasador, o que explicava o chapéu de Guevara pai, a duas horas de desfiles de militares, de escolares e até de exilados (uma ala de brasileiros empunhando nossa bandeira nacional passou a poucos metros do meu nariz) e a meia dúzia de discursos, até que por fim chegou a vez de Fidel discursar — o que significava o fim da cerimônia. O calor parece tê-lo estimulado a encurtar a fala, que nem de longe se comparou a seus célebres discursos com até oito horas de duração. Em seguida, os ocupantes do palanque começaram a se mover em direção às saídas e nada de Prestes dar qualquer sinal de que pretendia fazer a apresentação. Mas a sorte estava a meu favor: foi Fidel quem veio cumprimentar Prestes e sua mulher, dona Maria. Prestes apontou a mão na minha direção e falou:

— Este é o Morais, o jornalista brasileiro que escreveu o livro sobre Cuba.

Antes que Fidel Castro falasse "muito prazer", abri o jogo: falei da promessa de entrevista feita por Carlos Rafael Rodríguez, do telegrama, contei que Veja vendia não sei quantas centenas de milhares de exemplares, que era o semanário mais importante do Brasil. Terminei tentando passar um abacaxi para ele: se voltasse ao Brasil de mãos abanando, eu perderia o emprego, e ainda ficaria sob suspeita de ter viajado a Cuba para fazer não uma entrevista, mas subversão. Ele parece ter se sensibilizado com meus argumentos. Chamou um homem de cabelos grisalhos a seu lado — José Ramón Barruecos, o Chommy, então seu secretário particular — e falou:

— Morais, quem resolve isso é este senhor. Fale com ele.

Entre essa conversa e a entrevista passaram-se 73 dias. Nesse período fiquei o tempo todo monitorado — ou seja, preparado para, no máximo em meia hora, estar pronto para ser recebido por Fidel no Palacio de la Revolución. Já havia me preparado ao máximo para a entrevista com Fidel, com leituras, conversas preliminares no Brasil e em Cuba, pesquisas no excelente Departamento de Documentação (Dedoc) da Editora Abril. Para matar o tempo, resolvi freqüentar arquivos públicos em busca de algum outro assunto sobre o qual pudesse escrever, já me prevenindo contra o pior. Se a entrevista não saísse, pelo menos haveria alguma coisa para oferecer à revista em troca da minha cabeça.

Num fim de tarde absolutamente igual a todos os outros, Ricardo, meu cicerone-diplomata, convidou-me para uns tragos no bar do Hotel Nacional. Como ele já me atendera na primeira viagem a Cuba, havia entre nós alguma intimidade política e cumplicidade (a essa altura Ricardo já conseguia rir das "piadas contra-revolucionárias" que eu contava). Ele parecia visivelmente compadecido da minha situação, quando começou a falar:

— Ninguém sabe se essa entrevista sai ou não sai, não é mesmo? E você está atrás de uma boa história para substituir Fidel, se as coisas andarem mal, certo?

Mais um gole de rum e ele disparou:

— Você quer mesmo uma boa história? Eu sou uma boa história. Quer dizer: eu não. Meu pai, minha mãe, meu irmão Tony, nós. Minha família é uma história del coño de la madre...

Ele tinha razão em usar um palavrão tão vulgar. A partir dos depoimentos de Ricardo, de sua mãe, Aleida, do irmão Tony (na época embaixador de Cuba em Sri Lanka), e depois de alguns dias de pesquisas nos arquivos do G-2, o célebre serviço de inteligência militar, descobri que tinha nas mãos uma grande história de espionagem. Não foi preciso usar "O espião de Fidel na CIA" para salvar meu emprego na revista Veja. Ao fim dos tais 73 penosos dias, passei várias horas seguidas com o Comandante, gravando seu depoimento. Ganhei a capa da revista — um close do rosto de Fidel, que eu mesmo fotografara — e mais quinze páginas internas. Só em 1999, passados mais de vinte anos, é que descobri, lendo o livro Notícias do Planalto, de Mario Sérgio Conti, que foi diretor de redação de Veja entre 1991 e 1997, que a publicação de minha entrevista tinha sido parte integrante de uma crise interna na revista:

O novo diretor teve um primeiro momento de afirmação três meses depois de estar no cargo. O editor-assistente Fernando Morais conseguira uma entrevista de quatro horas com Fidel Castro, a primeira do ditador cubano a uma publicação brasileira. Para agitar, Guzzo queria editá-la com barulho: na capa e, dentro, num pacote de quinze páginas, nove com a entrevista e seis com a matéria introdutória de Fernando Morais. Roberto Civita tinha receio de atiçar o governo. Argumentava que o Brasil ainda vivia sob uma ditadura, a censura a Veja acabara fazia apenas um ano, havia uma disputa entre os militares da linha dura e os liberais. Fidel Castro na capa poderia ser uma provocação. Guzzo tinha um trunfo para discutir Fidel com o patrão: política e ideologicamente, estava mais distante de Castro, de Cuba, de guerrilha, de terrorismo, de tudo o que cheirasse a comunismo, do que Roberto Civita. A discussão foi e voltou durante dias, até que Guzzo convenceu Civita. Saiu a capa com a chamada: EXCLUSIVO — FIDEL FALA A VEJA. Uma capa muito comentada. E contra a qual o governo não agiu.

Como não cabia no formato de um semanário como Veja, *a história dos Santiago acabou sendo publicada, em agosto de 1977, em outra revista da Abril, a* Playboy, *para a qual eu ainda escreveria muitas reportagens.*

Com muito cuidado, para não acordar os dois filhos que faziam a sesta, Aleida levou a cadeira de balanço para o terraço do apartamento e sentou-se. As mangueiras de aparência milenar no casarão ocupado pela embaixada da China, do outro lado da rua, estavam tão copadas que as folhas quase atingiam a varandinha de seu terceiro andar. Ali seria mais fácil suportar o verão que começava a castigar Cuba naquele mês de junho de 1970.

Nessa época do ano, no Caribe, os dias custam muito a escurecer. Talvez por isso, talvez por causa do horário de verão — o país precisava economizar tudo, de comida a energia elétrica —, ela não pôde precisar com certeza que horas seriam quando o primeiro rumor da multidão chegou aos seus ouvidos. Sete, sete e meia, oito horas da noite? Foi mais ou menos a essa hora que Aleida ouviu os primeiros ecos de um coro popular a que já se acostumara: "*FIDEL, SEGURO, A LOS YANQUIS DALES DURO! FIDEL, SEGURO, A LOS YANQUIS DALES DURO!*".

Dali de onde ela estava — um pequeno apartamento de dois dormitórios na esquina das ruas G e 15, em pleno Vedado, aquele que outrora fora o bairro da classe média alta *habanera* — até a plaza de la Revolución deve haver 1,5 quilômetro de distância. Quantas pessoas estariam na praça? Um milhão? Dois milhões? Pela força com que as vozes chegavam, devia ser muita gente. Misterioso, o seu povo. Todo mundo já sabia que aquele *não* era um dia de festa — Fidel Castro iria anunciar que a tão esperada safra de 10 milhões de toneladas de cana, apesar do esforço brutal feito pela população, inclusive por Tony Junior e por Ricardo, seus filhos, não tinha sido atingida. O que em qualquer lugar do planeta seria um dia de luto — a cana em Cuba é sinônimo da vida do país — tinha sido transformado numa algazarra popular. Já que ninguém ia mesmo ser responsabilizado pelo fracasso, então o povo aproveitava para descarregar a raiva nos ianques.

Aleida se divertia pensando nessas coisas quando o telefone tocou. Uma voz de homem — ele falou o nome, mas ela jamais se lembraria — disse apenas que falava do Palacio de la Revolución (isto é, da parte de Fidel Castro). E que ela e os dois filhos deveriam estar prontos para serem apanhados dali a meia hora. Mesmo que tentasse dizer alguma coisa em resposta, ela não conseguiria, não teria voz. Um minuto depois, Tony Junior, então com vinte anos, e Ricardo, com dezenove, já estavam de pé, tão espantados quanto a mãe com o insólito recado. Na frente do espelho do banheiro, ela passava a escova nos cabelos loiros com um gesto maquinal. Seu pensamento voltou para 1941, para a cidadezinha de Placeta, perdida no interior da província de Las Villas. E especialmente para ele, para Antonio Santiago García, o Tony, que alguns anos depois seria o pai daqueles dois rapazes, como ela intrigados com o misterioso telefonema.

Alto, bonito e inflamado — essa foi a imagem que Tony deixou na memória de Aleida em 1941, quando ele tinha dezoito anos e ela ainda era uma menina de onze. Filho de família rica, Tony fora mandado aos Estados Unidos para estudar. Sem sabê-lo, deixara apaixonada a garotinha loira, filha de um dos vizinhos do bairro. Cinco anos depois, ela já moça, Tony voltaria a Placeta mais alto, mais bonito e... herói de guerra — um indiscutível tempero para aumentar o sabor da paixão semeada na partida. Nos Estados Unidos, em plena Segunda Guerra Mundial, ele abandonara a escola para se alistar como voluntário na Marinha norte-americana, onde serviu como artilheiro de um destróier.

Além de tudo isso, Tony trazia na bagagem o que na época era considerado um charme especial. Como ocorrera a todos os estrangeiros que haviam lutado voluntariamente ao lado das forças dos Estados Unidos na Segunda Guerra, ele recebera a cidadania norte-americana. Dois anos depois, em 1948, os dois se casavam. E, mal terminada a lua-de-mel, ela começaria a sentir o gênio rebelde do marido. Incapaz de aceitar o "estilo burguês" de vida imposto pela família e pela cidadezinha de interior, ele rompe com os pais. E, como não sabia fazer nada além de ser artilheiro de destróier, consegue um emprego de chofer de táxi — atividade que não só lhe garantia o sustento da casa mas principalmente era modesta o bastante para afrontar os padrões familiares.

Mas também isso duraria pouco. Liderando um protesto dos motoristas profissionais da cidade contra uma lei municipal, que reservava o transporte coletivo intermunicipal exclusivamente para os ônibus, Tony toma de assalto e ocupa por sete dias a prefeitura de Placeta, à frente de um grupo de taxistas, conseguindo derrubar o decreto arbitrário. O movimento vitorioso aumenta a hostilidade com que a cidade e a família viam a ovelha negra, e Tony e Aleida decidem mudar para Havana. Na capital, ele se vê de novo diante do fantasma: que fazer para arranjar trabalho, em tempos de paz, um exímio artilheiro de destróier? A saída foi aceitar a oferta de emprego numa fábrica de fósforos, arranjado, sem muito entusiasmo, por um parente influente. Um ano depois, Tony seria demitido sob a acusação de ter fundado um sindicato que tentava unir os operários da fábrica contra o patrão.

A idéia de utilizar a cidadania que fora concedida pelos Estados Unidos animou o casal, em 1952, já com Tony Junior e Ricardo nascidos, a tentar a vida em Miami. Na capital da Flórida, Tony dividia seu tempo entre o trabalho como gerente de hotéis e a atividade política. Nos seis anos seguintes, sua casa à beira da praia passou a ser o ponto oficial de concentração dos exilados cubanos que se opunham à ditadura de Fulgencio Batista. Por isso, em 1958, Tony foi convidado a retornar a seu país pelos líderes do Diretório Revolucionário — um grupo guerrilheiro que atuava na serra de Escambray, em Cuba, e apoiava a luta que Fidel Castro sustentava na serra Maestra. A dupla cidadania conferia-lhe a insuspeição necessária para que pudesse entrar sem problemas em Cuba, atravessar toda a ilha convulsionada pela guerrilha e unir-se aos rebeldes de Escambray.

Um ano de luta como guerrilheiro — aí sim, ele tinha como utilizar a experiência da Segunda Guerra — termina por elevá-lo ao posto de comandante, juntamente com o chefe do Diretório, Faure Chomón (atual chefe militar da província de Tunas). Em setembro de 1958, Tony é escalado para encontrar-se com Haydée Santamaría (hoje presidente da Casa de Las Américas, editora e fórum de debates sobre a cultura latino-americana) e, juntos, irem a Miami conseguir mais armas para a guerrilha. Não seria necessário. O triunfo da revolução, em 1º de janeiro de 1959, os surpreende nos Estados Unidos, comprando armas clandestinamente.

De volta a Cuba, ele é convidado por Fidel, nos primeiros dias da revolução, para comandar, na província de Havana, o chamado "Exército Rebelde" (que depois viria a se transformar nas atuais Forças Armadas cubanas). Aproveitando os primeiros remanejamentos feitos entre os revolucionários, Tony Santiago pede a Fidel Castro que o transfira para sua província natal, Las Villas, onde assume o posto de comandante militar da região. Em maio de 1959, quando a luta contra-revolucionária já se alastrava por todo o país, começa a se materializar o pesadelo de

Aleida, Tony Junior e Ricardo. O comandante Tony Santiago passa a discordar, primeiro em discretas conversas com os amigos, depois publicamente, dos caminhos que a revolução ia tomando. Suas divergências com os rumos que Fidel Castro, Camilo Cienfuegos e Che Guevara traçavam para o país vão se agravando a tal ponto que ele decide abandonar o posto de chefe militar de Las Villas e abdicar da mais alta patente atribuída pela guerrilha: a de "comandante de la Sierra".

Tony Santiago passa a ser de novo o artilheiro de destróier que não tem como usar seu ofício — e mais uma vez recomeça a construir a vida, dirigindo uma pequena empresa privada de transportes rodoviários. Sua decepção com a revolução que se encaminhava para o socialismo, somada ao rompimento público com Fidel, o transforma numa espécie de ímã catalisador de outros descontentes, que, aos poucos e timidamente, passam a procurá-lo para revelar-lhe idéias semelhantes. As reuniões a que Aleida, Tony Junior e Ricardo já se haviam habituado em Miami voltam a tornar-se freqüentes na casa, desta vez com o pólo invertido: agora o inimigo não é mais Fulgencio Batista, mas Fidel Castro.

O quebra-cabeça que Aleida tentava montar à frente do espelho, naquele começo de noite de junho de 1970, no apartamento da rua G, não poderia jamais ser completado, por maior que fosse o esforço de sua memória, sem algumas peças fundamentais. Tony Santiago não lhe contara que, semanas antes de revelar os primeiros sintomas de insatisfação diante da socialização do país, ele participara de uma reunião com Fidel Castro e com um dos mais altos chefes militares de Cuba, o comandante Ramiro Valdez, então ministro do Interior e chefe dos serviços de inteligência.

Nesse encontro secreto, ele recebera a missão de romper aos poucos com a revolução, afastar-se por completo do governo e, por fim, aderir à contra-revolução. O governo recém-empossado precisava ter alguém de sua absoluta confiança infiltrado entre os inimigos — que já ameaçavam pôr a perder tantos anos de luta — e ele fora o escolhido. Afinal, Tony Santiago vinha de família rica, fora educado nos Estados Unidos, lutara ao lado das tropas americanas na Segunda Guerra, era cidadão ianque. O estado-maior revolucionário jamais conseguiria alguém tão bem talhado para representar, junto ao inimigo, o papel de guerrilheiro arrependido.

Depois de meses de cuidadoso trabalho, Tony acabou por conquistar a confiança de todos os chefes da contra-revolução, de todos os *gusanos* (os "vermes", como eram chamados os traidores da revolução) que se dispunham a derrubar Fidel Castro e o bando de barbudos que havia tomado o poder. Ao final de 1960, ele já era um homem da intimidade não só dos cubanos anticastristas, mas do próprio pessoal da CIA na embaixada americana em Havana. As mensagens que remetia periodicamente ao ministro Ramiro Valdez (codinome "Blanco"), assinadas com o nome falso de Olivério, revelam a evolução de sua atuação como agente duplo. Ele não poderia obter melhor garantia para a sua segurança: além de Valdez, só o próprio Fidel Castro conhecia a verdade sobre a nova missão de Tony Santiago. Um segredo de tal forma bem guardado que nem sequer a mulher e os filhos foram informados. Sob o disfarce de "Olivério", Tony passaria a alimentar os arquivos da inteligência militar cubana com minuciosos informes sobre as atividades contra-revolucionárias.

9 de setembro de 1960. Informe número 1.
Assunto: Conspiração da organização contra-revolucionária MACU.

Hoje fui visitado de novo pelos três indivíduos que me propuseram a chefia de ação da organização contra-revolucionária MACU (Movimento Anticomunista Unido). À frente do grupo vinha Vladimir Rodríguez Fajardo, conhecido como *El Doctorcito*. "Comandante", me disse Vladimir, "a situação no país está no ponto. Ninguém melhor do que o senhor para assumir a chefia da organização." Não demorei muito para aceitar e ele ficou feliz. Mas parti para cima dele e lhe disse que era fácil imaginar o que aconteceria se alguém me delatasse. Num gesto de confiança, ele abriu a maleta que trazia e me mostrou um petardo tipo "pata de elefante". "Essa bomba", disse, "será dedicada ao comandante Faure Chomón. Ele vai voar como voou Matias Pérez." Perguntei quando iam colocá-la, ele me respondeu que seria hoje mesmo. Eu lhe disse que sabia que Faure estaria fora de Havana até o dia seguinte — e com isso consegui a missão de eu próprio colocar a bomba. Ele aceitou. Se despediu com um abraço e me lembrou que no dia seguinte haveria uma reunião no Hotel Capri. Acrescentou que eu devia dar umas voltas por Havana para escutar as explosões das bombas que seus homens iam colocar. Por volta das nove horas, escutei as explosões. Foram cinco.

26 de setembro de 1960.
Assunto: Resumo das últimas atividades desenvolvidas.

Em 10 de setembro fui ao Capri. Ali, entre outros, conheci Mejía. Entregaram-me uma lista de agentes contra-revolucionários. Convenci os conspiradores que enviassem a meu escritório os que apareciam na lista. Falaram das vinculações dessa conspiração com os padres Boza Masvidal, pároco da igreja da Caridade, e com monsenhor Alfredo Muller. Disseram que as bombas deixariam de ser ouvidas durante alguns dias. O indivíduo que as fabricava mudara-se por segurança. Insisti com Mejía para que me apresentasse aos fabricantes das bombas. Prometeu fazê-lo. Durante a semana, Mejía apresentou-me a eles. Antônio foi o que mais me interessou. À noite conheci alguns de seus segredos: visitei o novo local onde fazem as bombas, no bairro do Cerro. No armazém, contei sessenta "patas de elefante". Pela manhã, um carro do Departamento vistoriou o lugar. Foram detidos todos os indivíduos que visitaram o local e dali saíram com um pacote. No dia 25 de setembro de 1960 realizou-se a grande pescaria: todos os membros do MACU foram detidos. Deixamos Vladimir Rodríguez, o "Doutorzinho", em liberdade, para que me servisse de "fachada", permitindo que eu prossiga com minhas atividades de penetração em grupos e organizações mais perigosas.

29 de setembro de 1960. Informe número 5.
Assunto: Plano do atentado a Fidel.

Como informei anteriormente, o "Doutorzinho" ultimou os detalhes para assassinar Fidel no apartamento que alugou no edifício Naroca, na esquina das ruas Paseo e Línea. Estou alerta: assim que consigam as armas poderemos agir. O "Doutorzinho" continua escondido na casa que esse Departamento me forneceu. A princípio ele relutou em ficar lá, mas acabei convencendo-o de que se arriscaria exibindo-se pelas ruas. Acho que foi uma medida certa, pois assim poderemos continuar escutando diariamente as gravações que ali são feitas. Anteontem o "Doutorzinho" deu uma escapada de seu refúgio e visitou meu escritório, acompanhado de um tal Ramírez. Esse Ramírez possui 25 rifles e cinqüenta quilos de dinamite em uma chácara em Candelária. Eu lhe propus unificar sua organização com a nossa, sob a condição de que nos desse metade das munições que possuía. Ele aceitou.

2 de outubro de 1960. Informe número 6.

Blanco: excelente o trabalho que se fez contra Ramírez. Eles não suspeitam de nada. Acreditam que o movimento de tropas que se realizou nas chácaras vizinhas ao lugar onde escondiam as armas era para cercar os bandidos sublevados. Ninguém tem culpa de que no dia seguinte essas tropas "acidentalmente" ocupassem a chácara e descobrissem os rifles e a dinamite. Ramírez deve ter ficado morto de espanto quando o detiveram em sua casa.

4 de outubro de 1960. Informe número 7.
Assunto: Explicação que dei a Pando.

Blanco: Recebi hoje a visita de Pando, o companheiro que você enviou para ser infiltrado no grupo de Menoyo. Fiz um breve relato a ele: Ontem o "Doutorzinho" obteve as armas para o atentado contra Fidel. Ele me comunicou isso assim que as levou para o apartamento no edifício Naroca. Entrei em contato com o alvo. Foi providenciada a ordem de busca e detenção. Duas viaturas do G-2 [*o serviço de inteligência militar*] chegaram ao local. O "Doutorzinho" tentou fugir. Conseguiu pular o muro e escondeu-se atrás de uma árvore. Seguiu-se um tiroteio e ele teve de se entregar. Tinha a coxa direita atravessada por uma bala.

3 de novembro de 1960. Informe número 8.

Assunto: Atividades com o grupo da embaixada americana.

Pando progride no trabalho a olhos vistos. Os "contra" fazem muitos elogios ao trabalho dele. Isso é um bom sintoma. ATENÇÃO, MUITO IMPORTANTE: No dia 15 de outubro recebi a visita de José Méndez, irmão de Juan Méndez. Os dois participaram da luta contra a tirania. A direção do movimento guerrilheiro em Escambray havia proibido que Juan Méndez subisse às montanhas porque era conhecido como agente dos Estados Unidos. José Méndez mostrou-se cordial. Pediu minha opinião sobre a situação. Eu lhe disse, sem maiores delongas, que achava que o governo se encaminhava para o comunismo. Quando lhe perguntei sobre seu irmão, respondeu-me que estava clandestino em Havana e que dirigia a Frente Revolucionária Democrática. "Se você quiser", disse ele, "podemos nos ver amanhã às nove horas na esquina da rua 23 com a 8. Vou te fazer uma surpresa." Fui ao encontro. E ali encontrei José Solís, também combatente na clandestinidade. Depois apareceu Juan Méndez. Vinha disfarçado. Entramos em meu carro e fiz um relato de minhas atividades conspiratórias. Ele me disse que tinha recursos: a embaixada americana custeava todas as atividades. Eu lhe contei que tivera problemas com a embaixada, pois, ao saber que eu era comandante rebelde [*nome dado aos combatentes anti-Batista*], me tiraram a cidadania. "Isso não tem importância", afirmou ele. Falamos durante umas duas horas. Não voltamos a nos ver até 2 de novembro de 1960. "Tony, verifiquei teu caso com a embaixada", disse ele. "Está tudo resolvido. O americano que me atendeu quer que você envie tua esposa e teus filhos para os Estados Unidos. Estão interessados em que você organize o levante em Escambray."

A ida da família para Miami era a garantia que eles queriam do meu envolvimento. Retruquei rapidamente, perguntando se ele estava louco. Pois, caso soubesse que eu enviara minha família para os EUA, o governo cubano interpretaria isso como traição. Era perigoso para mim. Ele me sugeriu que mentisse, dizendo que nos havíamos divorciado. Respondi que não. Que minha esposa lutaria até o fim ao meu lado.

9 de novembro de 1960. Informe número 9.
Assunto: Planos de levante em Escambray.

Anteontem vi Juan Méndez. Ele me informou que Osvaldo Ramírez e Evelio Duque se rebelarão. Ele me propôs que arranjasse um local para que um teco-teco me lançasse munições. Fomos no meu carro até a esquina da rua Línea com a 10, apartamento 22. Lá estavam José Solís, Andrés Fajardo e um certo Pablo, o "Engenheiro". Esse Pablo é o sujeito que mantém contatos com Ray. Andrea, que é mãe do "Doutorzinho", deu uma versão de como capturaram seu filho. Pablo pôs à minha disposição a fábrica de explosivos em que faz as caixas de fósforos.

30 de novembro de 1960. Informe número 10.
Assunto: entrevista com Mr. Davis.

Juan Méndez me telefonou: "Alguém muito importante quer se encontrar contigo". Indiquei minha casa como lugar seguro. Hoje de manhã Juanito visitou-me, acompanhado por Mr. Davis. Esse americano fez-me explicar o plano do levante que eu propusera. Quando terminei, começou um interrogatório de teor político e militar. Disse ter grande interesse em que eu falasse sobre os comandantes que eu conhecia. Ao responder, tratei de desinformá-lo ao máximo. Depois, falou de mim. Para minha surpresa, lembrou os quatro combates no Pacífico de que eu participara na Segunda Guerra. Ao me explicar como deveria agir no momento de receber as armas, disse que deveria formar um triângulo com três luzes e, dentro dele, posicionar o grupo de homens em forma de T. Eles iluminariam a área com lanterna à altura dos ombros. Além dos pacotes, viriam quatro instrutores. Acho que o impressionei.

12 de dezembro de 1960. Informe número 11.
Assunto: Aumento das sabotagens e do terror.

Mantive uma reunião na casa da mulher de José Méndez, no 969 da rua Lírica. Juan Méndez explicou-me que Mr. Davis partira para os Estados Unidos, onde informaria o que discutira comigo; voltaria dentro de sete dias. O engenheiro Pablo disse que em 15 de janeiro de 1961 planejam fazer sabotagens nas grandes lojas. Utilizarão as caixas de fósforos altamente inflamáveis que ele fabrica. No total, cerca de dez empregados de lojas participarão dessas sabotagens. Juan Méndez deu quinhentos dólares ao engenheiro para que lhe entregasse mil caixas dos fósforos especiais. Ele pretende utilizá-las na próxima concentração que o governo revolucionário realizar. À noite, visitei o salão de jogo do Capri. Vi o comandante César Páez. Com ele estava Luis Ruiz, outro ex-combatente. Não revelei que sabia que ele estava nos preparativos do Escambray. Esperei que ele próprio o confessasse. Uns goles me ajudaram nisso. "Fiz contato com um enviado de Tony Varena. Sou da FRD. Sei no que você está metido", disse-me César. Chamei o garçom e pedi outra garrafa de rum. Na segunda dose, ele perguntou por Ramonín Quesada. Respondi que ele também estava se preparando para rebelar-se. Alardeando seus contatos, César acrescentou que os americanos iam dar-lhe o comando de Escambray. "Assim que chegarem os transmissores e uns instrutores que me prometeram", disse, "tomarei as montanhas." Não revelei meus contatos a César, embora tenhamos marcado encontro para outro dia. Apenas lhe disse: "No fim das contas vou acabar te comandando outra vez nas montanhas". Ele me respondeu que agora seria diferente. Recebi instruções por telefone sobre como devia proceder. Tudo saiu como esperávamos. Procurei Juan Méndez. Ao vê-lo, montei um show. Furioso, disse-lhe que Mr. Davis era um farsante. Tinha feito a César a mesma proposta que fizera a mim. Ele respondeu: "Um dos irmãos Puente Blanco, o que foi presidente da Frente Estudantil Universitária, em 1959, designou-o. Mas o americano interrompeu esse plano ao te conhecer". Esclarecido o incidente, me mostrei mais calmo e demos umas voltas de carro. Creio que vamos bem.

26 de dezembro de 1960. Informe número 12.
Assunto: Planos contra-revolucionários da embaixada americana.

Blanco: Minha mulher me entregou o envelope que você deixou com o carimbo ESTRITAMENTE CONFIDENCIAL. Você agiu rápido. Já sabemos ao menos que Mr. Davis se chama Marcos Behar. A respeito do outro americano, chamado Louis C. Herbert e que chegou no mesmo vôo com Marcos, é possível que me encontre com ele. Juan Méndez me informou que o americano chegou ontem. E disse que tinha tirado César Páez e Plinio Prieto da liderança do Escambray. Hoje, Juan Méndez veio me visitar aqui no meu escritório e disse: "Junto com Mr. Davis chegou o chefe da inteligência militar dos Estados Unidos no Caribe. Ele quer se encontrar com você". Nessa conversa Juan Méndez me expôs os planos secretos que a embaixada tinha para o dia D. Explicou-me confidencialmente que eram para 27 de janeiro, data em que ocorreria o levante. O plano consiste em ocupar pontos vitais, tanto civis como militares, zona a zona. Vários aviões bombardeariam os quartéis de La Cabaña, San Julián e San Antonio. Contra-revolucionários internos cortariam a água e a eletricidade para eliminar, por meio do terror, qualquer reação popular em favor do governo revolucionário. Em seguida ao bombardeio, forças mercenárias acantonadas na Guatemala e na Flórida entrariam em combate. Antes do dia D, eles aumentarão a onda de sabotagem.

30 de dezembro de 1960. Informe número 13.
Assunto: Encontro com o americano.

César Páez inteirou-se de que eu havia sido nomeado chefe máximo de Escambray. Fez uma carta para a embaixada na qual explica que sou agente de Fidel Castro. Foi Juan Méndez quem me comunicou isso. Mas revelou-me que nem ele nem o americano acreditavam. Procurei César para acabar com a vida dele e demonstrar-lhe que isso era falso. Não o encontrei. Na casa do dr. Amézaga, engenheiro do Instituto Nacional de Reforma Agrária em Las Villas, vi Juan Méndez. Pediu-me que esquecesse o incidente e disse que Francisco, o homem que a embaixada havia designado como coordenador-geral da FRD, queria me ver. No dia seguinte, fui chamado por telefone para ir à avenida 25, nº 222, entre o 222-A e o 228, em La Coronela, onde Francisco está escondido. Juan chamou depois: "Vá para sua casa. O americano quer ver você". Minha mulher preparou um coquetel "Espanha em Chamas". É o drinque predileto de Mr. Davis. O americano me disse que o plano militar que eu lhe apresentara foi aprovado. Que enviaram um mensageiro a Escambray para comunicar a Evelio Duque e a Osvaldo Ramírez que o chefe da Frente em Escambray seria eu. O americano falava devagar. Pediu mais um drinque. Com o copo na mão, disse-me que havia recebido instruções para que eu fosse clandestinamente aos Estados Unidos. A direção da CIA necessitava acertar alguns detalhes antes que se iniciasse meu levante. Deveria estar em Washington antes de 12 de janeiro.

5 de janeiro de 1961. Informe número 14.
Assunto: Viagem aos Estados Unidos.

Fui com Juan Méndez encontrar Francisco. Eu o conhecia desde a viagem anterior. Francisco tirou três mapas de uma gaveta. Neles estavam assinaladas três chácaras onde a FDR receberia armas. Entregou-os a mim, para que eu os remetesse para a Agência. Dirigimo-nos a uma casa em Miramar. Ali recolhemos a contra-senha para fazer contato com a lancha rápida em alto-mar. Deveríamos conseguir um barco pesqueiro com equipamento de rádio e transmitir, a cada cinco minutos, apenas o seguinte: "Aqui piloto, aqui piloto". A lancha rápida se aproximaria de nós e nos pegaria. Sete dias depois, o pesqueiro, com três luzes — verde, amarela e vermelha —, deveria voltar ao mesmo ponto onde nos haviam recolhido, para devolver-me à terra cubana. Nessa casa, além disso, recolhemos 5 mil dólares para despesas e a ordem de que Juan Méndez me acompanhasse na viagem. No dia seguinte vimos Francisco de novo. Deu-me o endereço de uma chácara em Pinar del Rio, onde escondia vinte quilos de gelatina explosiva C-3 e sessenta fuzis M-3, para que meus homens os transportassem para Havana. Um companheiro do G-2 encarregou-se de recolher esses equipamentos. Blanco e eu partimos para Las Villas. No Hotel La Suiza, em Las Villas, nos entrevistamos com Manuel, o companheiro do G-2 que dirigiria um dos supostos levantes que faríamos na região de Yaguajay. Depois nos dirigimos para Placetas, onde vimos Saúl, o contato de Osvaldo Ramírez. Ele me disse que naquele dia César Páez e Ramonín Quesada, com mais dezoito homens, haviam se rebelado. De Placetas seguimos para Caibarién. Encontramos-nos com Juan Hernández Roy, o dono do barco que a segurança do G-2 havia designado para a viagem. Ele nos apresentou a Francisco Pequeno Sáez, o maquinista do pesqueiro, e a Lisandro Sánchez, que também nos acompanharia na missão. Na volta, um contato de Osvaldo Ramírez me entregou o rebelde de nome Dominguín para que eu o asilasse. Estava doente. Nós o transportamos para Havana. No caminho, disse-me que havia se rebelado com Osvaldo Ramírez, mas que começou a cuspir sangue, e Osvaldo resolveu afastá-lo da luta. Além disso, forneceu amplas informações sobre os levantes ocorridos e a localização de alguns acampamentos de bandidos.

NOTA: Blanco, o mapa que você me forneceu, confeccionado pela direção do G-2, e o envelope com a situação militar do país, a fim de que o fizesse chegar ao Departamento de Estado para desinformar os americanos, já estão em poder de Juan Méndez.

8 de janeiro de 1961. Informe número 15.

Blanco: Parti em companhia de Juan Méndez para Caibarién. Um homem de minha confiança levou minha mulher e meus filhos para Santiago de Cuba. À meia-noite embarcarei no pesqueiro *El Pensativo*, em companhia de Juan Méndez e dos três pescadores de Caibarién. Não encontrei inconvenientes. Se tudo sair bem, te mando um postal. Saudações. Olivério.

Ao embarcar no *El Pensativo*, Tony Santiago partia para sua mais importante missão como espião cubano: um encontro com Allen Dulles, diretor-geral da CIA, em Langley, Virgínia, no próprio quartel-general da Agência. Cinco dias depois, os destroços do *El Pensativo*, um pequeno barco de pesca, apareceriam junto às praias de Caibarién, no litoral cubano.

Durante três anos não se soube nada sobre o que ocorrera a Tony Santiago e aos três pescadores que o acompanhavam. Em 1964, num bar do cais do porto de Miami, um pescador identificado apenas como "Antoñico", inteiramente bêbado, confessou que recebia dinheiro da CIA para fazer atentados contra pescadores cubanos em alto-mar. E, entre outras fanfarronices, os fregueses ouviram este relato do pescador:

— A única vez que encontrei resistência foi quando afundei o *El Pensativo*. Eu gritei "Alto!", e eles não pararam. Abri fogo com o canhão de vinte milímetros que levava, e parti o *El Pensativo* em dois; juro por minha mãe que enfiei um monte de tiros nos quatro que estavam a bordo. Foram tantos tiros que a água, em vez de azul, ficou vermelha.

Estava explicado o mistério. Tony fora confundido com um pescador cubano e morto por um mercenário.

* * *

Já pronta, Aleida passava os olhos pela casa antes que chegasse o misterioso personagem que a recolheria, a ela e aos filhos. Os angustiantes minutos de espera foram suficientes para que ela rememorasse o pesadelo que passou a ser a sua vida e a dos dois garotos nos anos que se seguiram. Nesse momento ela já não ouvia mais o coro na plaza de la Revolución. Fidel Castro acabara de falar, outros chefes iam discursar. Ela só conseguia pensar no calvário que vivera com os filhos. Pensar nisso e lembrar dos cochichos das vizinhas, da fila do açougue, onde era evitada como "a viúva do *gusano*". Os garotos tinham que se sentar sozinhos nas salas de aula: ninguém queria ficar junto "do filho do traidor". As lembranças foram interrompidas pela chegada, à porta do prédio, de um velho Cadillac. Um chofer fardado os conduziu pelas ruas arborizadas do Vedado, e enfiou-se no meio da massa humana que se aglomerava na plaza de la Revolución, dando a volta por trás do palanque. Tomados de surpresa e medo, os três foram levados à tribuna em que, poucos minutos antes, Fidel Castro discursara. Um dos lugares-tenentes do primeiro-ministro, num relato breve, anunciou à multidão e à população cubana que acompanhava a transmissão do ato pelo rádio:

— Chegou a hora de reabilitar um herói deste país, o comandante Tony Santigo.

Pausadamente, revelou por que aquela informação fora mantida em segredo por uma década — dez longos anos em que Aleida, Tony Junior e Ricardo apareceram aos amigos, aos vizinhos e ao povo como a mulher e os filhos de um traidor. O oficial explicou então que durante todo esse tempo Cuba mantivera dezenas de outros espiões infiltrados nas "bandas contra-revolucionárias". E a revelação do "caso Tony Santiago" comprometeria a segurança deles. As pessoas que se encontravam nas primeiras filas, à frente do palanque, puderam ver, em meio às lágrimas que escorriam dos olhos de Aleida, um sorriso aliviado. O pesadelo chegara ao fim.

5. A guerrilha na Nicarágua

Meu retorno a Cuba, depois da entrevista com Fidel Castro, só aconteceria após três anos, em fevereiro de 1978. Dando mais um passo em direção a uma détente com o Brasil, os cubanos convidaram quatro brasileiros para compor o júri do prêmio Casa de las Américas — a principal instituição cultural de Cuba e uma das mais prestigiadas do continente: Ignácio de Loyola, Chico Buarque, Antonio Callado e eu — que tirara férias na Veja *para viajar. Chico, Callado e eu fomos acompanhados das respectivas mulheres, Marieta Severo, Ana Arruda e Rúbia Delorenzo. A volta ao Brasil, três semanas depois, iria trazer dissabores para nós. Tanto Chico e Marieta como Callado e Ana foram detidos pelo Cenimar — Centro de Informações da Marinha, um dos mais ativos órgãos da repressão — tão logo puseram os pés no aeroporto do Galeão, no Rio de Janeiro. Rúbia e eu nem chegamos a descer em Congonhas: na escada do avião já nos aguardava uma perua do DOPS, que meia hora depois nos entregaria ao delegado Romeu Tuma, diretor do órgão. Loyola escapou milagrosamente e chegou em casa sem ser importunado pela polícia. Nenhum de nós seis passou sequer 24 horas detido, assim como não houve nenhuma ameaça de violência física. Mas a polícia confiscou tudo o que não fosse roupas e objetos pessoais: de charutos a discos de rumba, passando por livros, folhetos, fitas gravadas e até as politicamente inocentes anotações de Rúbia, psicanalista, sobre o Hospital Psiquiátrico de Havana.*

O júri do prêmio Casa de las Américas é formado por representantes de todos os países latino-americanos, mesmo daqueles com os quais Cuba não mantém relações, como era o caso do Brasil. Durante três semanas, o grupo de jurados — trinta pessoas, em média — é levado para algum hotel do interior ou do litoral. Nesse período o hotel fica fechado para hóspedes e recebe apenas os dramaturgos, poetas, ficcionistas e jornalistas vindos de todos os pontos do continente. O lugar escolhido para internar o júri de 1978 foi a baía de Pasacavallo. Ficamos hospedados em um hotel construído no topo de uma serra que dava para uma baía de água doce, à margem de um dos muitos lagos da região central de Cuba. Um lugar nessa época tão frio como Teresópolis ou Campos do Jordão.

Quanto mais os dias passavam, mais eu ficava intrigado com o comportamento dos dois jurados da Nicarágua: um era o sociólogo Sergio Ramírez, um jovem alto, de óculos, cabelos curtos e com cara de scholar americano. O outro se destacava de todo o grupo: cabeleira e barba brancas como algodão, olhos de um azul profundo, uma boina negra sempre tombada sobre a testa, à la Che. Sobre o poncho, na altura do peito, um crucifixo de prata indicando que se tratava de um religioso. Era o padre e poeta Ernesto Cardenal, monge trapista nicaragüense com formação nos Estados Unidos, e que se tornara um símbolo da luta contra a ditadura de Anastacio Somoza, àquela altura ainda encastelado no poder. Não importava o que os dois estivessem fazendo — tanto podia ser uma reunião do júri, uma discussão política ou até as rodas de música noturnas, numa das quais Chico Buarque, o mais festejado de todos os jurados, cantou pela primeira vez em público sua mais recente obra, "Te-

rezinha de Jesus" —, bastava a telefonista avisar pelo sistema de som que havia ligação para um dos dois, Sergio ou Cardenal, para eles largarem tudo e dispararem em direção à cabine. Havia algo misterioso em torno daqueles telefonemas.

Uma noite não resisti. Ao final de uma roda de música, todos já meio chumbados pelo rum (ao ponto de um animado Cardenal pegar o violão e cantar "Adelita", que eu só conhecia da gravação de Nat King Cole e que ele revelou ser o maior sucesso nicaragüense), aproximei-me do padre, ofereci-lhe um charuto e perguntei se ele e Ramírez estavam em alguma dificuldade. Ele respondeu que não, ao contrário, estavam às portas do poder. Ambos eram membros da direção nacional da Frente Sandinista de Libertação Nacional, o exército guerrilheiro que cada dia mais acuava o ditador. Os sucessivos e nervosos telefonemas eram de companheiros dando conta do avanço da luta em seu país.

No Brasil de 1978 sabia-se muito pouco sobre a Frente Sandinista ou mesmo sobre a Nicarágua. Até em redações de jornais era comum confundi-los — guerrilha e país — com a Frente Farabundo Martí, de El Salvador. A Nicarágua e a FSLN só começariam a entrar nos noticiários de jornais, revistas e TV nos primeiros meses de 1979, quando Somoza parecia já não ter mais saída. Passei a aproveitar os intervalos entre as leituras para aproximar-me mais de Ramírez e Cardenal, até sentir que havia ambiente suficiente para a abordagem:

— O que a Frente Sandinista pensaria se eu publicasse no Brasil uma grande reportagem sobre a guerra contra Somoza?

Depois de alguns dias e novos telefonemas, a reportagem estava amarrada. Quando estivesse pronto, deveria procurar um determinado contato em San José, capital da Costa Rica, para que ele me fizesse entrar na Nicarágua pelas mãos da Frente Sandinista.

Ao voltar ao Brasil decidi deixar a revista Veja. Um timaço de jornalistas formado por Hamilton de Almeida Filho, Mylton Severiano da Silva, Narciso Kalili, Paulo Patarra, João Antônio, Sérgio de Souza, Luiz Carlos Cabral, Guilherme Cunha Pinto, Caco Barcelos, José Trajano, José Hamilton Ribeiro, Uirapuru Mendes e Polé de Jesus, entre outros, tinha convencido o editor Domingo Alzugaray, dono da Editora Três, a ressuscitar o sonho de nove entre dez repórteres brasileiros: uma publicação mensal só de reportagens — como fora, nos anos 60, a revista Realidade, da Editora Abril. A maioria dos nomes que encheriam o expediente da futura revista, aliás, tinha passado por Realidade. Eu estava bem em Veja. Trabalhava no mais importante semanário brasileiro, ganhava um bom salário como editor-assistente de Política, mas a tentação de trabalhar em uma revista só de reportagens falou mais alto. Uma semana depois de voltar ao Brasil, ao final do prêmio Casa de las Américas, eu já participava da reunião de pauta de Repórter3. E foi nela que sugeri minha primeira matéria: a guerra da Frente Sandinista contra Somoza.

Aprovada a pauta, era a hora de refazer os contatos. Liguei para o tal sujeito em San José, dei uma senha, ele respondeu com outra e ficou acertado que no máximo em uma semana nós aguardaríamos um chamado telefônico dele no Hotel Hilton da capital costa-riquenha. Para me acompanhar, a revista destacou o experiente e bem-humorado fotógrafo Geraldo Guimarães, meu companheiro de inúmeras reportagens na época do Jornal da Tarde. Uma semana depois, pontualmente, o contato ligou. Combinamos um café e apareceu "Terry", que além do codinome tinha aparência e sotaque norte-americanos. Loiro, de olhos claros e completamente calvo, ele nos explicou que, para chegarmos à Nicarágua sem despertar suspeitas da polícia somozista, deveríamos alugar um carro com motorista na Costa Rica e entrar na Nicarágua por uma das muitas fronteiras secas que separam os dois países. Nessas barreiras, disse ele, a fiscalização era bem menos rigorosa do que no aeroporto de Manágua — nem sequer passaportes os guardas pediam. Segundo ele, se pretendíamos mesmo falar com Somoza, além da direção da FSLN, seria melhor retornar de carro a San José e então tomar um avião de volta à capital nicaragüense.

Um dia antes de viajarmos, recebi no hotel a visita do padre Ernesto Cardenal, então exilado na Costa Rica, que me entregou uma listinha datilografada com nomes de pessoas que sugeria que eu procurasse na Nicarágua para entrevistas: empresários, religiosos, militantes sandinistas e até militares que funcionavam como agentes da FSLN dentro da Guarda Nacional somozista. Geraldo e eu decidimos fazer primeiro a entrevista com o ditador e depois voltar em segurança para fazer a FSLN. Embarcamos para Manágua de avião, conforme o que fora recomendado, e em menos de três dias a entrevista com Somoza estava pronta. Retornamos a San José, guardamos filmes e fitas de gravador no cofre do hotel. À noite refizemos o contato com "Terry", que nos sugeriu partir o mais depressa possível de volta para a capital nicaragüense, dessa vez de carro, para evitar nova fiscalização no aeroporto de Manágua.

Na manhã seguinte alugamos um precocemente combalido Cadillac 1964 dirigido por um sujeito mal-humorado com aparência de estar embriagado. Nossas suspeitas pareceram se confirmar quando por duas vezes ele quase deixou o carro sair da estrada, cuja visibilidade era prejudicada por nuvens de fumaça produzidas pelas queimadas de cana em ambas as margens. Atravessamos a fronteira sem sequer sermos parados. Horas depois, Geraldinho e eu estávamos de novo instalados no Intercontinental aguardando uma nova senha. Dessa vez para ver os homens que iriam derrubar Somoza.

Em julho de 1980 eu viajaria de carona no avião do presidente Fidel Castro de Havana até Manágua, para assistir aos festejos do primeiro aniversário da vitória da Frente Sandinista. No palanque oficial pude rever Sergio Ramírez, agora empossado como vice-presidente da República, Humberto Ortega, como ministro da De-

fesa e chefe do Estado-Maior das Forças Armadas, que eu havia entrevistado em algum lugar da Nicarágua, e Ernesto Cardenal como ministro da Cultura. Esta reportagem foi publicada na revista Repórter3, *em 1978.*

Na tarde de um escaldante domingo em Manágua, o telefone toca na cabeceira da cama do hotel uma única vez. Atendo depressa e a voz do outro lado, em um espanhol rapidíssimo, difícil de entender, nem sequer pergunta quem está falando:

— Alô. Escrevi para meu irmão em Miami, dizendo que havia alguns primos de passagem pela Nicarágua que queriam falar com ele. Acabo de saber que ele também quer ver vocês. Não digam a ninguém que vamos sair com mulheres casadas, não ficaria bem para nós.

Pulei da cama num salto e festejei com Geraldo Guimarães, o fotógrafo que me acompanhava:

— São eles.

Era a Frente Sandinista de Libertação Nacional (FSLN), movimento guerrilheiro que há décadas luta contra a ditadura de Anastacio Somoza, o todo-poderoso presidente da Nicarágua. O "irmão de Miami" era o comandante Humberto Ortega, chefe militar da guerrilha e irmão mais novo de Daniel Ortega, o número um da FSLN. Os "primos" éramos nós dois, Geraldo e eu. Jamais conseguimos decifrar a parte final da senha, que falava de mulheres casadas. Fazia duas semanas que estávamos instalados no Hotel Intercontinental de Manágua, capital da Nicarágua, à espera do contato telefônico que finalmente ocorria.

Nós já havíamos falado com o ditador dias antes. Com o auxílio da embaixada do Brasil, conseguimos a entrevista sem grandes dificuldades. Assim como foi sem maiores rigores que chegamos ao quartel onde ele instalara o gabinete da Presidência. Embora para chegar até o ditador tivéssemos que atravessar várias barreiras de soldados armados, em nenhum momento nos pediram documentos. Bastava que disséssemos "Temos um encontro com o presidente", e as portas se abriam. Sala após sala, chegamos afinal às portas reforçadas do *bunker* presidencial. Aí, sim, percebe-se que "Tachito", como é chamado, sabe o poder de fogo do inimigo: seu gabinete foi revestido com chapas de aço de duas polegadas de espessura. Dez minutos depois, é o próprio Somoza quem aparece, sorridente:

— Vocês são os brasileiros? Sentem-se, vamos conversar.

Os 35 quilos perdidos nos últimos quatro meses, por ordens médicas, tiraram-lhe o ar de ditador de caricatura. E ele também não dá mais expediente contrastando a elegância dos ternos italianos com um chapéu de caubói — mudanças de estilo determinadas por seus "assessores de imagem" americanos. Tachito parece ter perdido inclusive a arrogância. Pálido e abatido, põe os pés sobre a mesa de trabalho e começa a falar:

— Vocês, jornalistas, andam dizendo pelo mundo que a situação da Nicarágua é idêntica à de Cuba de Batista. Quero dizer que há duas diferenças fundamentais: Cuba era uma ditadura e aqui temos democracia. Os guerrilheiros cubanos tinham um líder, Fidel Castro, e os sandinistas não o têm.

Tachito se esforça para parecer entediado diante dos riscos que poderia representar a aliança burguesia-guerrilheiros:

— Essa gente se juntou e agora acha que toma o poder, mas estão todos enganados. Na verdade, estão querendo que eu os reprima, para depois irem me intrigar com o governo americano. Mas eu não caio nessa.

Ao vê-lo subestimar os sandinistas, lembro-o de que a guerrilha já chegou bem perto dele, ao matar, no centro de Manágua, seu mais próximo assessor militar, o general Pérez Vega. Isso não o assusta? Tachito usa uma tática desconcertante: não responde nem sim, nem não — em vez disso, põe-se a fitar o infinito. Como o presidente vê a gradativa perda de apoio da classe média, da Igreja e até dos Estados Unidos?

— Meu apoio vem do povo, do meu partido, que é das classes trabalhadoras.

Mas como, presidente, se o povo se queixa de estar passando fome, e se é visível a miséria do país? De repente, o ditador parece ter perdido a vontade de falar. Levanta-se sorridente, deixando claro que a conversa não está agradando. Ao nos levar até a porta, promete rever-nos na viagem que pretende fazer em breve ao Brasil. A entrevista acabou. Só nos restava voltar ao hotel e nos enfurnarmos lá à espera da senha da Frente Sandinista.

Na manhã seguinte ao telefonema, uma segunda-feira, o telefone toca de novo em nosso apartamento. Outra voz avisa que devemos estar na portaria, às seis da tarde, esperando um Fiat branco. O fato de já termos falado com Somoza nos deixou com medo e desconfiados. Dois homens de terno escuro — um gordo forte, com um vasto bigode, e um mulato baixinho — apareciam em todos os lugares do hotel. Podia ser coincidência, mas também podia ser a temida guarda pessoal de Tachito. Às seis em ponto o Fiat pára na porta do Intercontinental.

O chofer tem uns 35 anos, é forte, com cara de índio. Depois de rodar dez ou quinze minutos pelo que antes tinha sido o efervescente centro comercial de Manágua (e que o terremoto de 1972 transformou num gigantesco terreno baldio, coberto de mato), o índio abre a boca pela primeira vez:

— Há dois carros nos seguindo, mas não se assustem. É a nossa segurança. A coisa aqui anda feia.

Decido contar a ele nossos temores. Descrevo os dois homens do hotel. Com voz tranqüila ele explica:

— Não, não são da guarda de Somoza. É gente nossa. Eles foram destacados para se hospedarem no hotel um dia antes de sua chegada. Estavam cuidando da segurança de vocês.

O índio roda mais uns quinze minutos, pega uma estradinha asfaltada, segue em direção a um bairro chique, repleto de enormes casarões ajardinados. Já é noite quando o Fiat estaciona numa rua de casas separadas por cercas vivas, atrás de uma perua vermelha, com dois homens no banco da frente.

— É aqui, vamos descer.

Tranca o carro, caminha até a perua e, abrindo uma porta lateral, nos manda entrar:

— Não há bancos, vocês têm que se ajeitar sobre esses cobertores. Desculpem, mas a partir de agora vão ter que usar isto.

E nos entrega dois óculos escuros, com as lentes pintadas de preto. Ele também senta no chão da perua, fecha as portas por dentro e dá uma batida na parede de metal que nos separa do novo chofer e de seu acompanhante. O carro arranca devagar, mas logo está em alta velocidade. Antes de colocar os óculos, notamos as três metralhadoras sobre os cobertores. O índio esclarece antes que perguntemos:

— Se a polícia aparecer, cada um pega uma e trata de se arranjar.

Diante da informação de que nenhum de nós jamais pegou numa metralhadora, ele explica:

— Não é questão de perícia ou de ideologia. É de sobrevivência. Se los *hijueputas* aparecem, vocês *têm* que atirar, se quiserem escapar vivos.

A perua corria. Pelos ruídos de fora, parecia que estávamos nos afastando de Manágua. Logo depois pegaríamos uma estrada asfaltada, entrecortada por pequenos trechos em que o veículo saltava sobre pedras e buracos, antes de voltar a deslizar de novo sobre o asfalto.

Para fumar tínhamos que pedir ao nosso silencioso acompanhante que acendesse os fósforos — com aqueles óculos era impossível enxergar até mesmo a ponta do cigarro. Aquilo durou umas três ou quatro horas. Ao fim da viagem, tanto poderíamos estar na Costa Rica como em Honduras — o tempo teria sido suficiente para atravessar toda a Nicarágua, para o norte ou para o sul. O carro pára, alguém abre um portão (pelo menos foi o que imaginamos), avança mais uns metros e estaciona. O índio abre as portas e nos ajuda a entrar em uma casa, avisando que já podemos tirar os óculos — o que não adianta muito, porque o lugar está com as luzes apagadas.

Alguém aperta, então, um interruptor e nos vemos em uma salinha forrada de estantes e guardada por nove ou dez guerrilheiros armados de fuzis e metralhadoras — todos com a cabeça coberta por um capuz vermelho e preto, as cores sandinistas. Numa das estantes há várias bazucas e petardos de aço, do tamanho e do formato de uma garrafa de cerveja — que, saberíamos depois, eram *rockets* para municiar morteiros. Nas outras estantes, contrastando com as armas, há bonecas e outros brinquedos.

De repente, a porta dos fundos da sala se abre e surge o comandante Ortega.

Para quem está habituado com as imagens de Che Guevara ou Fidel Castro, Humberto Ortega não impressiona muito à primeira vista. Apesar de devidamente paramentado — farda verde-oliva, boina preta caída sobre a orelha, lenço vermelho e preto amarrado ao pescoço, duas enormes pistolas na cintura —, ele tem aspecto franzino, nem um pouco assustador. A figura à nossa frente mais parece um estudante de filosofia do que o guerrilheiro mais procurado pela CIA e pelos governos da América Central. Ele nos pede desculpas pelo incômodo dos óculos pintados de preto, pela viagem desconfortável e pelo aparato militar. A cara de menino esconde onze anos de militância guerrilheira —

ele tem apenas 31 anos — e riscos dignos de um Guevara ou Fidel. Ainda adolescente, Ortega entrou para a Frente Estudantil Revolucionária, agrupamento semiclandestino que fustigava o somozismo. Mal entrado na universidade, caiu na clandestinidade, já como militante da Frente Sandinista, organização que na época já tinha quase onze anos de vida. Embora tivesse vivido alguns choques com a polícia de Somoza, nos tempos de estudante, Ortega só viria a encarar frontalmente o perigo em 1969:

— Fui destacado para chefiar um comando que libertaria nosso chefe, Carlos Fonseca Amador, então preso na Costa Rica. Sabíamos que a Guarda Nacional queria arrancá-lo à força da prisão costa-riquenha. Foi a primeira vez que nossa organização rompeu com a política de não atuar fora das fronteiras da Nicarágua.

A operação foi um fracasso. À saída da prisão, em San José, o comando sandinista, que já trazia Fonseca Amador, foi cercado e baleado. Voltaram todos para a cadeia. Ortega saiu do tiroteio com uma bala no pulmão e outra perto do coração — o que lhe provocou uma atrofia da mão direita, que até hoje dificulta quase todos os seus movimentos. "A única coisa que continuo fazendo bem com esta mão é atirar", gaba-se.

Praticamente toda a direção nacional da FSLN passou quinze meses nas prisões da Costa Rica. Até que, em março de 1970, um novo comando cruzou outra vez a fronteira entre os dois países, seqüestrou toda a diretoria da United Fruit Company, em San José, a capital, e só libertou os empresários americanos quando o governo costa-riquenho colocou os presos sandinistas num avião, transportando-os para Havana.

Apesar da riqueza do relato do comandante, ainda é difícil imaginar aquele homem de aparência tão frágil invadindo a prisão de um país estrangeiro, à frente de um pelotão de guerrilheiros. Ortega, sempre cercado na saleta por meia dúzia de guarda-costas, que não tiram os olhos de nós, insiste em que a luta da Frente Sandinista não é apenas contra as "características nazifascistas do regime de Somoza", mas também contra a "corrupção implantada pela dinastia, há quarenta anos no poder". Depois de um instante de silêncio, Ortega retira de uma pasta um volume massudo:

— A Frente Sandinista encomendou o levantamento total dos bens da família Somoza. O resultado, que está aqui nas minhas mãos, é escandaloso.

Enquanto folheia o livro tosco, datilografado, como se estivesse escolhendo as denúncias mais gritantes, o chefe guerrilheiro vai relatando como a investigação foi feita: ao todo, trabalharam um economista, um administrador de empresas, um contador público especializado em auditoria bancária e um advogado versado em registro de propriedades e sociedades mercantis — "todos simpatizantes da Frente Sandinista", insiste Ortega. Foram três meses de pesquisas em cartórios, entrevistas "subterrâneas" com funcionários graduados do Banco Central, do Banco da Nicarágua e de empresas da família Somoza, consultas sigilosas a outros simpatizantes vinculados à indústria, ao comércio, às finanças e aos círculos governamentais.

A extensão dos bens e da atividade da família Somoza faz com que os sandinistas chamem o documento, ironicamente, de "páginas amarelas da dinastia Somoza". E o quadro é de fato assustador: Anastacio Somoza Debayle é dono de uma fortuna avaliada hoje, por baixo, em 5 bilhões de dólares — quatro vezes mais que o Produto Nacional Bruto do país que governa. E tem em suas mãos, mediante incontáveis negócios, cerca de 60% da economia nacional — assim como pertencem a ele terras equivalentes à área do estado do Rio de Janeiro, que correspondem à terça parte do território da Nicarágua, um país de 130 mil quilômetros quadrados.

Ortega escolhe uma "página amarela". É uma das primeiras, logo na letra A do volume. "Aviação, companhias de." Um dos mais rendosos negócios da família é a única companhia de aviação de bandeira nicaragüense, a Lanica, fundada em 1940 por Tacho Somoza, pai e antecessor de Tachito na Presidência da República (entre um e outro governo, a presidência foi ocupada por Luis Somoza Debayle, "o Bom", irmão mais velho de Tachito). A empresa foi montada pelo velho Somoza, em sociedade com a Pan American Airways, para explorar linhas de carga e passageiros pelo interior do país (o que explica por que até hoje só existam quatrocentos quilômetros de estradas asfaltadas, e a única ferrovia tenha apenas 317 quilômetros).

Na década passada — prossegue o relato das "páginas amarelas" —, Tachito propôs um negócio à Pan-Am: ele concederia à empresa aérea americana autorização para construir um hotel em Manágua (o Intercontinental, o mais luxuoso do país), do qual ele seria sócio; em troca, a Pan-Am venderia à família Somoza as ações que possuía da Lanica. Com isso, a família começou a explorar o transporte de carga e passageiros para Miami, México, Panamá e Guatemala, antes feito pela Pan-Am. No fim dos anos 60, a Lanica passou a operar com jatos Convair, de quatro turbinas, adquiridos por preços "especiais" à Hughes Tool Corporation (HTC). Retribuindo o favor, Somoza mandou montar uma verdadeira fortaleza no último andar do Intercontinental, onde viveu, até o terremoto de 1972, o presidente da HTC — o misterioso milionário americano Howard Hughes.

Peço ao comandante Ortega um exemplar das "páginas amarelas", e ele mais uma vez fala dos problemas de segurança.

— Se te pegam com isto aqui na Nicarágua, te quebram em pedacinhos para que você diga onde conseguiu. A organização se encarregará de entregar-lhe uma cópia fora do país, lá na Costa Rica — promessa que seria cumprida cinco dias depois.

Ortega lamenta que o grupo de trabalho não tenha condições de apurar o volume da fortuna de Somoza no exterior:

— Sabe-se que os interesses da família também são grandes nos Estados Unidos, Brasil, Colômbia e Espanha.

A equipe conseguiu apurar, entretanto, as articulações do poder de Tachito, dentro e fora da Nicarágua, para manter o império a salvo. Internamente, o ditador usa uma tática pouco peculiar para evitar ameaças à fortuna: Somoza distribui parte do saque para as principais lideranças que surjam dentro da Guarda Nacional, dividindo com todas as patentes, de general a tenente, um pedaço do bolo. Um cuidado especial é tomado — sempre manter o beneficiário dos favores no serviço militar ativo. Quando, por razões de idade, algum deles é obrigado a pedir reforma, Tachito transfere-o para um negócio menos rendoso. Como arrecadar "impostos" das casas de prostituição.

Eis alguns dos exemplos levantados pela equipe para a Frente Sandinista:

1) General Gustavo Montiel, ministro da Fazenda: sócio de Luis Somoza Urcuyo, sobrinho de Tachito, na agência de viagens Brown & Montiel. Sócio de Somoza na Afianzadora la Esperanza, empresa que presta um serviço universalmente delegado ao Estado — a concessão de carteiras de motorista. Presidente da empresa que administra os motéis Majopa, em León, e Texas, em Masaya, destinados à prostituição de luxo. É acusado pelo FBI e pela Interpol de manter — em sociedade com um capitão da Guarda Nacional, o seu sobrinho Hollman Ríos Montiel — uma empresa fantasma, encarregada de comprar carros roubados nos Estados Unidos e revendê-los na Nicarágua.

2) General Herberto Sánchez, ministro da Defesa: sócio de Somoza na empresa de turismo Viajes American.

3) Coronel Guillermo Barquero Puertas: gerente da Editorial Novedades, que edita o jornal *Novedades*, de Somoza.

4) "Capitão" Alan Veater: cidadão norte-americano com posto honorário na Guarda Nacional, é diretor da Companhia Marítima Mundial-Ferry, de Somoza.

5) Capitão Teodoro Picado Lara: costa-riquenho, ex-colega de Tachito na Academia Militar de West Point, nos Estados Unidos, dirigiu o treinamento dos mercenários que tentaram, em 1961, invadir a baía dos Porcos, em Cuba. Cuidou dos negócios financeiros de Somoza até setembro de 1977. Como começasse a fazer concorrência, com suas próprias atividades, aos negócios de Anastacio Somoza Portocarrero (major da Guarda Nacional, filho de Tachito), Picado foi preso por ordem do príncipe herdeiro sob a acusação de corrupção, enquanto Somoza estava em tratamento médico nos EUA.

6) Coronel Carlos Reyes y Ruiz: inspetor-geral da Controladoria do Grupo Somoza.

7) Tenente Guillermo Cano: gerente-geral da Companhia Celta de Nicarágua, de reflorestamento, pertencente a Somoza.

8) Coronel Adonis Porras: controla a comercialização de carne em Manágua e a exploração de parquímetros particulares da família Somoza. Dirige ainda imobiliárias da mãe do presidente.

9) Coronel Juan Eger: gerente-geral da Fábrica Nacional de Couros e Derivados, de Somoza.

10) Coronel Octavio Gutiérrez: gerente-geral da Marítima Mundial-Ferry, e da Companhia Pesquera Solec, ambas da família Somoza.

11) General Guillermo Noguera Zamora: em sociedade com o general Gustavo Montiel e o major Victorino Loro (chefe da guarda pessoal do presidente), explora empresas de transportes urbanos, pagando "impostos" à família Somoza pela concessão.

12) General Gonzalo Evertsz: depois de dirigir com êxito a Guarnição Rio Blanco, de combate à guerrilha, foi premiado com

o cargo de diretor nacional de Trânsito. Evertsz inventou uma modalidade inédita de corrupção: todo veículo que entra ou sai de qualquer cidade do país paga uma taxa de quinze centavos de dólar. Com isso o general recebe anualmente, além dos salários do cargo e do soldo como militar, cerca de 400 mil dólares, provenientes do "pedágio".

Ortega acaricia com orgulho o volume:

— Só dentro da Nicarágua identificamos 115 empresas pertencentes a Somoza.

Num castelhano rápido, às vezes difícil para um ouvido estrangeiro, ele começa a correr a ponta do indicador pelo índice das "páginas amarelas" e vai lendo, em ordem alfabética, os nomes da classificação por atividades: aerolinhas, alfândega, algodão, armazéns, atum, banana, bancos, bauxita, butiques, cana-de-açúcar, carvão, cassinos, cobre, cocaína, lavanderias, processamento de dados, prostituição...

— Tudo o que é legal está registrado em cartório. As atividades ilegais estão em nome de amigos, de parentes, de oficiais da Guarda Nacional. Mas não há aqui uma única informação que não tenha sido confirmada pela equipe que fez o trabalho.

Para controlar seus negócios nos Estados Unidos e manter em bom nível as relações entre os dois países, Somoza montou um poderoso lobby em Washington e Nova York. É público, por exemplo, que o deputado americano Jack Murphy, representante de Nova York, recebe salários mensais de Somoza para defender os interesses deste junto ao governo americano. O poder de influência de Tachito no Departamento de Estado ficou patente quando ele conseguiu nomear como embaixador dos Estados Unidos em Manágua o empresário Turner Shelton, empregado de Howard Hughes. Da mesma forma, ficou famoso o escândalo das contribuições secretas de Somoza às duas campanhas presidenciais de Richard Nixon.

Um barulho de motor de carro, ao longe, provoca um instante quase imperceptível de tensão entre a guarda de Ortega. Só então me dou conta de que sob um dos capuzes vermelho e preto está um corpo jovem de mulher — blue jeans gasto e justo, blusa de jérsei colante. O braço vigoroso que segura o fuzil contra o peito não esconde um toque juvenil. O comandante Ortega percebe meu olhar:

— Está estranhando uma moça na segurança da Direção Nacional? Nós já nos habituamos, temos mulheres em todos os setores da nossa organização.

E conta a mais espetacular e mais recente façanha da Frente Sandinista: o atentado ao comandante da Guarda Nacional, general Reynaldo Pérez Vega, morto em março por um comando guerrilheiro. A advogada Nora Astorga de Jenkins, de trinta anos, diretora do mais respeitado escritório de advocacia de Manágua e militante ainda não "queimada" da Frente Sandinista, foi incumbida pela direção da organização de uma delicada missão: tornar-se amante do general Vega, homem de 49 anos, casado, pai de cinco filhos.

— A companheira Nora foi escolhida porque o escritório dela cuidava dos interesses comerciais da construtora pertencente ao general Pérez Vega — explicou Ortega.

Enquanto falava do caso, Ortega jamais usou a palavra "amante". Dizia sempre "missão", ou outra suavização qualquer. A verdade é que, após dois meses de contatos, o general passou a freqüentar duas noites por semana a casa da advogada, no elegante bairro Altamira del Este, em Manágua. Oficialmente, o general estava, nessas noites, supervisionando "manobras e operações antiguerrilha no norte do país". O projeto da Frente Sandinista era seqüestrá-lo e, em troca de sua libertação, exigir que o governo soltasse presos políticos.

No dia 8 de março, o general chegou às nove da noite à casa de Nora. E deixou à porta, dentro do carro, seu chofer e guarda-costas. Para afastá-lo dali, Nora pediu que fosse comprar uísque. Cinco minutos depois chegava o "Comando Camilo Ortega" — uma homenagem ao irmão mais velho de Humberto Ortega, morto em combate com a Guarda Nacional. O general tentou reagir e foi derrubado com uma coronhada de metralhadora. Segundo Ortega, só depois de vendar-lhe os olhos e tapar-lhe a boca com esparadrapo é que os guerrilheiros descobriram que estava morto.

A notícia mereceu página inteira nos jornais do dia seguinte. O *Novedades*, de Somoza, além de chamar os guerrilheiros de "assassinos de um defensor da pátria" (que os sandinistas, por seu lado, acusavam de ser "agente da CIA e torturador"), dizia que o atentado "revela a covardia dos terroristas, que, não podendo seqüestrar um homem, satisfizeram sua sanha raptando uma indefesa advogada que naquele momento tratava de negócios com o general". Menos de 24 horas depois, todas as redações de Manágua recebiam um envelope fechado, contendo uma foto de Nora, batida horas antes, já nas serras de Nova Segóvia, metida numa farda de campanha, fuzil ao ombro. Junto ia uma carta da advogada, assumindo a autoria do atentado ao "esbirro Pérez Vega".

O comandante Humberto Ortega insiste em que a alternativa do "justiçamento" também já tinha sido prevista:

— O comando saiu com objetivos bem definidos: em primeiro lugar, fazer o seqüestro. Não sendo possível, justiçamento.

Deixo para o final da entrevista a pergunta mais difícil: afinal, as armas, o dinheiro e o treinamento da Frente Sandinista vêm mesmo de Cuba, como afirma Somoza? Ortega responde sem hesitar:

— Você acredita que os Estados Unidos, com seus radares e aviões de espionagem, deixariam Fidel jogar armas aqui? A CIA deixaria entrar dinheiro? O que recebemos de Cuba é solidariedade política, e só.

Para dissipar dúvidas, Ortega põe nas minhas mãos um morteiro *rocket*, acompanhado de uma advertência: "Pegue com cuidado. Se isto cair no chão, o bairro voa". O equipamento trazia impresso o indisfarçável MADE IN USA:

— O dinheiro para comprar armas nós levantamos em expropriações e seqüestros. Comprá-las, depois, é facílimo.

Nas mãos da guarda guerrilheira pude ver metralhadoras Uzi, fabricadas em Israel, ou fuzis Kalashnikov soviéticos, assim como outros fuzis mais leves, feitos na Bélgica.

O caminho de volta a Manágua nos pareceu mais curto. Ao fim de quase duas horas de tensa entrevista — afinal, o aparelho onde estávamos podia ser invadido a qualquer momento —, o comandante Ortega havia se despedido com o primeiro e único sorriso: "Espero que no próximo encontro a Frente não esteja mais na clandestinidade, e a gente não precise desses cuidados todos com os estranhos", disse enquanto púnhamos de novo os óculos com lentes pintadas. Voltamos na mesma perua e chegamos à capital nicaragüense de madrugada. Quando pudemos tirar os óculos, reconhecemos o Fiat branco, que estava, agora, em outro ponto da cidade. O índio retomou a direção e, muitas voltas depois, nos deixou em frente ao hotel.

Na tarde seguinte, cruzávamos a poeira e a pobreza de Manágua, um inferno de quarenta graus à sombra, para um encontro na redação de *La Prensa* — 100 mil exemplares diários, jornal inimigo do regime de Somoza, oposição que se transformou em guerra depois da morte de seu proprietário, o jornalista Pedro Joaquín Chamorro, assassinado em janeiro deste ano. Ao entrarmos no moderno prédio, encontramos a redação em polvorosa. Haviam acabado de receber um novo comunicado da Frente Sandinista: "Em respeito aos sentimentos cristãos do povo nicaragüense, o Comando Nacional da Frente Sandinista comunica que durante a Semana Santa não tomará nenhuma iniciativa de combate e só pegará em armas em caráter defensivo, caso as forças revolucionárias sejam atacadas pela Guarda Nacional".

Sentimentos cristãos misturados a um movimento que conta, no mínimo, com a simpatia do regime cubano? E a redação de um jornal dirigido por uma família milionária e conservadora, como a dos Chamorro, se excitando e apoiando guerrilheiros? Para entender o fenômeno talvez seja preciso mergulhar um pouco na história recente da Nicarágua. Embora quase desconhecida fora da América Central, a Frente Sandinista divide com os rebeldes de Fidel Castro o pioneirismo da luta guerrilheira na América Latina. No final da década de 1950, quando os cubanos estavam instalados na serra Maestra, de onde só desceram com o presidente Fulgencio Batista em fuga para a República Dominicana, um grupo de intelectuais, estudantes e operários nicaragüenses já subia a cordilheira Isabelia, no norte do país, para tentar dali a derrubada da dinastia Somoza.

O nome do grupo homenageia Augusto César Sandino, o mestiço que armou um exército de índios, em 1927, para lutar contra a ocupação da Nicarágua por *marines* norte-americanos. Após sete anos de resistência, Sandino foi assassinado por ordem de Anastacio Somoza García, o Tacho, comerciante de automóveis feito general e comandante da Guarda Nacional da Nicarágua — o pai do atual ditador. Quinze anos depois, Tacho Somoza seria morto por um estudante, com um tiro entre os olhos, enquanto dançava um tango num cabaré de Manágua.

Nos primeiros quinze anos da FSLN, os sandinistas permaneceram quase isolados politicamente. Realizaram centenas de ações, tiveram muitas baixas — mas, para a maioria da população, não passavam de um grupo de *muchachos valientes*. Os próprios sandinistas estavam divididos em três tendências que enfraqueciam suas lideranças: a da "guerra popular prolongada"; a "tendência proletária", que pretendia dedicar-se apenas ao trabalho com operários "nas fábricas, como aconselhava Lênin" (esquecendo-se, porém, de que quase não há fábricas na Nicarágua); e a "tendência insurrecional", que defendia uma ampla união nacional anti-somozista. Acabaria vencendo esta última, já no meio da década de 1970. Com milhares de ativistas apoiados por cerca de seiscentos homens armados, a Frente Sandinista ganhou por essa época um inesperado aliado: a própria burguesia, que não agüentava mais os desmandos de Tachito.

"Hoje em dia é impossível imaginar qualquer horizonte para a Nicarágua sem que dele faça parte a Frente Sandinista", nos diz, na sala do Conselho de Redação do *La Prensa*, o secretário-geral da Udel, a União Democrática de Libertação, formada em 1974 por empresários e partidos políticos de oposição. Advogado e economista bem posto na vida, Edmundo Jarquín Calderón assumiu esse cargo na Udel em substituição ao jornalista Chamorro e instalou seu escritório no próprio prédio do jornal. Sinal dos tempos na Nicarágua: atrás de sua mesa envernizada, encostadas na parede, descansam duas carabinas e um fuzil. A Udel e toda a chamada burguesia nacional passaram a admitir composição com os sandinistas em seguida ao terremoto de 1972 — tragédia que multiplicou por dez a fortuna dos Somozas. Doze horas de tremores — da meia-noite de 23 de dezembro ao meio-dia do dia 24 — foram suficientes para transformar mais da metade de Manágua, então com 500 mil habitantes, em rigorosamente nada. No meio dos escombros, 15 mil mortos e mais de 100 mil feridos e desabrigados.

Somoza ganha dinheiro com o bem e com o mal, com o sol e com a chuva, com a polícia e com o preso — diz-se. Por que, então, não ganharia dinheiro com terremoto? A primeira providência de Tachito foi autonomear-se presidente de uma comissão de auxílio às vítimas. Prometeu que transformaria a catástrofe "numa verdadeira revolução de oportunidades para todos". O tempo mostraria que as oportunidades seriam revertidas apenas para os Somozas. Segundo denúncia ao Congresso norte-americano, Tachito embolsou a metade dos 800 milhões de dólares mandados ao país, de todo o mundo, em ajuda aos flagelados.

O inventário do terremoto, feito por uma comissão internacional, revelou que Somoza aproveitou a situação miserável da população para comprar, a preço de liquidação, mais de 40 mil metros quadrados de terrenos na zona urbana da capital — divididos em lotes que até hoje estão registrados, para quem quiser ver, no Registro Público de Propriedades, em Manágua, em nome de *doña* Salvadora Debayle Somoza, mãe de Tachito e viúva de Tacho.

Até mesmo os carregamentos de sangue doados para as vítimas se transformaram em negócio: em sociedade com Guillermo Castro, cubano anticastrista, Tachito montou a Plasmaferesis, empresa que hoje, passados cinco anos, exporta cerca de 4 mil litros de plasma, mensalmente, para a Europa e Estados Unidos — lugares de onde vieram as mais generosas doações, em 1972.

Somoza foi ainda mais longe. Para remover os escombros da cidade, o governo comprou duzentos caminhões, vendidos pela representante local da Mercedes-Benz, da qual o único dono é ele próprio. Milhares de barracas de campanha, de náilon, doadas pelos Estados Unidos, foram presenteadas ao efetivo da Guarda Nacional — as únicas forças armadas do mundo atual, ao que se tem notícia, montadas para defender apenas os interesses de uma família. A ânsia de enriquecer cada vez mais, antes que a festa do terremoto acabasse, ampliou a frente de oposição ao ditador.

A burguesia nacional, que nunca tivera poder político mas via os Somoza como guardiões de seus interesses, começou a se incomodar com a ingerência da família em negócios que até então controlara. A construção civil, por exemplo: Tachito montou às pressas uma construtora, que passou a vencer todas as concorrências para a reconstrução de hospitais, escolas e prédios públicos destruídos pelo terremoto. A Udel foi criada na época da rapina pós-terremoto. Liderada pelo jornalista Chamorro, nasceu como uma frente que juntava desde a chamada "direita consciente" até os comunistas, agrupados no semiclandestino Partido Socialista Nicaragüense.

A Frente Sandinista estava concentrada em seus problemas internos. O retorno da organização à ação foi cinematográfico. Nos últimos dias de dezembro de 1974, um comando guerrilheiro invadiu uma festa na casa de um cunhado de Somoza, o milionário José María Castillo Quandt, e manteve todos os convidados como reféns. Lá estava a nata do regime, do chanceler ao prefeito de Manágua, de diplomatas do primeiro escalão ao presidente da Esso no país. Para libertá-los, os seqüestradores exigiram 5 milhões de dólares em notas não seriadas; a divulgação de um manifesto sandinista de 75 minutos em cadeia nacional de rádio e TV; e a libertação, em 36 horas, de todos os presos políticos, que seriam imediatamente levados para Cuba de avião. Se as exigências não fossem cumpridas no prazo, a cada doze horas o cadáver de um convidado seria atirado à rua.

Somoza soltou os presos, mandou que fosse lido o manifesto e pagou o resgate. E se o ditador ganha dinheiro com tudo, por que não com um seqüestro? Dirigindo pessoalmente as negociações, o presidente conseguiu que o Federal Reserve Bank, o Banco Central dos Estados Unidos, adiantasse os 5 milhões de dólares, mas entregou apenas 1 milhão aos sandinistas, que aceitaram a contraproposta. Uma rigorosa censura, protegida pelo estado de sítio implantado simultaneamente, impediu que o povo viesse a saber de detalhes do resgate. Mas a população, de alguma forma, sentiu-se vingada: quando os guerrilheiros se dirigiam ao aeroporto, levando os presos libertados e o "glacê" do regime, o povo saiu às ruas para saudá-los.

Apesar de vitórias como essa, a Frente Sandinista continuava perdendo muitos homens em ação e, sobretudo, permanecia dividida. Seu esmorecimento, na segunda metade de 1977, fez Somoza acreditar que havia debelado a guerrilha. Em setembro desse ano, depois de passar quarenta dias hospitalizado em Miami, após um princípio de enfarte, o general surpreende a nação convocando a imprensa para anunciar o fim tanto do estado de sítio como da censura aos jornais e revistas.

Uma notícia e tanto para Pedro Joaquín Chamorro, que vinha, desde o fim dos anos 50, colocando *La Prensa*, o jornal da sua família, a serviço da luta contra a ditadura de Somoza. Anticomunista, estimulador de uma guerra-fria na América Central, Chamorro foi sendo levado aos poucos, durante a luta contra o regime, a uma revisão de posições até chegar a ser um liberal mais aberto.

A súbita liberdade de imprensa permite que se estampem, em 100 mil exemplares diários, os escândalos e negociatas da família Somoza: importações ilícitas de maquinaria agrícola espanhola para as indústrias da família, negócios ilegais com cheques de viagem, comissões em dinheiro para importações estatais. *La Prensa* abre também suas páginas às famílias dos presos políticos mortos, torturados ou "desaparecidos".

O golpe de misericórdia do somozismo contra a burguesia, cada vez mais indignada, ocorreu quando o ditador multiplicou inesperadamente os impostos sobre exportações, a pretexto de fazer frente à crescente dívida externa. *La Prensa* redobrou o fogo contra Tachito, que ficou furioso. A noite de Natal de 1977 lhe reservaria outra dura surpresa. Uma das figuras mais populares entre os trabalhadores do país, o padre jesuíta Gaspar García Laviana, distribuiu à imprensa um comunicado de duas páginas, cujas cinco primeiras linhas estragariam a festa de Somoza: "Irmãos nicaragüenses: nesta festa de Natal, quando celebramos o nascimento de Jesus, nosso Senhor e Salvador, que veio ao mundo para nos anunciar o reino da Justiça, decidi dirigir-me a vocês, como meus irmãos em Cristo que são, para participar-lhes minha resolução de passar à luta clandestina como soldado do Senhor e da Frente Sandinista de Libertação Nacional".

Meses antes, Somoza já enfrentara a Igreja, ao expulsar do país outro padre, este conhecido internacionalmente como o maior poeta da Nicarágua depois de Ruben Darío: Ernesto Cardenal. Acusando-o de esconder guerrilheiros, Somoza não só baniu Cardenal — sua vingança incluiria a destruição do povoado de Solentiname, onde o religioso havia montado uma pequena comunidade de camponeses trabalhadores. *La Prensa* noticiou a repressão em detalhes.

Na manhã de 10 de janeiro, o carro de Chamorro foi fechado por uma camionete, de onde saltaram dois homens atirando contra o jornalista. Chamorro morre com uma carga de chumbo no meio da testa e mais de trinta tiros espalhados por todo o corpo. O assassinato rompeu todas as regras de um jogo que, mesmo a contragosto, a aristocracia nacional vinha aceitando. Somoza partia abertamente para a eliminação física. A ampla e heterogênea oposição agrupada na Udel estava pronta para se articular e tentar derrubar Somoza — como única forma de a burguesia garantir sua própria sobrevivência.

Começou, então, a greve nacional e, com ela, um locaute em que os patrões pagavam aos empregados para que ficassem em casa, esperando que Somoza caísse. Os funcionários públicos aderiram e acabaram arrastando para o movimento os 30 mil empregados das empresas da família Somoza. A Guarda Nacional reprimiu violentamente a greve. Quando Somoza parecia de novo controlar o país, um dado novo altera o quadro: um grupo de doze cidadãos — a partir de então denominado "Grupo dos Doze" — distribuiu à imprensa um comunicado de apoio à luta da

Frente Sandinista "como instrumento da derrubada da ditadura". Os doze são industriais, comerciantes, homens de negócios, intelectuais, religiosos e professores. Alguns deles tinham, além das razões políticas, motivos familiares: seus filhos eram militantes da FSLN. A adesão mais surpreendente, no entanto, viria de um nicaragüense que vive fora do país por decisão pessoal: o economista Arturo Cruz, diretor do Banco Interamericano de Desenvolvimento, em Washington. Foi um choque para o regime. Somoza vinha dizendo através de seu jornal e da rádio Equis, pertencente à sua mulher, que os guerrilheiros eram apenas "um grupo marginal, de terroristas intransigentes". Somoza reage, mandando processar o grupo que assinou o documento. Revoltados com a "ousadia do ditador", industriais e comerciantes mandam publicar, em página inteira de *La Prensa*, novo memorial, subscrito dessa vez por 160 empresários, de apoio aos doze e às suas idéias.

De pouco valem os esforços de Somoza: é trabalho demais até para o publicitário norte-americano Norman Wolfson, dono da agência de propaganda Mackenzie & McCheyne, de Nova York, encarregado de manter a imagem do presidente, serviço que custa aos cofres da Nicarágua 300 mil dólares por mês. Ao final de três semanas na Nicarágua, nada parece indicar que esta história terá um final feliz para Anastacio Somoza. E esta não é apenas uma previsão dos barbudos da FSLN. Antigo aliado do ditador, um velho banqueiro nicaragüense não vê muitas alternativas. "O ditador está isolado, cercado por todos os lados", profetiza. "Seu maior terror é saber que a conspiração que vai derrubá-lo tanto pode vir pelo eixo Washington–Vaticano, executada pela burguesia, como pelo eixo Moscou–Havana, por intermédio da Frente Sandinista."

6. República fantasma

Em 1978 fui eleito deputado estadual pelo então MDB de São Paulo. Quatro anos depois, me reelegi, já pelo PMDB. Animado com a boa receptividade dos eleitores em ambas as eleições (eu recebi cerca de 50 mil votos em cada uma), em 1986 decidi disputar uma vaga na Assembléia Nacional Constituinte. Foi tão grande a surra que as urnas me deram que as apurações já estavam no fim e eu nem sequer chegara aos 18 mil votos. Até hoje não sei exatamente quantos recebi.

Toda essa atividade parlamentar fez minha produção profissional desabar. Em março de 1987, desempregado, escorraçado da vida pública pelo povo e já sem muita familiaridade com a imprensa que deixara oito anos antes, cheguei a pensar em montar, em sociedade com o amigo e tipógrafo Regastein Rocha, uma pequena editora de livros (livros-reportagem, por suposto), mas a idéia não prosperou. Eu já tinha uma receita regular, decorrente dos direitos autorais de meus livros A Ilha e Olga — este lançado em 1985. Mas ainda assim precisava trabalhar.

Foi por essa época que conheci, de passagem por São Paulo, um diplomata da República Árabe Saarauí Democrática (RASD). Confesso que fazia uma idéia muito remota do que era e de onde ficava a tal república. Mas não desgrudei os olhos enquanto ele falava de seu país — uma nação em guerra contra o Marrocos, mas cuja principal fonte de receita era a caridade internacional. "Mas uma nação", insistia, "com ene maiúsculo, com embaixador na ONU. Nossas cidades não têm prédios, e sim tendas armadas no deserto, mas nosso povo, composto de tuaregues e berberes, tem passaporte próprio e representação em quase todos os fóruns internacionais." Não havia dúvida de que ali estava uma boa reportagem. Amarrei os contatos com ele e saí atrás de uma publicação que se interessasse pelo assunto.

Chegar a Bir Lehlu, capital da República Saarauí, implicava comprar uma passagem para Paris e de lá embarcar para Argel, capital da Argélia, a escala aérea mais próxima do território saarauí. Nenhuma das publicações que eu consultara estava disposta a investir em assunto tão distante do noticiário cotidiano. Mas eu precisava, de alguma maneira, anunciar ao mercado que estava de novo na praça. Juntei milhas aéreas e restos de bilhetes antigos e descobri que a passagem eu próprio conseguiria pagar. Foi assim que ofereci a reportagem a Jaime Klintovitz, editor de Exterior da revista IstoÉ: eu iria por conta própria, e se ele publicasse a matéria, a revista me pagaria pelo free-lance. Senão, problema meu. Achei que valia a pena e embarquei para a capital argelina, à qual cheguei depois de algumas horas de espera na escala em Paris. Sediando por uma semana a reunião da Liga dos Estados Árabes, a belíssima Argel fervilhava com o movimento de chefes de Estado, imperadores, xeques, emires e hordas de guarda-costas, assessores e secretários. Rolls-Royces reluzentes e limusines Mercedes-Benz com os vidros escuros rangiam pneus pelas ruas calçadas de pedras em bairros seculares. Os poucos hotéis de qualidade estavam lotados, não havia onde ficar. Com a ajuda de Iolanda, jovem repórter que cobria o encontro para *o* Correio Braziliense, *consegui afinal uma pensão meia-estrela na qual, pelo menos, havia chuveiro quente (embora já fosse começo da primavera, um frio de inverno ainda castigava a Argélia naquele ano de 1987).*

Dois dias depois procurei a embaixada da República Saarauí em Argel, e lá consegui lugar em um avião militar que ia para Tindouf, pequena cidade em pleno Saara. Distante 2 mil quilômetros de Argel, Tindouf nada mais era do que um aglomerado de casas e um modesto comércio que cresceram em torno da pequena base militar instalada ali pelo governo argelino. Encravada num perigoso triângulo geográfico — a menos de cem quilômetros das fronteiras do Marrocos, da República Saarauí e da Mauritânia —, a pequena base militar era o último símbolo da presença da Argélia naquela região conflagrada. Dali para diante era terra de ninguém.

De acordo com o combinado em Argel, eu seria transportado de Tindouf até Bir Lehlu, capital da RASD, em um veículo militar que me recolheria no aeroporto. Desci do avião com minha bagagem e só depois de muito esforço é que entendi que aquele M. MORRÉ escrito numa tabuleta de papelão exibida por um árabe envolto em túnicas era a versão afrancesada de SR. MORAIS. Em francês, claro, Morais é Morré. Ahmed, motorista encarregado de me transportar até o destino, mascou fumo durante toda a viagem pelo deserto. Sim, deserto, como os de Hollywood, sem estradas nem sinalização, sem nada, para qualquer lado que se olhasse tudo parecia igual — e lá ia Ahmed, pisando fundo no acelerador do jipão. Para chegar ao destino teríamos que percorrer cerca de cem quilômetros em direção ao sul, entrar no território da Mauritânia, e aí rodar mais quinhentos quilômetros até Bir Lehlu. Como o veículo não passava dos sessenta quilômetros por hora, calculei que chegaríamos à capital saarauí no meio da noite. Rodamos o dia inteiro e, depois de pararmos três vezes para Ahmed esvaziar no tanque do jipe os galões de diesel que trazia na carroceria, encostamos em um vilarejo de casas de pau-a-pique onde havia água mineral gelada para vender. Ouvi um homem falando castelhano e pedi que fosse intérprete da curiosidade que me acompanhava desde cedo, desde que saíramos de Tindouf: como é que Ahmed se orientava no deserto, sem absolutamente nenhuma sinalização, rodando sobre um chão cujas marcas são lavadas pela mais frágil lufada de vento? O homem verteu a pergunta para o árabe e Ahmed perguntou se podia responder em castelhano. Sim, claro que podia. Ele me olhou com um sorriso manchado por fumo de rolo e falou apenas uma palavra: "Destino".

Dali até chegarmos a Bir Lehlu, já a caminho da madrugada, ele repetiria aquela palavra cada vez que tinha de virar o jipão bruscamente para a direita ou para a esquerda. Antes de manobrar, apontava o dedo na nova direção e repetia, sorridente: "Destino".

Finalmente chegamos no nosso destino, Bir Lehlu. Passei cerca de quinze dias rodando pelo território saarauí, entrevistando gente, tentando levantar dados estatísticos em um país que não sabia sequer qual era sua população. De dia fazia um calor insuportável e à noite a temperatura caía a menos de zero. Dormi todo o tempo em barracas de lona — algumas delas decoradas com certo luxo — e cheguei a passar quatro dias sem tomar banho. Feito o que tinha que fazer, toquei de volta para Tindouf, louco para apanhar o primeiro avião e me meter numa banheira de água quente no melhor hotel de Argel. A volta pelo deserto (dessa vez sem Ahmed) foi feita num microônibus militar, com grades soldadas às janelas, o que me fez suspeitar que fosse um veículo de transporte de presos. Junto comigo ia uma jornalista francesa e uma equipe de TV espanhola. Na base militar de Tindouf farejei problemas. Havia centenas de pessoas — homens, mulheres, crianças, militares e paisanos, gente com enormes trouxas de roupas — com senhas nas mãos à espera de um lugar no único vôo da Força Aérea Argelina para a capital. O próximo, só dali a duas semanas. Dei e levei cotoveladas e chutes na canela até chegar ao guichê: eu tinha uma passagem, argumentei, um bilhete que me fora dado em Argel pelo Ministério da Defesa, não uma senha qualquer.

Do outro lado do vidro, indiferente ao meu carteiraço, o soldadinho fazia que "não" com o dedo indicador e recitava em francês e espanhol:

— Il n'y a pas de place, monsieur! ¡No hay más asientos, señor! Il n'y a pas de place, monsieur! ¡No hay más asientos, señor!

Passar as próximas duas semanas em Tindouf era a última coisa que meu pior inimigo poderia desejar para mim naquele momento. Mandei às favas meus escrúpulos de consciência, fiz uma trouxinha com duas cédulas de cem dólares e joguei aquela bolinha verde pela fresta sob o vidro do guichê. O soldadinho enfiou o dinheiro no bolso e pediu minha passagem. Carimbou aqui e ali, rabiscou um visto sobre cada carimbada e grampeou sobre ela um quadrado de cartolina com o número da minha senha: 27, número tranqüilizador, já que o avião comportava cem passageiros. Horas depois eu estava em Argel, festejando a volta à civilização e a conclusão da reportagem, que saiu na revista IstoÉ *em maio de 1987.*

Dezessete séculos depois de construída, a Muralha da China, considerada a maior obra de engenharia humana, corre o risco de ser superada por uma nova edificação, igualmente levantada por um imperador, o rei Hassan II, do Marrocos. Mas as semelhanças terminam aí. Se no século III a.C. o monarca Chin Shin Huang Ti construiu a monumental fortaleza em seu próprio país, ligando o mar Amarelo à Ásia Central como linha de defesa contra a invasão dos hunos do norte, o rei Hassan II ergue seu muro cortando de ponta a ponta a casa alheia, a jovem República Árabe Saarauí Democrática. Ao levantar cerca de 2 mil quilômetros de muros em pleno deserto do Saara, no noroeste da África, Hassan II, que também tem hunos a perturbar seu já instável governo, quer impedir que a Frente Polisário reconquiste integralmente o território que já foi impresso nos mapas sucessivamente com os nomes de Río de Oro, Saara Espanhol e Saara Ocidental. O rei pretende, pela força, que o território seja incorporado ao Marrocos.

Os saarauís (uma mistura de árabes, mauritanos, berberes e tuaregues que vivem na região desde o século XV) decidiram que ali é a sua terra e, também de armas nas mãos, proclamaram há onze anos a República Saarauí, que já mantém relações diplomáticas (com embaixada e tudo o mais) com 63 países, tem assento na Organização da Unidade Africana e é reconhecida pelas Nações Unidas. Insinuando controle da situação, Hassan II decretou em recente discurso: "Ali estamos e ali ficaremos". Preocupados com a perspectiva de que um acordo de paz os deixe com a metade mais pobre de um país dividido de norte a sul pelo muro, os saarauís respondem com o dramático grito de guerra que já se transformou em lema oficial do país: "Toda a pátria ou o martírio!".

Esse território desértico e de subsolo rico, medindo 284 mil quilômetros quadrados (aproximadamente a mesma extensão do Rio Grande do Sul), espremido entre o Marrocos e a Mauritânia, convive com guerras desde que foi descoberto pelos navegadores portugueses, em 1434. Disputado por lusitanos, franceses, espanhóis e sultões árabes durante séculos, e localizável nas antigas cartas geográficas apenas pelas fronteiras naturais ao norte (Saguia el Hamra, ou "rio vermelho", em árabe) e ao sul (Río de Oro), o Saara Ocidental foi afinal ocupado por tropas e funcionários administrativos da Espanha em 1934. A pequena resistência dos saarauís foi vencida sem problemas, mas a paz iria durar pouco. Após se tornar independente, em meados dos anos 50, o Marrocos passou a manifestar abertamente o sonho de anexação do território, projeto que seria alimentado em seguida pela Mauritânia. O motivo da cobiça eram as riquíssimas jazidas de fosfato descobertas pelos espanhóis em Bu-Craa.

A tensão interna gerada pela disputa estimulou grupos de resistência a criar a "Frente Popular de Libertação de Sakhia el Hamra e Río de Oro", ou simplesmente Frente Polisário, que passaria a concentrar todas as forças saarauís que lutavam pela libertação do país. Em outubro de 1975, tropas do Marrocos invadem a região, com o propósito de criar uma situação de fato consumado para o desfecho que já era esperado por todos: a iminente morte do ditador espanhol Francisco Franco. A Espanha reage à invasão com ambigüidade. Primeiro recorre ao Conselho de Segurança da ONU, mas semanas depois (e pouco antes da morte de Franco) assina um acordo tripartite com o Marrocos e a Mauritânia, transferindo-lhes o controle sobre a região, assegurando para si, entretanto, 35% do fosfato extraído do território do qual acabava de abdicar. No dia 27 de fevereiro de 1976, a cúpula da Organização da Unidade Africana, reunida em Adis-Abeba, capital da Etiópia, anuncia à imprensa que acabava de ser proclamada a República Árabe Saarauí Democrática e apresenta aos jornalistas o escolhido para o cargo de primeiro-ministro, um jovem combatente então com 29 anos, chamado Mohamed Lamine Ahmed [*leia entrevista ao final*].

O reconhecimento internacional animou os saarauís a intensificar a luta militar. Praticamente toda a população adulta foi convocada para o esforço da guerra, travada simultaneamente contra o Marrocos, no norte, e a Mauritânia, no sul. Durante dois anos os saarauís se aperfeiçoaram na guerra de guerrilhas no deserto, açoitando os dois poderosos inimigos. Em meados de 1979, a Mauritânia propõe armistício à Frente Polisário, retira-se do território ocupado e reconhece o direito de posse do país ao povo saarauí. Chegava a hora de concentrar todos os esforços contra um único inimigo, o Marrocos.

Colhido de surpresa pela decisão da Mauritânia, o rei Hassan II convoca uma desesperada entrevista à imprensa internacional em seu palácio: afirma que nunca existiu um povo saaraui, e assegura que levará o conflito até o final. A entrevista era, na verdade, a preparação do terreno para recorrer aos arsenais das potências ocidentais. Mas a ajuda militar que os Estados Unidos e a França lhe oferecem é insuficiente para derrotar os saarauís. O rei intensifica o esforço militar, recorre com mais freqüência à aviação. Mas nem assim consegue vencer a guerra. É aí, então, sob inspiração de assessores militares americanos, que Hassan II decide iniciar a construção do muro.

Na verdade hoje não existe apenas um, mas cinco muros interligados, construídos ao longo dos últimos sete anos. Feito o primeiro, a Frente Polisário mudava o alvo de seus ataques para outra região. O rei reagia erguendo outro muro — e assim sucessivamente até que o país foi retalhado de alto a baixo, numa tentativa de isolar os saarauís das riquezas naturais: a pesca e as jazidas de fosfato.

Atualmente encontra-se no subsolo do território saaraui um quarto das reservas mundiais do mineral, explorado há relativamente pouco tempo — só em meados dos anos 60 a Espanha encomendou às indústrias Krupp, da Alemanha, um moderno sistema de extração. Os dirigentes da Frente Polisário sabem que, quando assumirem o controle do país, a República Saaraui aparecerá no dia seguinte nos jornais econômicos como o segundo maior exportador de fosfato do planeta, na frente da URSS e dos EUA, e só perdendo para o Marrocos, que detém metade das reservas mundiais do mineral.

Foi tentando manter essa riqueza exclusivamente em suas mãos que o Marrocos decidiu construir a gigantesca trincheira que atravessa o país. A muralha de cimento e pedra, é verdade, mede pouco mais de um metro de altura, mas é dotada de um sofisticado sistema eletrônico de detecção instalado pela Westinghouse. São radares com raio de alcance de até 60 quilômetros, capazes de acionar automaticamente bases de lançamento de mísseis e colocar em estado de alerta, em minutos, as esquadrilhas de caças F-5 e Mirage estacionadas ao longo do muro. Em terra, o sistema defensivo é assegurado por carros de combate equipados com morteiros e canhões de até 155 milímetros.

Como nem toda essa parafernália bélica e eletrônica foi capaz de conter o avanço da Frente Polisário (que, segundo avaliações internacionais, tem feito uma média de quatro ações armadas diárias contra os 120 mil soldados do Exército marroquino), o rei Hassan II prepara-se agora para iniciar a construção do sexto muro, entre Tichia e Bir-Nzaran, com trezentos quilômetros de extensão, com o objetivo de isolar inteiramente os nacionalistas saarauís do mar e da metade civilizada do país. Mesmo sem a ajuda de nenhuma grande potência, eles garantem que "nem seis nem sessenta muros" os impedirão de vencer essa guerra de desgaste que tira o sono do soberano marroquino.

Para que a declaração não pareça mera bravata para impressionar a opinião pública, os saarauís exibem os seus troféus de guerra. A oitenta quilômetros de Farsia, uma fortificação cercada de muros da mesma cor da areia confunde-se com o deserto. Ali estão centenas de soldados e oficiais marroquinos capturados nos combates entre tropas da Frente Polisário e o exército regular de Hassan II. Alguns são prisioneiros há quase uma década, como o capitão Ali Najab, derrubado em pleno vôo em setembro de 1978, quando, a bordo de um caça supersônico F-5, atacava uma posição saarauí ao norte de Smara. Calvo, poucos cabelos grisalhos, Najab conta que recebeu seu treinamento inicial no Irã do xá Reza Pahlevi. Depois freqüentou cursos de especialização em aviação de caça na base de San Antonio, no Texas, e na base de Tours, no interior da França. Aparentemente conformado com a condição de prisioneiro de guerra, Najab pede apenas que um exemplar da reportagem seja enviado a "madame Atika Najab, minha mulher, em Rabat, no Marrocos". Convencido de que a guerra não terá fim tão cedo, ele torce para que a ONU volte a patrocinar trocas de prisioneiros políticos entre os dois países, como ocorreu no início da década.

Junto com ele, sentados na areia, há centenas de outros prisioneiros de guerra, alguns ainda com a cabeça e o corpo cobertos de ataduras. Esses são os dezessete militares capturados nos combates ocorridos no dia 8 de abril em Hausa, dentro do território ocupado pelo Marrocos. O armamento apreendido nesse dia era tão abundante que a Frente Polisário decidiu montar uma exposição no meio do deserto e convocar a imprensa internacional para testemunhar o butim. Lá estão a carcaça de um avião Mirage III, dois blindados de fabricação americana equipados com canhões de 105 milímetros, foguetes antiblindados, mísseis teleguiados Dragon, franceses, e um armamento que é exibido com minúcias por Bulahe Mohamed, o responsável pelo campo onde estão expostas as armas.

Com um sorriso irônico, Bulahe, que já foi embaixador da República Saarauí em Belgrado e em Havana, aponta as dezenas de caixas de minas antipessoa fabricadas no Brasil e capturadas das tropas marroquinas. Na lataria blindada de um tanque francês AM-90, de treze toneladas, equipado com canhão de 155 milímetros, ele mostra a placa de identificação do veículo, onde está gravada a inscrição que indica sua origem: NATO STOCK. O jovem saarauí não resiste à provocação: "Era do arsenal da OTAN. Agora vamos colocar aí uma plaquinha dizendo POLISARIO STOCK".

Apesar de ser um quadro político importante da Frente Polisário, Bulahe não sabe informar com precisão qual é a população de seu país. Talvez ninguém saiba. O último censo de que o povo saarauí tem notícia foi realizado no começo dos anos 70.

Atualmente, calcula-se que haja cerca de 200 mil habitantes vivendo no território controlado pela Frente Polisário e por volta de 160 mil na área ocupada pelo Marrocos. Somados aos saarauís refugiados ou vivendo como nômades pelos desertos da Argélia, Mauritânia e Mali, eles seriam ao todo 1 milhão de pessoas.

A guerra acabou levando os saarauís a uma situação sem paralelo no mundo atual: é uma república reconhecida por dezenas de países, tem embaixadas e embaixadores espalhados pelo mundo, participa de tribunais internacionais como o da Organização da Unidade Africana, do Movimento dos Não-Alinhados e até da ONU. Tem bandeira e hino, e seus habitantes carregam documentos que os identificam como cidadãos da República Árabe Saarauí Democrática. Seria um país como qualquer outro, se o país de verdade — as cidades, prédios, ruas asfaltadas — não tivesse sido cercado por um muro e pelas tropas do rei Hassan II.

O que os saarauís chamam de cidades na verdade são gigantescos acampamentos, formados por tendas redondas armadas sobre a areia, onde chegam a viver até 10 mil pessoas. E onde o visitante estrangeiro se espanta ao ver quase que exclusivamente velhos, mulheres e crianças. Quando alguém pergunta onde está a população masculina adulta, a resposta é sempre a mesma: na frente de batalha. Se a explicação é verdadeira, certamente são falsos os números fornecidos pela direção da Frente Polisário, que informa dispor de um efetivo militar de cerca de 25 mil soldados. Enquanto não retomam a metade rica do país, os saarauís vivem numa espécie de "república fantasma". As cidades sob seu controle foram rebatizadas com os nomes daquelas que o rei isolou do outro lado do muro. Assim, Bir Lehlu, capital do território liberado, é chamada de El Aiún, nome da verdadeira capital do país, hoje controlada pelo Marrocos. Os saarauís que não estão em combate dedicam-se à criação de pequenos rebanhos, à agricultura de subsistência e ao artesanato. Ninguém recebe salários — nem mesmo os que são eleitos parlamentares ou governadores provinciais ou municipais. Mas cada cidadão tem garantidas pelo Estado suas necessidades básicas, como alimentação, educação e saúde — é prodigiosa a multiplicação de escolas e postos de saúde por toda parte. Como o país não produz riquezas para fazer frente a esses gastos e às despesas militares, pode-se dizer que a República Saarauí talvez seja o único Estado do planeta a viver da caridade internacional. A ajuda que vem do exterior é responsável, por exemplo, pelo fornecimento das 100 mil toneladas anuais de alimentos consumidas pelos saarauís.

Apesar de pobres, de viver em meio Estado, separados das riquezas e do mar por um muro e por caças Mirage, sustentados pela generosidade internacional, os saarauís revelam uma competência diplomática digna de país adulto. Essa agressividade pôde ser medida durante os festejos do décimo aniversário da proclamação da República, ocorridos no ano passado, quando representantes oficiais de 55 países ocuparam um palanque montado na areia do Saara para assistir aos desfiles militares. Ao lado deles estavam dirigentes de 35 organizações internacionais de solidariedade aos saarauís.

E, se até o Congresso dos Estados Unidos já aprovou, no ano passado, uma moção reconhecendo o direito do povo saarauí à sua pátria, a grande desilusão da Frente Polisário é com os socialistas europeus. Ou, pelo menos, com os dois mais expressivos líderes socialistas da Europa, François Mitterrand e Felipe González. Antes de se elegerem presidentes de seus países, ambos haviam feito juras públicas de fidelidade à causa saarauí. Hoje, a França apóia o Marrocos, e a Espanha rompeu relações com a República Saarauí, depois que a Frente Polisário afundou uma lancha-patrulha espanhola em 1985. Nada disso provoca esmorecimento nos saarauís. Nem a pobreza em que vivem, nem a diversidade do clima, que os obriga a combater a cinqüenta graus à tarde e, no mesmo dia à noite, dormir a uma temperatura de dois graus negativos. "O rei já perdeu esta guerra", dizem todos. E quando alguém acena com a perspectiva de um acordo de paz que assegure a cada uma das partes a posse do território hoje sob seu controle, os saarauís repetem o dramático refrão: "Nada de meia nação, meio país. Ou teremos a pátria inteira ou iremos para o martírio".

Como quase todos os dirigentes saarauís, o primeiro-ministro Mohamed Lamine Ahmed é um homem precocemente envelhecido. Aos 39 anos, tem as têmporas esbranquiçadas, o rosto marcado pelo clima hostil de seu país e pela dureza da guerra. "Acho que luto desde que nasci", revela com voz pausada. "Primeiro contra o colonizador espanhol. Depois lutamos contra Mauritânia e Marrocos juntos. Agora o esforço é total para expulsar os marroquinos." Como seu povo, Ahmed veste-se com simplicidade franciscana: camisa de algodão, calça de brim verde-oliva e sandálias de borracha, do tipo havaianas. Nascido em Tan Tan, cidade hoje dentro dos muros do rei Hassan II, ele formou-se em direito na Universidade de Rabat poucos anos antes da proclamação da República Árabe Saarauí Democrática (RASD), da qual foi o primeiro presidente. Há duas semanas, o premiê me recebeu na fronteira entre a Argélia e o território controlado pela RASD, sob a temperatura de 42 graus à sombra. A entrevista aconteceu dentro de uma enorme tenda em pleno deserto, mas em cujo chão, recoberto de insólitos tapetes persas, era impossível enxergar sequer um grão de areia. Descalço, guardado por dois seguranças armados de fuzis AK-47 e com os rostos cobertos por turbantes negros, Ahmed falou entre pequenos goles de chá de hortelã.

FERNANDO MORAIS: *Cinco países sul-americanos não mantêm relações diplomáticas com a RASD. Chile e Paraguai, que são ditaduras militares, e Brasil, Argentina e Uruguai, que vivem processos de democratização. O senhor acredita que a democracia levará esses três países a reconhecerem a República Saarauí?*

MOHAMED LAMINE AHMED: Como países do Terceiro Mundo, o dever os convoca ao reconhecimento da RASD. Nossa esperança é que nenhum dos três faça como a Espanha, que, embora democratizada, continuou tendo em relação a nós a mesma política da ditadura franquista. O que queremos do Brasil, Argentina e Uruguai é que façam como todos os governos democráticos do continente.

A falta de unidade dos governos árabes tem sido apontada como uma das causas da tragédia dos palestinos em busca de sua pátria. O senhor não teme que, pela mesma razão, os saarauís acabem se transformando em uma espécie de palestinos da África?

Em primeiro lugar, quero dizer que não temos relações com o mundo árabe. E, se o senhor quer saber a verdade, temos muito receio de que eles se unam. Pode ser uma unidade contra nós. Temos ótimas relações com países como Argélia, Síria, Mauritânia, Iêmen Democrático [*do Sul*] e Líbia, mas não porque sejam árabes, e sim porque são progressistas.

Mas parece que mesmo as relações com a Líbia de Muammar Kadafi não andam muito boas.

Somos independentes. Creio que a Líbia não vê essa independência com bons olhos. É verdade, eles nos ajudaram até 1983, quando passaram a apoiar o Marrocos, que depois rompeu o tratado que havia assinado com os líbios. Tudo isso esfriou muito nossas relações com Trípoli. Mas quem mudou não fomos nós, foram eles.

Entre o material bélico apreendido pelas tropas saarauís há armas americanas, francesas, espanholas, inglesas, brasileiras, bel-

gas e até carcaças de aviões da OTAN. O que leva as potências oci-
dentais a se envolverem nessa disputa em pleno deserto?

A situação é ainda pior. Já apreendemos armas fabricadas também na União Soviética e na Romênia, compradas pelo Egito e repassadas ao Marrocos. Por trás da disputa desse aparente pedaço de areia no Saara há razões políticas e econômicas fortes. O rei Hassan II é um aliado incondicional do Ocidente, então precisa ser apoiado, por mais injusta que seja sua causa. As potências ocidentais sabem que, quando vencermos a guerra, cairá a monarquia no Marrocos. Depois, basta olhar o mapa do mundo para ver a posição estratégica que a República Saarauí ocupa na África. Nossa costa, imensa, é banhada por um dos mares mais ricos do planeta em matéria de pesca. E, por fim, nosso território é rico em urânio, petróleo, manganês. Uma das maiores jazidas de fosfato do mundo é a de Bu Craa, a poucos quilômetros deste lugar onde estamos conversando.

De onde, então, recebem ajuda para sustentar uma guerra e um povo?

Há um preconceito ocidental segundo o qual todo movimento de libertação nacional é vermelho — e, portanto, perigoso. Isto já coloca o bloco ocidental contra nós. Mas, como decidimos manter a qualquer preço nossa independência, deixamos de receber a ajuda externa do bloco socialista — à exceção da Iugoslávia. Eu diria que sessenta e cinco por cento de nossos recursos vêm de organizações internacionais, como Caritas, Alto Comissariado das Nações Unidas para Refugiados, Organização Mundial de Alimentação, Cruz Vermelha e organizações humanitárias da Bélgica, Alemanha Ocidental, Suíça, Canadá. Os trinta e cinco por cento restantes são garantidos pela Argélia e pela Iugoslávia. E, claro, recebemos apoio político e material dos países não-alinhados e dos países do Terceiro Mundo.

7. Confissões do frade

Quando terminou a lenta agonia do presidente Tancredo Neves, em abril de 1985, milhões de brasileiros se comoveram com as cenas, exibidas em rede nacional pela televisão, da família levando o corpo do político mineiro até sua terra, São João del Rei. Quando o caixão embarcou no Boeing presidencial, em São Paulo, uma figura de hábito branco, sempre ao lado de dona Risoleta, a viúva do morto, chamou a atenção dos telespectadores: mas aquele não era frei Betto, o frade-guerrilheiro? O que fazia o conselheiro espiritual do barbudo metalúrgico Lula ali, no funeral do conservador Tancredo Neves? Era ele mesmo, e aquela não era a primeira vez que frei Betto surpreendia as pessoas.

Foi assim também, provocando espanto, que frei Betto — nome religioso de Carlos Alberto Libânio Christo — apareceu pela primeira vez aos olhos da multidão, em 1969. Dias depois da morte do chefe guerrilheiro Carlos Marighella numa rua de São Paulo, o Jornal Nacional anunciou escandalosamente que "o frade do terror" tinha sido preso no Rio Grande do Sul pelo serviço secreto do Exército. Quando chegou a Porto Alegre com uma escolta de solda-

dos para transportar o religioso para o DOPS de São Paulo, o temido delegado Sérgio Fleury se surpreendeu com o ar franzino e pacífico do preso: mas então "o homem de Marighella na Igreja" era aquele sujeito pacato, de 25 anos mas com cara de menino?

Após sair da cadeia, quatro anos depois, frei Betto sumiu do noticiário para mergulhar no trabalho pastoral que até hoje é sua principal atividade. Mudou-se primeiro para Vitória, no Espírito Santo, onde viveu vários anos na favela do Morro de Santa Maria, ocupando o único cômodo de um barraco de madeira que construiu com as próprias mãos. Foi nesse período que aperfeiçoou os dotes de cozinheiro, especializando-se em preparar os camarões que pescava de madrugada nas praias de Vitória em companhia de seus vizinhos favelados. Viver numa favela foi uma experiência singular para quem, quando menino, passava as férias escolares no Rio de Janeiro, na mansão dos Guinle de Paula Machado, aparentados de sua mãe, onde era servido por criados e motoristas e onde experimentou pela primeira vez, sem gostar, uma iguaria chamada caviar.

Frei Betto reapareceria em 1982, oito anos depois de ter sido posto em liberdade, com o lançamento do polêmico Batismo de sangue, livro em que divulga sua versão sobre os episódios que envolveram a participação dos frades dominicanos na morte de Carlos Marighella. No livro, ele inocenta os religiosos da acusação de terem sido coagidos a integrar a armadilha montada pela polícia para cercar e fuzilar o líder guerrilheiro. Frei Betto sustenta que a polícia política brasileira, auxiliada pela CIA, já tinha a pista de Marighella e acabaria por pegá-lo, com ou sem a ajuda dos dominicanos. Meses depois, a Câmara Brasileira do Livro anunciaria que Batismo de sangue tinha recebido o prêmio Jabuti como o melhor livro do ano. Três anos depois, frei Betto seria eleito Intelectual do Ano, prêmio concedido pelo jornal Folha de S.Paulo e pela União Brasileira de Escritores, e atribuído após eleição em que votam críticos e intelectuais de todo o país. Na disputa, frei Betto derrotou dois pesos-pesados da poesia brasileira, João Cabral de Melo Neto e Mário Quintana.

A consagração como autor parece ter animado o frade, que passou a dedicar-se profissionalmente ao trabalho de escritor — e com invejável sucesso: na época da entrevista, só perdia em vendagem, entre os autores brasileiros, para Jorge Amado. Somadas, as edições brasileiras e estrangeiras de sua obra já passavam dos 3 milhões de exemplares vendidos. Durante a gravação desta entrevista em seu modesto quarto do Convento dos Dominicanos, no bairro das Perdizes, em São Paulo, frei Betto recebeu pelo correio os primeiros exemplares de seu catecismo para crianças editado na Coréia do Sul.

Militante da Teologia da Libertação, que defende uma aproximação maior da Igreja com os pobres, frei Betto vivia a contradição de ser admirado e reconhecido nas ruas de países socialistas, como Cuba, ou próximos do socialismo, como a Nicarágua dos revolucionários sandinistas — e vaiado por cristãos em países capitalistas. Foi assim no México, anos atrás, quando grupos de jovens cristãos conservadores tentaram impedi-lo de falar em um ciclo de debates aos gritos de "Viva a Virgem de Guadalupe!" e "Viva o papa João Paulo II!". No final de 1991, frei Betto teria novos dissabores em sua pregação. Convidado a discursar em um ato pró-Cuba organizado em Nova York pelo ex-ministro da Justiça do EUA Ramsey Clark, (assim como o cantor Harry Belafonte e os atores Martin Sheen e Robert Redford) ele se viu cercado por milhares de cristãos cubanos antifidelistas que se deslocaram até Miami em caravanas para boicotar o ato — que afinal só pôde se realizar sob proteção policial.

Aos olhares menos atentos esse frade — que na época da entrevista tinha 48 anos, e cujos cabelos começavam a esbranquiçar —, dá a impressão de que gosta mesmo é de uma boa encrenca. Semanas depois de brigar com latifundiários gaúchos, reapareceu na im-

prensa criticando a hierarquia da Igreja, que pretendia considerar pecado o ato de dançar a lambada. Depois a briga seria com o escritor americano Tad Szulc, autor do livro Fidel, *um retrato crítico, uma biografia do presidente cubano. Frei Betto acusava Szulc de ter plagiado 95 linhas de seu livro* Fidel e a religião.*

Não há, no entanto, como negar as raízes mineiras. E é assim que frei Betto acaba valendo-se de seus dotes de cozinheiro para fazer política. Já comprovaram seu talento culinário, entre outros, os presidentes Fidel Castro, de Cuba, e Daniel Ortega, da Nicarágua. Durante uma pausa nos vários dias de feitura da entrevista, consegui levar frei Betto para cozinhar na minha casa, num jantar que juntou — em torno de uma costeleta de porco com canjiquinha amarela, regadas a finíssima cachaça do norte de Minas — o então governador de São Paulo, Luiz Antonio Fleury; seu vice-governador e candidato a prefeito da capital, Aloysio Nunes Ferreira; o presidente da CUT, Vicentinho; e o presidente nacional do PT, Luiz Inácio Lula da Silva, todos acompanhados das respectivas mulheres.

Fazia muitos anos que eu conhecia frei Betto. Além disso, minha ex-sogra Aída Delorenzo era amiga de décadas da mãe dele, Maria Estela, ambas mineiras e dotadas de talento singular para a gastronomia (lembro-me de ver Aída atravessar o estado de São Paulo de ônibus para levar suculentos cassoulets e inesquecíveis doces de marrom glacê para o frade preso em Presidente Venceslau). E fazia muito, também, que eu planejava realizar um perfil, ou uma grande entrevista com ele. Tímido e retraído, frei Betto sempre conseguia escapulir.

No começo de 1992, ele, o cantor Chico Buarque e eu decidimos organizar um vôo de solidariedade a Cuba, mais uma vez ameaçada pelos Estados Unidos. Fretamos um avião de passageiros e rateamos o preço entre uma centena de artistas, intelectuais e militantes anônimos convidados por nós para a empreitada. O vôo acabaria desencadeando uma polêmica pública: dias antes do embarque, o go-

verno cubano condenou à morte e executou um homem que matara um soldado, ao tentar seqüestrar um barco para fugir rumo aos Estados Unidos. *Nossa decisão de manter o vôo, apesar da execução, enfureceu a imprensa, que nos surrou durante uma semana.*

Em Cuba, frei Betto e eu nos hospedamos em apartamentos vizinhos no Hotel Triton, de Havana. A história da entrevista ressurgiu, e minha insistência acabou vencendo a timidez do frade. Lá mesmo começamos as gravações. Uma semana depois, já em São Paulo, enfrentamos mais três jornadas de trabalho no convento onde frei Betto mora, e ainda dois encontros no restaurante A Toca, na capital paulista, onde a mãe dele comandava uma irresistível semana de comida mineira. Ao todo, foram quase dez horas de gravações — ao fim das quais confessou que nunca havia falado tanto sobre si mesmo. Nossa amizade e a confiança que ele depositava em mim facilitaram o trabalho, claro, mas a verdade é que ele não só falou muito, mas falou de tudo: sobre religião, capitalismo, socialismo, drogas... E, como era uma entrevista para a Playboy, *falou até sobre sexo.*

FERNANDO MORAIS: *Como surgiu sua vocação religiosa?*

FREI BETTO: Quando comecei a pensar em ser religioso fui fazer teste vocacional. A psicóloga anunciou: "Você pode ser diplomata, pode ser advogado, pode ser jornalista. Mas esqueça esse negócio de ser padre, porque você não tem nenhuma vocação para isso". Embora morasse no Rio, eu namorava a Maristela, uma menina de Belo Horizonte. Ela estava participando do meu drama, que só partilhei com ela e alguns amigos mais íntimos. Foi aí que tomei uma decisão: "Eu não quero chegar aos quarenta anos pensando que devia ter sido uma coisa e não fui por falta de coragem". No dia 31 de janeiro de 1965 eu entrei para o Convento dos Dominicanos. Mas entrei para sair, não para ficar. Entrei para me convencer de que aquela não era a minha vocação. Eu e mais onze, dos quais só eu permaneço.

Como é que seus amigos reagiram?

Me acusaram de traição à causa da revolução brasileira, porque eu estava entrando para um convento. Claro, porra, a luta política estava esquentando, alguns já passando para a clandestinidade, outros se exilando, e para onde vai o Betto? Para um convento. Achavam que eu estava traindo a causa, mas eu tinha a convicção de que não. E o tempo veio mostrar que eu tinha razão. De certa forma, eu vim a ter muito mais participação no processo social brasileiro do que muitos que, sob o pretexto de se dedicarem mais, talvez não tenham abraçado essa opção que tomei. Mas naquele momento foi muito difícil. Na cabeça de muita gente foi uma loucura: depois de três anos no Rio, o Betto volta para Minas para ser frade, se mete em um convento. Acharam que eu tinha pirado. Essa menina ficou me esperando um ano, também. A tal namorada, naturalmente, desistiu dos planos comigo.

Quando você percebeu que tinha entrado para ficar?

Três meses depois que estava no convento, em regime de noviciado, que é regime fechado, eu...

O que é que você chama de regime fechado?

Você nunca pode sair.

Mas não chega a ser clausura, não é?

É clausura, sim. Você só pode sair uma vez por semana, e assim mesmo para a montanha. O convento lá de Belo Horizonte fica no bairro da Serra, no fim da cidade. Dali para a frente era a montanha e nada mais. E era só lá que a gente podia fazer um passeio. Um domingo por mês podia receber a visita de um familiar.

Fora isso, nenhum contato com a sociedade?

Exatamente. O resto era rezar, estudar as disciplinas preparatórias sobre a vida e a história da Ordem. Noviciado é um tempo para você se conhecer, conhecer a Ordem e ser conhecido. É um ano do qual tenho muita nostalgia.

Por quê?

Porque apesar de sofrido, fui feliz. Eu era o hortelão do convento. Cuidar de uma enorme horta, do plantio à colheita, e levar para o refeitório o que você plantou é uma experiência muito boa. Aquela coisa de mexer com a terra todo dia. Fazia frio, mas eu não me importava, ficava lá, capinando. Foi uma experiência muito rica.

Aí você já usava hábito?

Só para aparecer em público, para as refeições e para as orações na capela.

Qual foi a reação das pessoas quando viram você de hábito pela primeira vez?

Foi um choque. Eu me lembro que um dia tomei o trólebus, lá no alto da Serra, e desci no centro da cidade. Com quem encontro na rua? Miriam, uma ex-namorada. A menina quase desmaiou. Ela nem sabia que eu tinha entrado para o convento, e de repente me vê com aquele hábito branco.

Mas quando foi que você descobriu que ia ficar para sempre na Ordem?

Meu caro, três meses depois que eu estava no convento, eu perdi a fé.

Achou que não era nada daquilo?

Era mais grave. Eu comecei a achar tudo aquilo um absurdo total. Mas o pior de tudo é que descobri que não acreditava em uma das três figuras da Santíssima Trindade: o Espírito Santo. Ainda podia conceber a existência do Pai e do Filho, mas o Espírito Santo era absurdo. Eu não creio na presença de Jesus na Eucaristia, entendeu? Eu achava que aquilo não tinha sentido para mim.

Um prato cheio para o cardeal Ratzinger [Joseph Ratzinger, cardeal alemão e linha-dura do Vaticano].

Decidi ir embora e fui comunicar isto ao meu confessor, frei Martinho Penido Burnier. Me abri com ele: "Além de não acreditar nessas coisas, eu não suporto mais missa, não suporto mais coro". Porque todo dia, às sete da manhã, eu tinha que ir para o coro. Depois rezava uma hora e meia de ofício, e antes do almoço voltava para o ofício, e antes do jantar mais outra vez... E naquela época era tudo em latim. A gente ria muito, porque não entendia o significado de nenhuma daquelas palavras. Noviço ri muito. Frei Martinho me disse uma frase decisiva na minha vida: "Betto, me responde uma coisa: se você estivesse à noite numa floresta e a pilha da sua lanterna acabasse, o que você faria? Continuaria andando no escuro ou esperaria amanhecer?" Eu respondi: "Lógico que esperaria amanhecer". Ele continuou: "Então espere amanhecer. E enquanto espera, leia isto". Eram as obras completas de santa Teresa de Ávila. Passei sete meses na escuridão. Eu estava vivendo uma crise de mudança na qualidade da minha fé. Aí eu vivi uma coisa que só quem viveu sabe o que é, que se chama experiência mística.

Você consegue descrevê-la?

Quem foi apaixonado alguma vez na vida sabe o que é experiência mística. O estado de paixão, aquilo que os enamorados chamam de paixão, é o mesmo que os religiosos chamam de estado místico. Seja na tradição cristã, seja na tradição budista, ou na muçulmana. A reação é sempre a mesma: você não tem vontade de dormir, não tem apetite, vive uma euforia permanente. É um estado de êxtase misturado com o medo de perder aquilo. Sabendo que não é conquista, é dom. Daí o medo que você tem de perdê-lo. Isso tudo aconteceu no décimo mês de noviciado. Faltavam dois meses para eu terminar meu noviciado. Aí nasceu o sol. Resolvida essas questões, vim para São Paulo estudar filosofia.

Onde?

Vim para o convento de Perdizes, que tinha se transformado em um centro polarizador da esquerda de São Paulo. Todo domingo, frei Chico [*dominicano aliado à resistência ao regime militar*] fazia um sermão nesta igreja, que é enorme, e saía gente pelo ladrão. O convento se transformou em uma das raras tribunas de contestação da ditadura. Os sermões faziam tanto sucesso que tinham que ser mimeografados para as pessoas pegarem cópias na saída, e aquilo era multiplicado aí fora.

Antes disso, no golpe de 64, você foi perseguido?

Na madrugada de 6 de junho de 1964 eu acordei e vi um cara de terno e gravata empunhando uma metralhadora e gritando: "Levanta, mão na cabeça!". Achei que estava sonhando e virei de costas. Só quando ele começou a cutucar minhas costas com o cano da metralhadora é que caí na real e levantei. Estávamos todos presos.

Teve tortura, porrada, essas coisas?

Não, aí aconteceu um fato muito curioso: o então comandante daquele quartel dos fuzileiros era um cara que apoiava o governo do presidente João Goulart — e que pouco depois seria cassado, claro. Eu estranhei que, logo que a gente entrou, o comandante do quartel falou assim: "Os senhores têm nível universitário e, portanto, terão tratamento de oficiais". Eu, na verdade, estava no segundo ano de jornalismo, na Faculdade Nacional de Filosofia. Então fomos colocados em celas abertas. Poucos dias depois chegou um preso muito estranho, elegante, vestido de terno e gravata, muito insólito ali no meio daquele bando de gente de pijama, descalça. Ninguém o conhecia. O sujeito ficava num canto, calado, e todos chegamos à conclusão de que aquele cara só podia ser um policial infiltrado. Nada disso, era o Chico Whitaker, que era da SUPRA [*Superintendência da Reforma Agrária*], e hoje é vereador do PT em São Paulo.

Quanto tempo você passou nessa prisão?

Passei quinze dias comendo filé a cavalo e pêssego em calda com creme chantilly de sobremesa — coisas do tal comandante.

Voltando à religião, a inspiração veio do seu pai?

Ao contrário. Ele era radicalmente anticlerical. Quando eu era criança, padre não entrava na minha casa. Meu pai dizia que jamais permitiria que um filho seu fosse padre. Ele anunciava para quem quisesse ouvir: "Prefiro um filho morto a ter um filho de saias". Ele foi a última pessoa a saber que eu ia ser padre, em 1965.

E como reagiu?

Chorou convulsivamente, como se estivesse assistindo ao meu enterro — acho que de fato ali eu morri para ele. Ficou um ano sem falar comigo. Seguramente isso influiu no fato de eu não ser padre, de eu não querer ser padre.

Você não é padre?

Não. Eu tenho os mesmos estudos de filosofia e teologia que tem um padre. Eu poderia me ordenar padre a qualquer hora. Mas foi essa a opção que fiz.

O que isso significa? Você não pode realizar um casamento, por exemplo? Quais são suas prerrogativas religiosas?

Eu não posso celebrar missa, casar, batizar pessoas, dar a extrema-unção, nada disso. Não posso administrar nenhum sacramento. Posso dar a bênção, o que aliás gosto muito de fazer.

Mas se não é padre, você é o quê?

Frei, ou frade, significa *frate*, irmão. Eu sou irmão.

Mas você tinha vocação para ser padre, não?

Eu não quis ser padre também por não sentir vocação. Talvez o anticlericalismo do meu pai tenha influído. Acho que inconscientemente ele me incutiu a idéia de que é preciso ser muito santo para ser padre. Acho que isso vem desde menino em mim.

Quando você começou a se meter em política?

Aos treze anos entrei para a JEC, a Juventude Estudantil Católica, ligada à Ação Católica. Logo depois virei dirigente regional da JEC de Minas. E em 1962, aos dezessete anos, fui para a direção nacional, no Rio. Entre 1962 e 1964, eu percorri o Brasil inteiro duas vezes, coordenando o trabalho dos cinco mil estudantes da JEC.

Como é que o filho de um militante anticlerical vai bater na JEC?

Aos treze anos eu já lia são Tomás de Aquino, Sartre, Gabriel Marcel, os filósofos em geral. Naquela época era moda ler os existencialistas, e entre nossas leituras havia filósofos cristãos que me influenciaram muito.

Onde, isso?

Em Belo Horizonte. Foi a última geração deste país, lamentavelmente, que na adolescência discutiu filosofia em mesa de bar. E logo entrei na militância estudantil. Eu tinha criado o grêmio e uma academia literária no Colégio Marista, e daí para a militância secundarista foi um pulo. E aos quinze anos fui eleito primeiro vice-presidente da União Municipal de Estudantes Secundários, a UMES. Nós recebíamos muita influência de Jacques Maritain e do padre [*Louis-Joseph*] Lebret, pensadores católicos progressistas que já tinham trabalhado em aliança com os comunistas. Meio por inspiração deles, acabei me aliando aos comunistas em Belo Horizonte.

Ou seja, sua ligação com os comunistas é antiga.

A minha vinculação com os comunistas vem do berço. Eu sempre atuei ao lado dos comunistas. E sempre fiz alianças com os comunistas, sempre estive junto com eles contra a direita.

E quem era a direita naquela época?

O Newton Cardoso.

O ex-governador de Minas Gerais?

Ele mesmo. Era o pelegão contra quem a gente lutava em Minas. Ele já era estudante universitário e continuava mandando na entidade secundarista. Toda a nossa luta era para derrubá-lo, e a gente conseguiu.

Como é que você — já um militante de esquerda — convivia com os amigos de classe alta de seu bairro?

Era uma situação muito engraçada, porque no centro de Belo Horizonte eu era um militante cristão da política de esquerda. E na Savassi, bairro onde nasci e fui criado, eu era um rapaz típico, que adorava festas de quinze anos, vivia no Minas Tênis Clube. Havia sábados em que ia a duas, três festas seguidas.

Nessas turmas de Belo Horizonte, apesar de serem todos de famílias ricas, o comportamento dos jovens era muito próximo da delinqüência. Você também passou por isso?

Sim, inclusive vários amigos partiram para a delinqüência para valer e foram parar em penitenciárias. A nossa barra era um pouco mais mansa. Eu fui um dos fundadores do Clube dos Penetras, cuja meta era entrar em festas sem ser convidado. Havia uma concorrência entre nós para saber quem era capaz de penetrar nas mais inexpugnáveis festas de Belo Horizonte. Como quase sempre era black-tie, nós tínhamos um smoking socializado, que era usado sucessivamente por cinco amigos. Entrávamos no Automóvel Clube — que era o clube mais grã-fino de Belo Horizonte — subindo na marquise de um prédio vizinho. Outra prova de coragem era penetrar numa festa sem convite, entrar no banheiro da casa e tomar um banho completo.

Você deve ter se metido em muitas encrencas, não?

Certa vez decidi que ia nadar na piscina do Palácio da Liberdade, que é a sede do governo do estado de Minas. E consegui da maneira mais singela: simplesmente disse ao soldado da porta que eu era sobrinho do governador Bias Fortes. Depois acabamos sendo descobertos. Eu me lembro também de uma noite em que tomei umas caipirinhas a mais e entrei de terno e tudo no lago que fica em frente ao palácio. Fazia um frio danado e no que eu saí, de terno azul-marinho encharcado, encontro dois militantes da política estudantil, alta madrugada, conversando sobre os rumos da nação. Confesso que morri de vergonha deles.

Foi nessa época que começou a aparecer o consumo de drogas na juventude de classe média de Belo Horizonte. Você chegou a experimentar drogas?

Nunca, em toda a minha vida.

Nem maconha?

Nem maconha.

Nem lança-perfume?

Lança-perfume eu cheirei. Uma vez cheirei até achar que o chão estava sobre a minha cabeça. Perdi os sentidos e acordei quarenta minutos depois, com os amigos jogando água fria no meu rosto.

Como é que alguém que cheirava lança podia querer ser padre?

Tem um antecedente aí que esqueci de falar. Eu sempre fui um ser comunitário por excelência, embora sempre tenha adorado a solidão. A solidão é minha amiga, não é problema para mim. Mas sempre fui comunitário, tanto que dos sete aos doze anos eu fui escoteiro.

De calças curtas e tudo?

É, foi uma experiência muito rica, que me fez descobrir uma coisa muito importante na minha vida, que eu herdei da minha mãe: o dom de cozinhar. Gostava de inventar pratos, misturar. Mesmo fazendo café na meia, comendo arroz com formiga, eu gostava de cuidar da comida do acampamento. Depois me aprimorei. Quando larguei o escotismo, aos treze anos, sentia falta de algum grupo. Foi aí que entrei de cabeça na JEC. Lá eu descobri a perspectiva cristã progressista, sem aquela coisa de pecado, vendo Jesus realmente como uma boa-nova, e não como um Deus que pune.

Se você não trabalhava nessa época de militância no Rio, quem é que pagava suas contas?

Saí de casa contra a vontade do meu pai. Na cabeça dele, eu ia "trabalhar para padre, tudo bandido", e com isso não dava dinheiro. Até o apartamento em que eu morava na rua Laranjeiras, no Rio, pertencia à Ação Católica.

Mas de onde saía o dinheiro para sustentar essa estrutura?

Era mantida por dom Hélder Câmara, na época bispo auxiliar do Rio de Janeiro. E ele, secretamente, transferia para nós parte dos alimentos que o Banco da Providência recebia da Aliança para o Progresso...

Da Aliança para o Progresso? O Pentágono não poderia imaginar que a comidinha deles estava alimentando a esquerda brasileira.

A esquerda brasileira foi alimentada com o leite da Jacqueline Kennedy...

Como assim?

É isso mesmo, eu virei socialista bebendo o leite da Jacqueline [*risos*]. O principal alimento que vinha da Aliança para o Progresso eram aquelas caixas de papelão com leite em pó, que nós chamávamos de "leite da Jacqueline". Às vezes vinha queijo também, mas era péssimo. Imagine um mineiro como eu comendo queijo americano enlatado... Todos vivíamos passando mal com aquela comida.

Até os estudos eram pagos por dom Hélder?

Até os estudos, através de uma modestíssima bolsa que ele nos dava.

Você chegou a terminar o curso de jornalismo?

Não, mas no período em que estudei lá fui aluno de professores como Tristão de Ataíde, Danton Jobim, o ex-primeiro-ministro Hermes Lima. Nós tínhamos um professor de história chamado Hélio Viana, irmão da mulher do marechal Castello Branco, recém-empossado no poder como o primeiro presidente do golpe militar. Fosse por ser um professor linha-dura, fosse pela pecha de ser cunhado do ditador, ele era detestado pelos alunos. Nessa época estava sendo construído o aterro do Flamengo, e por ali apareciam uns feirantes, que desamarravam os burros das carroças e deixavam os animais ali, pastando. Fomos ao aterro, roubamos um burro daqueles e o levamos, puxado por uma corda, até a faculdade. Subimos com ele pela escada e o colocamos dentro da sala onde teríamos uma aula com o Hélio Viana. Deixamos o burro lá dentro, fechamos a porta e subimos, porque pela parte interna do prédio dava para ver o que se passava dentro das salas de aula. Ficamos de tocaia para ver qual a reação do professor. Quando deu o sinal, ele chegou e entrou na classe.

E deu com aquele burro lá.

E deu com aquele burro. Mas para nossa decepção e espanto, ele ficou lá dentro, trancado com o burro, durante os cinqüenta minutos da aula, como se nada estivesse acontecendo. Terminada a aula, ele sai, fecha a porta e deixa o burro lá dentro. E vai embora. Não entendemos nada. Até achamos que ia falar com o diretor, mas não aconteceu nada. Decepcionados, fomos lá e soltamos o burro — ele deu um trabalho danado para sair. Acho que gostou da aula, porque não queria descer. Passa-se uma semana e o Hélio Viana vem dar a aula. Acaba de fazer a chamada e anuncia, sério: "Eu queria avisar os senhores que na próxima aula nós teremos prova. E se os senhores estão interessados em saber a matéria que vai cair, podem perguntar ao único colega de vocês que estava na classe na semana passada".

E que tal a experiência jornalística?

Fui convidado a trabalhar como repórter na revista *Realidade*. Eu assinava minhas matérias com meu nome civil, Carlos Alberto Christo. Fui à Colômbia cobrir a visita do papa Paulo VI, fiz variedades, cobri o casamento do Roberto Carlos na Bolívia, entrevistei o presidente boliviano René Barrientos.

Sua experiência jornalística se encerra aí, na Realidade?

Não. Em 1967, o Jorge Miranda Jordão, que hoje é diretor do *Diário Popular*, veio para São Paulo a convite do Frias [*Octavio Frias de Oliveira, dono dos jornais* Folha de S.Paulo *e* Folha da Tarde] para relançar a *Folha da Tarde* e me chamou para ser repórter do jornal. Foi uma experiência fantástica. Tudo o que você puder imaginar num jornal, eu fiz. De polícia a teatro. Acabo virando crítico de teatro e, quando o Grupo Oficina decide montar *O rei da vela*, o José Celso Martinez Correia me convida para fazer a pesquisa de época para a peça. Aí eu entro de cabeça no Oficina: viro assistente de direção, pesquiso, faço laboratório com Fernando Peixoto, Ítala Nandi, Etty Frazer, Liana Duval.

Como um frade se sentia em um ambiente absolutamente pagão, como o do Teatro Oficina?

Não havia problemas. Eu funcionava como uma espécie de confessor que ouvia os dramas pessoais de muitos daqueles artistas. No meio dessa contradição acabou nascendo um enorme respeito entre nós.

Você continuou no jornalismo?

Continuei e cheguei a chefe de reportagem da *Folha da Tarde*. Naquela época eu ganhava tanto dinheiro que sozinho sustentava uma comunidade de estudantes dominicanos, que funcionava em um apartamento na rua Rego Freitas. Os irmãos gêmeos Chico e Paulo Caruso começaram comigo. Outro que começou comigo foi o Afanásio.

O Afanásio Jazadji?

Sim, ele mesmo, que foi um dos deputados mais votados do Brasil. Afanásio era um péssimo foca, mal sabia escrever uma linha. Ele chegava da rua com um caso ótimo, sabia contá-lo muito bem, mas não sabia escrever.

Deve ser por isso que ele virou radialista.

Pode ser. Eu dizia para ele: "Cara, então escreve do teu jeito". Ele sentava e escrevia, mas eu tinha que reescrever tudo, sempre. Afanásio vivia enrolado com dinheiro. Constantemente ele chegava e pedia: "Betto, dá para eu faltar hoje? Estou sem dinheiro para pagar a pensão e vou ter que fazer minha mudança de lá". Eu dizia: "Tudo bem. Além de abonar tua falta, faz de conta que está fazendo uma reportagem sobre as pensões de São Paulo. Aí você usa a Kombi do jornal para transportar seus móveis".

Nesse período você já estava com um pé na subversão, não é?

Quando senti que não dava mais para fazer trabalho clandestino e continuar trabalhando regularmente, pedi demissão do jornal. Mas isso foi só em 1968, quando editaram o AI-5. O convento era procurado por todas as tendências da esquerda. Até porque havia frade aqui para todos os gostos. Então isto aqui era um trânsito permanente. A repressão estava careca de saber disso. A gente é que achava que não sabia. Aí um de nossos freis se liga a um pessoal da USP que tinha sido do Partidão e tinha criado uma dissidência chamada Agrupamento Comunista de São Paulo. E um dia, em 1967, ele me diz que um tal de "professor Menezes" queria conversar conosco. Marcamos a conversa e o cara, depois de fazer a crítica ao Partido Comunista, diz que chegou a hora da revolução brasileira, que vamos ter que partir para a luta armada. Nós ficamos muito impressionados com a conversa dele. Na saída ele deixa um pacotinho comigo e diz: "Olha, estes aqui são livros meus. Eu gostaria que vocês lessem e depois a gente volta a ter contato". Ele foi embora, eu abri o pacote e li o nome do autor daqueles escritos: Carlos Marighella.

Que ainda não era uma figura tão notória, não era uma cara que se reconhecesse na rua.

Não, não era. Eu me senti muito lisonjeado pelo fato de o Marighella ter vindo aqui para nos convocar para lutar junto com ele. E logo começou uma vinculação nossa com o grupo dele.

Você chegou a pegar em armas, assaltar bancos, roubar carro?

Nunca. Nem ninguém jamais nos solicitou isto. Meu negócio era esconder gente, dar apoio logístico. É verdade que eu vivi experiências com o Marighella que, quando penso hoje, acho que meus anjos da guarda são muito bem treinados. Uma vez eu estava com o Marighella na lagoa Rodrigo de Freitas, no Rio, e o carro quebrou. Nós dois descemos para ver o que havia acontecido quando uma patrulha da Polícia Militar pára ao nosso lado. Os soldados perguntam o que houve e acabam nos ajudando a empurrar o carro. Imagina o meu coração naquele momento.

Depois do primeiro contato com o "professor Menezes", como é que você começa a ajudar o grupo de Marighella?

Primeiro comecei a trabalhar junto à imprensa para tentar obter o maior destaque possível para as ações que eram realizadas pela guerrilha.

Ou seja, você era o lobista da luta armada.

Eu conseguia que os grandes jornais dessem destaque às operações armadas. E consegui colocar dentro do DOPS jornalistas que me transmitiam previamente informações sobre operações da repressão. Consegui salvar a vida de muita gente assim. O repórter que era setorista no DOPS telefonava avisando: "Betto, estão indo para tal lugar". Eu ia antes e tirava o cara de lá. Era só apoio político e logístico, e eu fazia também alguns textos para ele e para a organização. Nessa ocasião comecei a ter contatos também com o Lamarca e o pessoal dele. E em 1969 eu começo a ver o cerco apertar e decido entrar na clandestinidade.

Como você sentiu que o cerco estava apertando?

Foi uma intuição. Percebi que a coisa estava esquentando para o meu lado. Então arrumo uma carteira de identidade em nome de Ronaldo Matos. Não sei como, mas não era um documento falso. Porque lá nos fichários da Secretaria de Segurança Pública havia a documentação correspondente àquele nome. Só sei que me entregaram a carteira já preenchida, com as impressões digitais, tudo comprovado. Só tive que colocar minha foto. Quando fui preso, o diretor do DOPS no Rio Grande do Sul falou: "O incrível é que esta carteira não é fria".

Por que o Rio Grande do Sul?

Foi o Marighella quem pediu que eu me mudasse para o Rio Grande do Sul. Ele queria montar um esquema na fronteira para tirar gente do país. Gente que precisava sair do país, seja para fugir da repressão, seja para viajar a Cuba. Então eu vou para o seminário jesuíta Cristo Rei, em São Leopoldo, e lá armo um discreto esquema. Vinha muito a São Paulo, mas aí em vez de ficar no convento eu me hospedava na casa de um pastor americano. Era uma coisa totalmente insuspeita.

Sem que ele soubesse que você estava ajudando a luta armada?

Não, ele sabia. Outro que me hospedava era o arquiteto e cenógrafo Flávio Império, que eu conhecia da época do teatro. Hoje eu posso contar isso, porque ele já está morto. Geralmente meus encontros clandestinos — os "pontos", como eram chamados — eram em igrejas, entre quatro e seis horas da tarde. Andei São Paulo inteira, a pé e de ônibus.

Nessa época você viajava muito?

Viajava. Uma noite o Marighella me entregou uma quantidade enorme de dinheiro. Eu nunca tinha visto tanto dinheiro em toda a minha vida. E me deu as instruções: "Vá agora para o aeroporto de Congonhas, alugue um jato executivo e vá para Belo Horizonte. Durma lá e amanhã cedo vá para tal lugar que alguém assim assim vai lhe entregar uma mala. Pegue-a e volte para São Paulo". Até hoje não sei o que tinha nessa mala. Era uma mala tipo médio, uma mala preta. Não pesava muito. Isso me deixou curioso. Não podia ser dinheiro nem armas, porque era leve. O encontro era na porta de uma loja de armarinho no bairro de Santo Antônio, um bairro de classe média alta. O cara que ia trazer a mala viria com um exemplar da revista *Veja* debaixo do braço, para eu identificá-lo. Aí desce a minha tia, irmã da minha mãe, que morava na mesma rua, em seu elegante carro JK. Eu a vejo antes e entro na loja, me escondendo no meio dos fregueses.

Deu tudo certo?

Deu. Na manhã seguinte eu estava pousando em Congonhas com a misteriosa mala. Outro episódio que me lembro de ter vivido com o Marighella foi na casa de um banqueiro perto do Clube Pinheiros.

Bairro de Santo Antônio em Belo Horizonte, imediações do Clube Pinheiros em São Paulo... Por que só zona chique?

Não sei, talvez porque despertasse menos suspeitas. Bem, me mandaram ir lá para a casa desse empresário. Dali a pouco chega o Marighella numa Mercedes-Benz. Ele desce com uma mala, e a Mercedes vai embora. Ele entra na casa e me diz apenas: "Vem comigo". Entramos os dois no banheiro social da casa, ele encosta a porta e abre a mala. Está abarrotada de dinheiro, pacotes de cédulas separadas por pequenas cintas de papel. Ele vai tirando o invólucro, o selo, e começa a jogar na privada.

Era dinheiro de assalto a banco?

Não sei, provavelmente era. Mas ele vai jogando aquelas cintas dentro do vaso, aos montes, e comete a burrice de não ir dando descarga. Os primeiros papéis molham, mas logo os outros vão se acumulando por cima. A privada estava entupindo com aquilo! Aí ele faz outra besteira: acende um fósforo e põe fogo na papelada dentro da privada. Com o calor do fogo, o vaso rachou. Imagina o constrangimento: eu e o Marighella trancados no banheiro de uma casa de grã-finos, com uma mala cheia de dinheiro e a privada rachada no meio. Ele falou: "Vamos acabar logo com isto, porque eu vou sair, mas você vai comigo. Pelo menos até o ponto na porta do Clube Pinheiros, que é onde vão me apanhar. Vem comigo". Aí eu fui.

Em plena avenida Brigadeiro Faria Lima.

E como tinha uma festa grande no clube, a porta estava assim de PMS, que andavam em duplas, como Cosme e Damião. E o Marighella, na maior calma, com aquela peruca de índio, procurando o carro que ia pegá-lo...

Ele usava uma peruca de índio?

Era uma peruca de mulher cortada pela metade. Mas era tão mal cortada que parecia uma cuia de cabelo. Uma típica peruca de índio. E ele não consegue reconhecer o carro que devia pegar. E passa milico, e passa meganha. Eu falei: "Cara, vamos embora. Se você continuar espiando os carros desse jeito, vão pensar que somos ladrões e estamos escolhendo o carro que vamos roubar". Mas na hora em que falo isso, vem um cara correndo e diz: "Pô, desculpa, fui tomar um café, pensei que vocês fossem demorar". Acho que essa foi uma das últimas coisas que fiz em São Paulo antes de ir para o Sul.

Algumas versões atribuem aos dominicanos a responsabilidade pela morte de Marighella — eles teriam permitido que a polícia chegasse até ele...

A minha versão é a seguinte: responsabilidade nós tivemos. Agora, atribuir unicamente a frei Ivo e frei Fernando a responsabilidade completa pelo fato de a polícia ter chegado ao Marighella, isso eu não aceito. Não aceito por vários indícios que tenho de que a polícia tinha outras pistas. Entre outras coisas, a própria revista *Veja* já tinha publicado que faltava pouco para a polícia chegar a ele. Depois, quando o Victor Marchetti escreve o livro contra a CIA, lá nos Estados Unidos, ele conta que a CIA já sabia como chegar a Marighela. E além disso há o fato de que não sabíamos como ligar para o Marighella. Ele é que ligava para nós. E mais: como é que o delegado Fleury poderia saber que naquela hora o Marighella ia ligar para os dominicanos?

Quando você fica sabendo que a polícia tinha prendido frei Ivo e frei Fernando?

No dia 3 novembro de 1969, um dia após a prisão dos dominicanos, um estudante subiu lá no seminário e disse: "A polícia está aí procurando fulano, que é amigo do frei Fernando, lá de São Paulo, você conhece?". Na mesma hora, meu computador processou tudo. Eu tinha uma mala de fuga pronta para qualquer eventualidade, com roupas, objetos de higiene, dólares, marcos alemães, pesos argentinos e uruguaios, e passaporte. Antes de sair marquei no livro de recados: "Volto às dezenove horas". Como eram umas três da tarde, eu pretendia que a polícia ficasse esperando até as sete da noite. Funcionou perfeitamente. Ao sair vi o pessoal do Cenimar [*Centro de Informações da Marinha*] cercando o seminário. Todos armados e à paisana. Saí pelos fundos, por dentro de um bosque, e fui lá para a rodovia, peguei um ônibus e fui para Porto Alegre, onde me escondi na casa do padre Manuel, que me levou para um sítio em Viamão. Daí a alguns dias aparece um rapaz, filho do dono da casa, se dizendo de esquerda, e vai direto ao assunto: "Estou sabendo quem você é. Sua foto tem saído todos os dias no jornal da Globo, procurado como o chefe do terror. Vou te levar para o apartamento de um amigo meu, que é mais seguro. Este lugar aqui está queimado, porque andei fazendo reuniões aqui com a turma da faculdade".

Em que dia foi isso?

Dia 9 de novembro. Chovia muito, e eu tenho horror a chuva. A caminho da casa dele, o rapaz parou o carro para comprar cigarro, e eu só não saí andando porque chovia. Eu teria escapado. Eu tinha documentos falsos, tinha dólares, estava preparado. O cara me leva para a casa dele e me põe no salão de bilhar. Me oferece uísque, vodca, mas eu não quis nada. Eu estava intuindo que ali podia ter sacanagem. O cara me enrolava, nada de aparecer o tal amigo para cujo apartamento ele me levaria. E a madrugada avançando. Passei a noite acordado no tal salão de bilhar, e aí pelas seis da manhã entra um coronel do Exército, cercado de soldados com capacetes, armados de metralhadoras. Ele se apresenta como sendo do serviço secreto do Exército e me dá voz de prisão. Quando chego à varanda da casa vejo a frente tomada por jipões do Exército e um monte de catarinas armados. Era uma verdadeira operação de guerra, para pegar o maior peixe "do terror" no Sul.

Ou seja, você foi delatado pelo tal rapaz?

Sim. Na saída eu o vejo tremendo como se ele é que estivesse sendo preso. Virei-me para ele e disse apenas "muito obrigado". Quatro anos depois, um padre gaúcho, amigo da família do rapaz, vai à prisão onde eu estava, em Presidente Venceslau. Ele me conta que o rapaz estava com sérios problemas psicológicos e emocionais, por causa do que tinha feito comigo. E que a única possibilidade de ele se sentir aliviado era uma palavra minha. E o padre me pergunta: "O que é que você pensa dele?" Eu disse literalmente o seguinte: "Nada".

Nada? Mas o padre viajou de Porto Alegre a Presidente Venceslau para ouvi-lo e você diz "Nada"? Você não acha que como cristão devia perdoá-lo?

Você só perdoa as pessoas que têm uma dívida com você. Eu não considero que aquele rapaz tenha alguma dívida comigo.

Aí te levam para onde?

Me levam para o DOPS, onde aparece um major que me pergunta: "Você está preparado?". Eu digo: "Preparado para quê?". Ele responde: "Para apanhar muito". Aí comecei com aquela conversa mole, tentando enrolar o cara. Ele me leva para uma cela vazia onde, minutos depois, entra um cara só de calção, um preso comum. Um sujeito pega um monte de fios de telefone e começa a açoitar o cara na minha frente. O major se vira e me diz: "Pode tirar a camisa, que em seguida é você". Tirei a camisa, as calças e os sapatos, mas não chegaram a me bater, era só para aterrorizar. Aí eu começo a ser interrogado. Mas nunca fui torturado fisicamente. Havia informações que eu guardava para o meu limite na tortura física, o que felizmente nunca aconteceu — o tal empresário de São Paulo que ajudava a guerrilha, por exemplo, ninguém jamais saberá quem é. Teve um dia em que o delegado Firmino Perez Rodrigues, diretor do DOPS gaúcho, aproximou-se de mim e fez uma confidência: "Esta noite minha mulher sonhou que você é inocente". Eu respondi: "Pois é. Pilatos também sonhou que Jesus era inocente".

Você ficou quanto tempo em Porto Alegre?

Devo ter ficado um mês. Aí chegou o delegado Fleury para me buscar.

Você já conhecia o homem?

Não, nunca o vira antes. Muito bem vestido, ele entra na minha cela com uma pasta dessas tipo 007 na mão e pergunta: "Então esse aí é que é a fera?". E o Firmino respondeu: "É ele, mas no fundo é boa gente". Quando ele abriu a mala para tirar uns papéis fiquei muito impressionado. Na tampa dela estavam presos vários revólveres e pistolas, tudo encaixadinho ali, como se fosse um mostruário de caixeiro-viajante. O delegado Fleury me trouxe para São Paulo em um avião da FAB, guardado por seis soldados da Aeronáutica armados de metralhadoras. Quando eu estava na Base Aérea de Canoas, pronto para embarcar, pedi para ir ao banheiro. Como não havia sabão na pia voltei ao saguão, abri minha mala e tirei dela um sabonete. Um major da Aeronáutica mandou o soldado me tomar o sabonete. Levaram o sabonete — novo, embrulhadinho — para fora do aeroporto, puseram em cima de um muro de cimento que tinha na frente e o picaram em pedacinhos com um canivete.

Um inocente sabonete. Qual foi a reação da hierarquia da Igreja após sua prisão?

O cardeal do Rio Grande do Sul, dom Vicente Scherer, se omitiu completamente. Era a ele que a família Chaves Barcellos, em cuja casa eu fui preso, quis inicialmente me entregar. Ele falou que não queria se meter no assunto, não queria problemas. Como ele lavou as mãos, me entregaram para a polícia. Dom Vicente Scherer cometeu a burrice de conceder uma entrevista a *Veja* e dizer que eu era culpado. Aí meu pai, que era juiz, escreveu uma carta para ele dizendo o seguinte: "Ótimo, senhor cardeal. O promotor não precisa de nenhuma peça, de nenhum delito para acusar meu filho. Basta a sua palavra". Aí eu chego a São Paulo. A minha sorte é que o delegado Fleury, sabe Deus por que razão, cai fora do meu interrogatório. E vou parar nas mãos de um cara chamado Ivahir de Freitas Garcia.

Que depois virou deputado.

Exatamente. Eu desconfio que ele é o mesmo delegado que a Zélia Cardoso de Melo cita no livro dela como sendo a pessoa que a hospedou em Taubaté. Ele me colocou na solitária do DOPS, lá no fundão. Passei dois anos preso, sem julgamento. Dois anos depois fui condenado a quatro anos.

Você cumpriu toda a sua pena em São Paulo?

Na verdade, eu fiquei em oito prisões diferentes nos quatro anos. Eu fiquei no DOPS, passei mais de um ano no Presídio Tiradentes, depois fui castigado e levado para a solitária do quartel do Comando da Polícia Militar. Passei um mês lá, foi uma loucura. Ir ao banheiro, só uma vez por dia.

E como é que você resolvia para fazer xixi, cocô, essas coisas?

Todo dia vinha uma laranja na comida, embalada em um saquinho plástico da firma que distribuía para a PM. Então eu fui colecionando aqueles saquinhos para urinar. Amarrava-os na grade da cela, que era pregada em uma porta de madeira, para que não se visse nada do outro lado. Eu amarrava ali os saquinhos cheios de urina e quando ia ao banheiro era um verdadeiro trabalho de chinês. Eu derramava todos os saquinhos no vaso, um por um, lavava e trazia de volta para a solitária para poder fazer xixi várias vezes por dia. E como não podia tomar banho, na única visita diária ao banheiro eu usava a água da pia e me lavava feito gato. Ali eu aprendi alguns segredos para sobreviver na solitária: primeiro, nunca dormir de dia. Segundo, nunca soltar a imaginação. Então como você retém a imaginação? Criando uma rotina intensa ao longo do dia.

Rotina, como? Não há rigorosamente nada para se fazer dentro de uma solitária...

De manhã, eu dava aulas de filosofia para classes imaginárias, andando de lá para cá, para mover o corpo e me cansar, falando alto. Do lado de fora os soldados acharam que eu tinha ficado louco mais cedo do que eles esperavam — quando na verdade eu estava justamente combatendo a loucura. Aos gritos eu recitava tudo que sabia de filosofia.

No escuro ou com a luz acesa?

Sempre acesa. Lá não havia nenhuma luz natural. Depois da aula eu pegava miolo de pão e trabalhava em artesanato, fazendo contas que unia num rosário, usando fios arrancados do colchão. Eu levava duas horas para almoçar. Fazia uma papinha com a comida, e assim tinha menos resíduos no intestino. Depois eu rezava. À tarde dava shows para uma platéia imaginária. O importante é não ficar parado, senão enlouquece. E sempre falar muito alto. Depois voltava a rezar, ficava acompanhando barata, aranha. E passava o dia assim.

Imagino que você não podia ler nada.

Um dia me caiu um *Estadão* na mão. Bem, esse jornal foi lido umas quinhentas mil vezes. Era uma edição de domingo, daquelas enormes. Eu li religiosamente tudo, centenas de vezes: cada texto, cada anúncio, cada classificado. Um dia, para tentar quebrar o isolamento, pedi para ver o capelão militar. Aí entra na solitária, devidamente fardado, o padre Luís Marques, que também era capelão do QG do Segundo Exército. Atrás dele, protegendo-o o tempo todo, um soldado com o fuzil engatilhado. Ele se ajoelhou, bem formal, e me perguntou: "Você quer se confessar?". Eu respondi: "Não, absolutamente não quero me confessar. Por mais pecados que tenha, nunca vou me confessar com um capelão da Polícia Militar". Aí ele disse: "Então vamos rezar juntos". Rezamos, ele tirou o cálice com a hóstia e me deu a comunhão. Mas eu percebi que ele, de vez em quando, dava uma olhada assim de soslaio para trás, para ver se o soldado estava prestando atenção no que se passava entre nós. Meio constrangido, o soldado baixou o fuzil e virou o rosto de lado. O capelão aproveita o descuido, mete a mão naquela malinha de objetos litúrgicos e tira um embrulho. Sem que o soldado perceba, enfia aquilo às pressas sob o meu colchão.

O que era?

Fernando, você não imagina o valor de um gesto assim num lugar daqueles. É tudo de que você precisa. Quando o cara vai embora eu meto a mão debaixo do colchão e abro o pacote: era um pedaço de bolo! Bem, esse cara fica amigo dos presos políticos, começa a ir ao presídio para celebrar com a gente. Um dia ele abre a malinha de sacramento e de lá saca o quê? Uma garrafa de champanhe, uma garrafa de cerveja e uma garrafa de guaraná! Eu achei que ele estava ficando louco, poderia ser punido se fosse apanhado com aquilo, e disse a ele: "Você é doido de trazer bebida alcoólica para a prisão!". Ele respondeu: "Hoje é dia do meu aniversário, e decidi comemorar com você". Quando eu leio na Bíblia a passagem dos anjos que entraram na cela de são Paulo, logo me vem à cabeça que aqueles anjos eram os padres Luís da Bíblia! A gente chama de anjo para não entregá-los!

Onde mais você ficou preso, além do DOPS e do Presídio Tiradentes?

Depois me mandaram para o pavilhão 5 da Casa de Detenção, que era comandada pelo famoso coronel Fernão Guedes. O pavilhão 5 era de segurança máxima, mas lá dentro tinha de tudo: terreiro de macumba, centro espírita, tráfico de drogas, desfiles de travestis. O coronel Guedes dizia: "Fora mulher e helicóptero, o resto aqui está liberado".

Quanto tempo você ficou lá?

Não me lembro exatamente. Mas uma noite nós já estávamos dormindo e entra na cela o próprio coronel Guedes, chamando alguns de nós pelos nomes. "Frei Betto, frei Fernando, frei Ivo, Wanderlei Castro, Manoel Porfírio e Maurice Politi: peguem todas as suas coisas e desçam imediatamente! Eu recebi ordens para retirá-los daqui. Não sei para onde vocês vão". Nós entramos em pânico. Sabíamos de dezenas de casos de presos que eram retirados das celas para serem eliminados como se estivessem em fuga. E sabíamos que lá fora o Esquadrão da Morte estava correndo solto.

Vocês descobriram de quem foi a ordem para retirá-los de lá?

Foi ordem pessoal do general Medici, presidente da República. Quando começaram a pipocar no exterior denúncias de torturas a presos políticos, ele declarou: "São esses frades de São Paulo. Temos que isolá-los e castigá-los". Para não caracterizar algo dirigido contra nós, pegaram aleatoriamente mais três bodes expiatórios. Aí o meu anjo da guarda me dá um toque. Chamei o diretor da Detenção: "Coronel, livra pelo menos a sua cara. Chama uma junta médica que garanta que nós saímos daqui inteiros. Porque se amanhã aparecermos com a boca cheia de formiga, vão dizer que foi o senhor que nos entregou". Naquela hora os médicos da Detenção já tinham ido embora, mas ele ficou tão assustado com o que eu disse que ligou para o Hospital das Clínicas. Minutos depois três médicos estavam lá.

Examinaram todo mundo?

Eu entrei para ser examinado e vi um médico jovem, apavorado. A cara dele era cor de mármore. Não sei se ele era de esquerda, de direita, não deu para perguntar nada. Antes que começasse a me examinar fui falando rápido e baixinho: "Não quero saber o que o senhor pensa da gente. Não precisa dizer nem sim nem não. Só quero que o senhor me escute. Nós estamos sendo transferidos, não sabemos para onde, e tememos que seja uma cilada para nos entregar ao Esquadrão da Morte. Ligue ainda esta madrugada para 622324, chame frei Edson e diga apenas isto: "Os dominicanos foram retirados da Casa de Detenção".

O médico telefonou?

Telefonou às três da madrugada. Foi muita coragem, pois ele devia imaginar que o telefone do convento podia estar grampeado. Eles nos puseram naquele cofre traseiro de um camburão — camburão mesmo, radiopatrulha preta e branca. Fomos algemados uns aos outros, sentados naquele banco de metal, viajando sob um calor infernal. Você já viu algema antifuga? A cada movimento que você faz com o braço ela aperta seu pulso um pouco mais. Nossa principal preocupação era evitar que, com o balanço do camburão, ela fosse ficando cada vez mais apertada. Na única vez em que pararam, no meio do caminho, eu estava com o braço em carne viva. Fomos levados para o presídio de Presidente Venceslau, onde ficamos até o cumprimento final da pena — e sempre na mesma condição de antes: vestidos com uniformes de presidiários, com matrícula carcerária, na situação de qualquer criminoso comum.

Tudo isso para punir vocês por causa das denúncias no exterior?

Não eram só denúncias de torturas a presos políticos, mas também sobre o envolvimento do Olinto Denardi, diretor do presídio, com o Esquadrão da Morte. Houve vários casos de presos comuns que conhecemos na ala de baixo e que no dia seguinte apareceram mortos na periferia de São Paulo. Nós pusemos a boca no trombone. O Esquadrão nunca pegou ninguém nas ruas, pegava lá dentro do Tiradentes. Os médicos e dentistas do Tiradentes eram os presos políticos, que tomavam o cuidado de registrar os nomes dos presos. Então, porra, como é que o cara estava aqui ontem, teve consulta, e amanhã aparece morto em Guarulhos?

Me explique uma coisa: como é que alguém pode ser ao mesmo tempo cristão e marxista, se o marxismo é ateu?

Eu sou cristão e me considero um revolucionário, mas não sou marxista. Mas trabalhei durante onze anos na busca do diálogo entre cristãos e marxistas em países socialistas.

Essas concepções que você tem da sociedade e do cristianismo trouxeram problemas para você com a hierarquia da Igreja, tal como aconteceu com frei Leonardo Boff?

Não, o único incidente que eu tive até hoje foi com o cardeal do Rio, dom Eugênio Salles de Oliveira, que me pediu para não fazer palestras na diocese dele.

Você acatou o pedido, naturalmente.

Não. Eu disse a ele que eu tinha lutado muito pela liberdade de expressão na sociedade, e portanto não poderia retroceder na Igreja. Ele já encaminhou a Roma várias denúncias contra mim. E uma delas resultou em uma advertência formal do cardeal Ratzinger contra minha pessoa.

Advertência baseada em quê?

No fato de achar que havia sido inoportuno a CNBB se manifestar pela proibição do filme *Je vous salue, Marie*, do Godard.

Você assistiu ao filme?

Assisti e achei chatíssimo. Do ponto de vista religioso, eu o achei absolutamente dogmático, ou seja, um filme que eu como bispo passaria na minha diocese para mostrar o que foi a concepção virginal de Maria. Então não via nenhuma razão para a censura.

E sua experiência nessa aproximação de comunistas e cristãos começou em Cuba?

Não. Começou com os sandinistas da Nicarágua, em 1979.

Lá havia uma peculiaridade: foi a primeira vez na história em que os cristãos participaram maciçamente de um processo revolucionário, inclusive com o apoio dos bispos. Mas como a hierarquia da Igreja, o cardeal Miguel Obando y Bravo à frente, acabou se bandeando e ficando contra os sandinistas, acabei sofrendo muita pressão. Mas foi lá que eu conheci o Fidel. Depois de uma conversa longa, ele termina me convidando para ir a Cuba. E anos depois é que eu escrevo o livro *Fidel e a religião*.

Quantos livros você vendeu até hoje?

Do *Fidel e a religião* vendi uns dois milhões e trezentos mil exemplares, dos quais um milhão e trezentos mil em Cuba, e o restante no Brasil e em dezessete traduções. Somados todos os meus livros, devo ter vendido uns três milhões de exemplares.

Estamos diante de um frade milionário?

Não. Da edição cubana não ganhei nem um tostão. Mas posso viver só com os meus direitos autorais, o que no Brasil já é um prodígio. As pessoas imaginam que eu ganho uma fortuna por ignorarem que a maioria dos meus contratos foram contratos políticos. Se o Partido Comunista do Vietnã quer publicar o livro e não tem dinheiro, publica e não paga nada. O Partido Comunista do Egito publicou, me mandou duzentos dólares e fim de papo. Na Polônia me pagaram o equivalente a quinze mil dólares, mas em *zlotys*, que é a moeda local. Tinha que gastar lá.

Você está desconversando. Afinal, ficou rico ou não?

Não fiquei. Além dos problemas que acabei de te contar, tudo que ganho eu dou para a Ordem.

Tudo o que você recebe? Tudo, tudo?

Sim, por causa do voto de pobreza.

Você fez voto de pobreza?

Fiz voto de pobreza, de castidade e de obediência.

Castidade também?

Castidade também, as três coisas.

Vamos começar pelas coisas menos complicadas: o que é o voto de obediência?

Voto de obediência é a fidelidade à vida comunitária, à minha Ordem, ao projeto dos dominicanos.

E o voto de pobreza, é um compromisso moral que você assume com a Igreja?

Não, é um compromisso oficial, feito por escrito e registrado em cartório. Todos os bens que eu possuo ou que venha a possuir são automaticamente da Ordem. Eu tiro uma parte para a minha vida pessoal, para os poucos gastos que tenho: dinheiro para a gasolina do meu carro, um Gol, e dinheiro para comer em restaurante. Eu gasto muito com comida na rua. Toda vez que ouço falar em voto de pobreza na Igreja eu me lembro da piada que diz que duas prostitutas passavam na frente de um palácio episcopal e se espantaram diante de tanta riqueza, mármores, lustres de cristal... Aí uma vira-se para a outra e diz: "Se é isso que eles fazem com o voto de pobreza, imagina o que estão fazendo lá dentro com o voto de castidade".

E bebida? Vai um uísque de vez em quando?

Vinho é a minha bebida preferida.

Vinho de missa?

Não. Vinho branco. Às vezes um chope, uma cerveja. E charuto só fumo os que ganho. Raramente compro. Eu gasto muito é com correspondência, fax, telefonemas internacionais. E pago o salário de um secretário que me ajuda. Além disso, dou uma parcela dos meus direitos autorais para alguns movimentos sociais.

Você disse que fez voto de castidade. Você é virgem?

Não. Não sou virgem.

Ué, que voto de castidade é esse?

Quando fiz o voto de castidade, eu já tinha tido experiência sexual, até de uma maneira muito precoce...

Vou repetir a pergunta que os padres de Minas Gerais faziam para os meninos que confessavam ter "pecado contra a castidade". Primeiro o padre perguntava se você tinha pecado sozinho ou acompanhado. Se era acompanhado, ele perguntava: "E foi com menina ou com menino, meu filho?".

Foi acompanhado e com moça. Foi, como aconteceu com a maioria da minha geração, na zona. Mas tinha umas empregadinhas domésticas também. Eu era muito menino, tinha onze anos, e fui levado por amigos.

Você tinha uns vinte anos quando entrou para a Ordem?

Eu tinha vinte anos. Um ano depois de fazer o voto, eu me envolvi com uma amiga. Eu fiquei muito impactado pela presença dela na minha vida. Só que tive a sorte, ou a bênção de Deus, de ter entrado para os dominicanos. Eu cheguei para o meu superior no Brasil e falei: "Olha, estou vivendo uma dificuldade. Eu estou gostando de uma colega". Ele podia dizer, como muitos superiores diriam, naquela época, sobretudo: "Olha, você tem que ir embora daqui, não é sua vocação". Ele não. Ele falou: "Você namora e depois vê o que você quer". Houve uma fase em que eu achava que, como celibatário, atraía mulheres, porque elas se sentiam muito incomodadas com o meu celibato. Como quem diz assim: "Pô, tantos homens se ajoelham aos meus pés e esse cara não!".

Você se lembra de alguma experiência?

No tempo da *Folha da Tarde* trabalhava lá uma excelente fotógrafa japonesa, chamada Makiko. Era linda, parecia uma boneca. Além de boa fotógrafa, era uma jovem extremamente corajosa. Cobrimos juntos a "guerra" da rua Maria Antônia [*a famosa briga entre alunos de direita do Mackenzie e de esquerda da Faculdade de Filosofia da USP, ocorrida em 1968. Na época, a Filosofia da USP ficava em frente ao Mackenzie, na rua Maria Antônia, em São Paulo*] e ela, para fotografar, era capaz de entrar na frente das armas do CCC [*Comando de Caça aos Comunistas*], subir nos carros da PM. Na redação eu via todos os repórteres disputando para ver quem saía com a Makiko, mas tinha a vaga impressão de que ela tinha algum interesse por mim.

Interesse pelo único cara que não a paquerava?

Exatamente. Um dia eu saio da redação e vou para o meu apartamento ali na rua Rego Freitas, perto do jornal. Chego lá e quem está sentadinha na sala, à minha espera? A Makiko. Mas japonês é muito complicado para pôr as coisas para fora, então ela enrolava, enrolava e não dizia nada. Eu resolvi perguntar: "O que é que há, Makiko, o que está acontecendo?". Foi aí que ela se abriu: "Betto, estou gostando de você". Com muito cuidado eu respondi: "Pois é, Makiko, acho muito bonito esse seu sentimento, mas tem um problema insolúvel aí: eu sou dominicano". Ela não pestanejou: "Mas qual o problema? Eu sou japonesa!" [*gargalhadas*]. Ela entendeu que eu tinha nascido na República Dominicana!

Mas quando pinta uma cantada, uma provocação, como é que você faz?

Eu não estou a fim de blefar com ninguém, nem comigo. Em termos afetivos sou uma rua sem saída. Não estou a fim de machucar, de desgastar ninguém, não estou a fim. Isso não está no meu projeto. Eu agradeço a Deus o fato de as mulheres que às vezes me causam impacto serem muito inacessíveis. Porque eu também não digo que dessa água não beberei.

Êpa!

Se amanhã eu me apaixonar por uma mulher, e se achar que posso fazer um projeto de vida com ela, eu farei. Mas a esta altura da vida acho difícil isso acontecer. Esse projeto está descartado.

Você tem muitas amigas idosas, algumas bem velhinhas, com quem gosta de sair, ir ao cinema, ao teatro. Frei Leonardo Boff me disse que você faz isso porque com elas está a salvo da tentação.

Isso é brincadeira dele, porque saio com as jovens também.

Eu estava aqui fazendo as contas: se você fez o voto de castidade em 1965, isso significa que há 27 anos você não tem relações sexuais?

Exatamente.

Bem, mas pelo menos você se masturba, não?

Não. Não me masturbo. Eu me gabava, aos quinze, dezesseis anos, de já poder ter relações com mulheres, e não precisar mais me masturbar, enquanto vários amigos nem sabiam o que era uma relação sexual.

Mas deve pintar desejo. E quando pinta, como é que você sublima?

Pinta, e é um negócio pesado. Mas não é por isso que vou descarregar, vou... sabe... buscar uma prostituta ou vou usar uma amiga, não é? O que posso lhe afirmar é que os momentos em que a coisa é muito forte são momentos difíceis da minha vida. Momentos muito difíceis. Momentos sofridos. Momentos em que não vivo a solidão que gosto, que é a solidão criativa. Essa é a solidão do deserto.

Voltando um pouco à sua tentativa de unir cristãos e comunistas, onde mais, além da Nicarágua e de Cuba, você fez esse tipo de trabalho?

União Soviética, China, Alemanha Oriental, Tchecoslováquia e Polônia.

Polônia? Você não teve medo de o papa te excomungar?

Não. Mesmo tendo uma atitude ambígua em relação a essas questões, o papa nunca condenou a Teologia da Libertação, embora alguns jornais tendam a colocar isso na boca dele. Mas as maiores dificuldades que encontrei no meu trabalho aconteceram lá, na Polônia.

Dificuldades criadas pela hierarquia da Igreja?

Pela Igreja e pela direção do sindicato Solidariedade — mais precisamente, pelo próprio Lech Walesa. Os bispos poloneses diziam que eu estava sendo manipulado pelos comunistas. E consideraram uma heresia eu ter ido ao telejornal de maior audiência lá, vestido de hábito, dizer que o socialismo e seus valores estão mais perto do Evangelho do que o capitalismo. Mas ficaram irritados também porque a TV polonesa — que era estatal, ainda não havia caído o regime socialista — nunca abriu espaço para nenhum deles falar ao povo polonês...

Ficaram com ciúme do ibope...

Como eu tinha ganho muito dinheiro lá com o livro, resolvi viajar a Gdansk para falar com Lech Walesa.

Que ainda era um metalúrgico.

Que ainda era um metalúrgico, mas já tinha sido preso, já tinha recebido o prêmio Nobel. Nós nos encontramos na casa do capelão do Solidariedade, uma imensa mansão. Serviram um almoço em porcelana finíssima e talheres de prata. Lá pelas tantas ele chega da fábrica cercado por um séquito de seguranças. Um jogo de cena de que eu já não gostei. Aí, ele entrou e, ao contrário de pessoas que conheço, como o Lula, por exemplo, achei que de simples ele não tinha nada. Havia uma coisa de uma veneração exagerada em torno da figura; quando ele falava todo mundo se calava. Foi uma conversa surrealista. Ele não estava interessado em conversar comigo, mas em fazer um sermão religioso. Depois soube que, antes de me receber, Walesa foi conversar com os bispos de Gdansk, que fizeram a ele a seguinte advertência: "Esse senhor com quem você vai se encontrar é um comunista infiltrado na Igreja católica".

Um lobo em pele de cordeiro.

Eles disseram expressamente ao Walesa: "Você tem que deixar claro: ou ele sai da Igreja e assume que é comunista, ou ele assume que é da Igreja, onde há um só rebanho, um só pastor". É uma frase do Evangelho. Para não deixar dúvidas, ele trazia na lapela um button do papa João Paulo II. Por mais que tentássemos discutir sindicato, socialismo, cristianismo, capitalismo, volta e meia ele vinha com o refrão: "Apesar das nossas divergências, nós dois somos católicos e não podemos esquecer o primeiro princípio da nossa religião: um só rebanho, um só pastor". Como quem diz assim: "Trate de se enquadrar no pensamento de João Paulo ii". Eu tentando mostrar a ele que o capitalismo era terrível. Que o socialismo, com todos os defeitos e erros, tem a grande virtude ética de assegurar a vida, como fenômeno biológico, para toda a população. Eu não desistia: "Nas ruas de Gdansk e de Varsóvia não vi crianças miseráveis, não vi favelas nem desempregados. Os problemas sociais de vocês são exceção, e não regra. Os nossos são regra, não exceção". Ele continuava firme: "Eu nunca vivi no capitalismo, mas conheço um socialismo que você não conhece. Posso lhe assegurar que é o pior regime para a classe trabalhadora".

Era uma guerra santa!

Encerrei o embaraçoso encontro dizendo a ele uma coisa profética, que hoje eu tenho muita vontade de reencontrá-lo para ver se ele se lembra: "Eu espero que a Polônia nunca venha a experimentar o capitalismo. Agora, se isso acontecer um dia, espero que você não se esqueça do que estou lhe dizendo. Aí você vai comer o pão que o diabo amassou". Que ele está comendo agora.

Na União Soviética você esteve com o presidente Gorbachev?

Muito superficialmente. Ele me convidou para ir ao Fórum da Paz em 1987 em Moscou. Lá estavam duas mil pessoas do mundo inteiro: Yoko Ono, Shirley McLaine, Claudia Cardinale, Paul Newman, cientistas, políticos, gente do mundo todo. Eu estava junto com um pastor argentino, já bastante idoso, que falava russo, e que eu esperava que servisse de intérprete quando fôssemos ver Gorbachev. Ele circulava pelo salão acompanhado do milionário americano [*Armand*] Hammer, que tinha sido amigo de Lênin, um homem de noventa anos, com dois metros e pouco de altura, que morreu há pouco tempo. Mas na hora de chegarmos perto de Gorbachev, cometo a besteira de contar ao pastor argentino que acabara de ver, no outro canto do salão, o ator italiano Marcello Mastroianni. O pastor enlouqueceu. O interesse dele por conversar com Gorbachev desapareceu num segundo. "Onde está Mastroiani?", ele dizia, nervoso. "Eu não posso perdê-lo, tenho que conseguir um autógrafo dele de qualquer maneira, já assisti a todos os filmes dele." O pastor parecia um tiete de dez anos de idade. Resultado: meu contato com Gorbachev acabou sendo absolutamente superficial e formal.

Qual é a essência do trabalho que você fez com os países socialistas?

Eu sempre digo o seguinte: a Igreja não tem que estar bem com o Estado. Nem com o Estado burguês nem com o Estado socialista — ela tem que estar bem com o povo. Se o povo estiver bem com o Estado burguês, ela estará bem com o Estado burguês. Isso vale também para o socialismo. Eu falei isso para o Fidel. Eu não quero em Cuba uma Igreja caudatária do poder, do marxismo. Uma Igreja elogiosa ao Estado, que venha sacralizar o Estado cubano? De jeito nenhum.

Mas e se você encontra uma situação, como existiu em Cuba em certos momentos da revolução, de o Estado desestimular ou até inibir a prática religiosa?

Um dos grandes erros da esquerda latino-americana, ao copiar a esquerda européia, foi aceitar como prioritário um detalhe terciário do marxismo, que era a profissão de fé atéia. Os PCS exigiam que, para pertencer aos seus quadros, o sujeito tinha que ser ateu. O camponês, o operário latino-americano jamais será ateu. Se você perguntar qual a concepção de mundo que tem o porteiro do edifício, o motorista de táxi, o garagista, a empregada doméstica, a resposta virá obrigatoriamente em categorias religiosas. Portanto, esse foi um equívoco fatal, que impediu que os partidos comunistas latino-americanos tivessem raízes populares. Eles se colocaram contra o sentimento religioso do povo. Fidel Castro é uma exceção. Ele, que é ateu e comunista, foi mais hábil do que o Fernando Henrique Cardoso quando lhe perguntei se acreditava em Deus. Ele deu uma resposta respeitosa: "Infelizmente, os jesuítas não me incutiram a verdadeira fé cristã".

Fidel foi mais tucano que o Fernando Henrique.

Não acho que o Fernando Henrique deveria ter mentido quando o Boris Casoy perguntou se ele acreditava em Deus. Só acho que poderia ter sido mais respeitoso com a fé do povo.

Um acontecimento que chamou a atenção foi sua ligação com o Tancredo, na agonia dele. Como se explica que você, um homem de esquerda, ligado ao PT, tenha ficado o tempo todo ao lado do político que o PT considerava a quintessência do conservadorismo?

Eu costumo dizer que sempre me convidam para as dores, quase nunca para as festas. Mas eu gosto muito de dar a bênção da saúde, acho que é um dom que Deus me deu. E toda vez que visito uma pessoa doente, não importa a concepção política ou religiosa que ela tenha, sempre pergunto se ela gostaria que eu desse a bênção da saúde. Nunca recebi um não. Quando o secretário-geral do PCB, Giocondo Dias, estava em Moscou para morrer, fui visitá-lo no hospital e perguntei: "Você gostaria que eu lhe desse a bênção da saúde?". Ele respondeu que gostaria muito. No fim da bênção ele chorava.

Depois de abençoar o Giocondo você abençoou o Tancredo? Isso é que é ecumenismo.

Quando soube que o doutor Tancredo, já doente, vinha para São Paulo, liguei para dom Paulo Arns e sugeri que fôssemos visitá-lo juntos. Além de eu ter sido amigo de infância do Tancredinho, filho dele, nossas famílias são amigas há muitas décadas. Chegamos lá e fomos muito bem recebidos por dona Risoleta, abençoamos a família e saímos. Dona Risoleta nos segurou: "Puxa, mas isso foi tão bom. Vocês poderiam vir aqui mais vezes". Dom Paulo disse: "Infelizmente não posso lhe garantir que virei todos os dias, mas o frei Betto virá em meu nome".

Tancredo ainda estava consciente?

Perfeitamente consciente. Comecei a ir ao Incor todas as tardes, para fazer orações com ele. Ele me dizia: "Eu gosto muito de rezar". Era Semana Santa e levei *O livro da paixão*, escrito pelo Leonardo Boff, para lermos juntos. E toda a família acompanhava. E aí o SNI começou a pressionar para me tirarem de lá. Um dia dona Risoleta me chama e diz o seguinte, na frente de um coronel do Exército: "Frei Betto, esse coronel, que é do SNI, disse que o senhor é muito perigoso". O coronel ali do lado, espantado, ouvindo ela falar: "Eu expliquei ao coronel, frei Betto, que ele eu conheço há cinco meses. Você eu conheço há 52 anos. Antes de você nascer eu já conhecia sua família". Aí eu me senti na obrigação moral de manter pé firme.

Você ficou ao lado dele até o fim?

Fiquei. Foi a única pessoa, em toda a minha vida, que vi passar da vida para a morte. Aí o doutor Tancredo morre e eu me despeço de dona Risoleta, pois meu trabalho tinha terminado. Ela não concordou, dizendo que eu tinha que ficar até o fim, mas o pessoal do SNI resolveu peitá-la dizendo que não havia lugar no avião, e que eu não poderia ir para Minas. Quando ela soube disso, endureceu o jogo e falou alto, para todo mundo escutar: "De jeito nenhum. O senhor não só vai como vai no nosso avião". Na hora da cerimônia no Palácio do Planalto tentaram de novo me botar para fora. Todas as pessoas que tinham viajado de São Paulo tinham o lugar marcado no chão, menos eu. Me ajeitei num lugar qualquer, mas não percebi que estava ocupando o espaço que tinha sido reservado para o Roberto Marinho — e acabei ficando ao lado dele. Quem assistiu ao funeral pela televisão disse que era uma situação curiosa, porque nunca aparecia quem estava do lado do doutor Roberto Marinho. Só aparecia a beirada de uma coisa branca, que era o meu hábito. Em Belo Horizonte a pressão e a humilhação continuaram.

Pressão de quem?

Do SNI, sempre. Os caras diziam abertamente: "Cai fora deste enterro, você já está indo longe demais". Quando estoura o tumulto na porta do Palácio da Liberdade, onde o corpo do doutor Tancredo estava sendo velado, a família pediu para que eu fosse até a sacada para conter a multidão. Na hora de acertar a ida para São João del Rei decidi que ficaria em Belo Horizonte. Dona Risoleta me chamou: "Bem, frei Betto, agradeço por tudo o que você fez, mas pense bem na sua decisão de não ir a São João del Rei". Pensei muito naquilo, conversei com meus irmãos e decidi. Às cinco da manhã eu estava no Palácio da Liberdade. Ao me ver, dona Risoleta, que estava tomando café-da-manhã, veio falar comigo: "Passei a noite rezando para que Deus te mandasse de volta. Estava pensando como é que eu ia descobrir o telefone da tua mãe".

E você fez alguma declaração, algum sermão?

Até então eu não tinha falado. Se só a minha presença já incomodava, imagina se abrisse a boca. Mas aí a dona Risoleta fez questão de que eu falasse no fim da missa de São João del Rei, antes da bênção final. Estavam lá o Sarney, todos os ministros, embaixadores, todo mundo. Aí resolvi falar na missa final, antes do enterro. Para a decepção de muitas pessoas e o alívio de outras, falei sobre a esperança e a vida. As pessoas estavam esperando um discurso incendiário, a favor da revolução, e ficaram constrangidas ao escutar uma fala religiosa, evangélica. O medo do meu discurso era tamanho que quando comecei a falar as câmeras da Agência Nacional, do governo, que estavam gerando para todas as estações de TV do Brasil, saíram para fora e transmitiram o pôr-do-sol de São João del Rei.

Por que tanto medo de você?

Porque as pessoas não me conhecem. Gravaram de mim apenas uma imagem estereotipada, da qual não me envergonho, mas que não corresponde à verdade do que eu sou. Eu não sou apenas um revolucionário. Sou muito mais do que isso.

8. O Napoleão do Planalto

No começo de 1992 recebi um telefonema da editora Lucy Dias, da revista Marie Claire, *editada no Brasil pela Editora Globo. A revista mantinha, em todos os países onde era publicada, uma reportagem padronizada com o título de "Um dia na vida de ..." — o personagem central tanto podia ser o príncipe Charles quanto o ditador Muammar Kadafi, da Líbia, passando por atrizes, empresários e pelas mais diversas personalidades da política, dos negócios e do mundo dos espetáculos. A revista queria que eu fizesse "Um dia na vida do presidente Collor". Expliquei que, na condição de secretário de Educação do governo de São Paulo — cargo que exercia na época, e que deixaria no ano seguinte —, teria que pedir autorização ao governador para fazer uma reportagem que, de certa forma, teria certo cunho político. Luiz Antonio Fleury não fez objeção, mas sugeriu que eu me licenciasse da Secretaria durante os dias em que ficasse fora, para evitar que a imprensa me acusasse de estar trabalhando para uma revista com salários pagos pelo Estado.*

Desimpedido, liguei para o jornalista Cláudio Humberto Rosa e Silva, secretário de Imprensa de Collor, e pedi que submetesse a pauta ao presidente. A resposta veio rápida: Collor topara, e eu teria que estar em Brasília na segunda-feira seguinte às seis da manhã, na porta da Casa da Dinda, residência de sua família, às margens do lago Paranoá, onde morava o presidente. Tirei cinco dias de licença e instalei-me no domingo em um hotel brasiliense. Às onze da noite ligou-me o capitão Eurico Peclat, ajudante-de-ordens do presidente, pedindo que o início da matéria fosse adiado para o dia seguinte, terça-feira, já que a agenda de segunda-feira sofrera alterações e eu não poderia acompanhá-lo todo o tempo, como previa a reportagem.

Passei a segunda-feira conversando com ministros, militares e assessores de Collor, a fim de entender um pouco a rotina do Palácio do Planalto. No intervalo entre duas audiências, Cláudio Humberto me apresentou ao presidente, que me cumprimentou friamente, o que me pareceu um mau presságio. Na terça madruguei nos jardins da Casa e foi preciso pouco tempo para descobrir que não dera muita sorte: Collor estava de péssimo humor. Ao sair de casa para tomar o helicóptero da FAB pousado no gramado da casa ele nem sequer olhou para o meu lado. Entrei em um dos carros oficiais e fui para o Palácio do Planalto. O que havia sido combinado com Cláudio Humberto é que eu passaria três ou quatro dias grudado no presidente, desde a hora em que ele acordasse até o fim do dia, quando Collor voltasse para casa. Mas o mau humor da segunda continuava na terça, e de novo aproveitei o tempo livre para rodar pelo Palácio, conversar com secretárias, assessores e até com os faxineiros que faziam a limpeza do gabinete presidencial. Na quarta-feira, Sua Excelência ainda não se livrara da rabugem, não queria nem ouvir falar de jornalistas e muito menos ter um deles colado em seu pé o dia inteiro.

Passei na sala de Cláudio Humberto e deixei sobre sua mesa um bilhete explicando que eu compreendia as atribulações de um presidente da República, mas meu prazo estava chegando ao fim e não dava mais para esperar. Agradeci a boa vontade do secretário de Imprensa, peguei minha bagagem no hotel e voltei para São Paulo. No meio da tarde, Cláudio Humberto me ligou. Em nome de Collor, ele pediu desculpas, disse que o presidente atravessava um momento difícil — acabara de pipocar um dos primeiros grandes escândalos do governo, o chamado "caso Magri", envolvendo o ministro do Trabalho, Antonio Rogério Magri — mas que apesar disso ele estava, sim, disposto a permitir a reportagem. Renovei meu pedido de licença, voltei a Brasília e, ao lado do fotógrafo Walter Firmo, contratado pela revista para aquele trabalho, passei quatro dias ao lado do meu personagem.

Na volta, ao escrever, ainda tentei escapulir da camisa-de-força que era o estilo da matéria — cada movimento de Collor devia ser precedido da hora em que os fatos se deram. Escrevi uma reportagem mais solta, sem aqueles números em negrito, imaginando que assim o texto ficaria mais atraente para o leitor, sem as paradas obrigatórias no registro das horas. Nada feito. Lucy devolveu a matéria dizendo que aquilo era uma tradição na revista e não podia ser mudado. Sentei e reescrevi tudo, exatamente igual ao solicitado.

A experiência de ter passado alguns dias ao lado de Collor viria a ser útil para um perfil dele que eu escreveria para a revista Playboy, *três anos depois. Se dessa vez eu fora testemunha do cotidiano de um presidente imperial, com o olhar duro e o trote militar, em 1995 eu voltaria a rever um outro Collor, que talvez já não fosse sequer a sombra deste.*

6h00: Como acontece sempre, o presidente dormiu pouco a noite passada. Apesar disso, está bem-disposto, queimado de sol e, visto de perto, parece menos magro do que nas fotos dos jornais. Ontem ele ficou até a uma hora da manhã lendo *Death lobby — How the West armed Irak*, de Kenneth Timmerman, um livro "mais revelador sobre a Guerra do Iraque que todos os papéis oficiais que li até agora". E, ainda em jejum, tomou um verdadeiro coquetel de vitaminas: Calcium Sandoz, Arovit, complexo B. Fez quinze minutos de ginástica e alongamento no banheiro, barbeou-se com creme Bozzano e lâminas Wilkinson japonesas. "Como tudo o que os japoneses copiam", comenta, "essas lâminas são melhores que as originais inglesas."

Após o banho, Collor escolhe pessoalmente o terno, a camisa, a gravata e os sapatos que vai usar, e explica que "a roupa é sempre reveladora do humor e do estado de espírito em que me encontro". Se for assim, parece que vamos ter um dia soft: ele veste um leve terno bege-claro, quase branco, gravata Dominic Franc cinza-claro e sapatos italianos de verniz marrom. Nos últimos dois dias ele parecia irritado, emburrado. Ontem decidiu desmarcar os compromissos da manhã e ficou trancado em casa. No palácio tentava-se decifrar as razões do mau humor. A bolsa de palpites recaía sobre uma das três alternativas: a decisão do Clube de Paris de recusar a carta de intenções do Brasil, as primeiras notícias sobre o "escândalo Magri", ou, quem sabe, as duras críticas dirigidas ao governo pelo programa do PMDB na televisão. Confirmando a teoria da roupa, à tarde ele apareceria no Planalto vestindo um solene terno preto para receber os líderes dos partidos que apóiam o governo no Congresso e cujas audiências tinham sido canceladas de manhã.

7h00: Ele vai de paletó e gravata para a sala de refeições, onde o café está servido. Dá a impressão de alguém tenso e extremamente formal. Lê a primeira edição do clipping do dia: um calhamaço encadernado de 130 páginas contendo as principais notícias dos jornais mais importantes do país. Por ordem sua, entram também notícias sobre futebol (ele é Flamengo) e Fórmula Um. Enquanto toma café com leite, bolachas, mel, queijos Polenghinho e Catari, faz anotações à margem do clipping para cobrar mais tarde dos ministros e auxiliares. Quando é o caso, vê o videoclipping de algum programa ou entrevista da noite anterior. No fim da refeição, toma um copo de suco — uma mistura de cenoura, mamão e maçã, batida num dia com suco de laranja, no outro com suco de limão. De vez em quando turbina a mistura com um pouco de guaraná em pó. No escritório ao lado da sala, ele liga a TV e assiste ao noticioso *Bom dia, Brasil*. Lá de fora chega o barulho dos dois únicos animais da casa: Vina, uma poodle branca, e Zeza, uma vira-lata marrom.

Antes de sair para o trabalho Collor resolve circular por alguns minutos pelos jardins da "Casa da Dinda". A casa foi comprada por seus pais em 1967 e batizada com esse nome em homenagem à sua bisavó materna. Desde que se mudou para lá, com a morte do pai, Collor paga aluguel religiosamente à mãe. Quando o pagamento atrasa, dona Leda telefona para cobrar. Branca e baixa como as tradicionais construções espanholas, e construída no centro de um terreno de 5 mil metros quadrados, a Dinda não é muito grande: três dormitórios, uma sala de jantar ampla, um escritório e varandas, muitas varandas. Na parte dos fundos, que dá para o lago, há um enorme terraço protegido do vento por cortinas de plástico transparente. No jardim dianteiro, mais um traço espanhol: um pequeno lago de cimento de cujo centro saem três cabeças de cavalo de pedra. À direita, o presidente está construindo um lago revestido de pedras para a criação de carpas japonesas *nishikigoi* — que, diz a lenda, dão sorte a seus donos. Ao lado do portão principal foi construído um pequeno posto telefônico, onde telefonistas se revezam 24 horas por dia (foi ali que caiu, em domingo recente, uma inesperada ligação: do outro lado da linha estava o presidente dos Estados Unidos, George Bush). No fundo, à direita, fica o pequeno apartamento de dois quartos onde dormem todas as noites um segurança e um ajudante-de-ordens. À esquerda de quem entra, o presidente mandou fazer uma gruta no meio das pedras, protegida por paredes de vidro blindex, para abrigar a imagem de Nossa Senhora de Medjugorje que trouxe da Iugoslávia. É ali que ele, um cristão singular, faz suas orações. Collor vai pouco à missa, não esconde a sua simpatia pela Teologia da Libertação, mas é extremamente conservador no que diz respeito à liturgia. Não pode nem ouvir falar em viola e cantoria no altar. "Nisto ele é quase um Léfèbvre", diz um assessor.

O presidente desce o bem cuidado gramado em direção ao trapiche à beira do lago e mostra uma roseira coberta de rosas amarelas:

— As sementes desta roseira vieram pelo correio, um presente da duquesa de Kent.

Mais abaixo estão duas mudas de árvores que ele trouxe de Zimbábue. Numa das conversas com o presidente Robert Mugabe, durante a visita que fez à África em setembro do ano passado, Collor contou que, ao sair de manhã para correr, encantara-se com as árvores enormes, repletas de flores roxas, que vira nas ruas de Harare, a capital do país — e que gostaria de trazer para o Brasil uma muda delas. Gentil, Mugabe disse que teria muito prazer em oferecer-lhe as mudas, mas que achava insólito o interesse de Collor:

— As árvores que o senhor viu pelas ruas da cidade são jacarandás da Bahia, presidente. As primeiras mudas foram trazidas do Brasil para a África no século passado, pelo imperador Pedro II.

O gramado termina na beira do lago, onde uma garagem de barcos guarda um jet-ski, uma moto-ski e duas lanchas. Foi principalmente a privilegiada visão de Brasília que se tem dali que fez Collor optar por continuar morando na Dinda, e não no Palácio da Alvorada. "Aqui tem o que eu mais gosto", diz o presidente, "que é silêncio e paisagem." Mas a propriedade dos Collor se estende também para um terreno do outro lado da rua. Bem em frente à Casa da Dinda, seu pai, o ex-senador Arnon de Mello, construiu um enorme galpão para instalar a excelente biblioteca que legou ao filho Fernando. São 40 mil volumes distribuídos em mais de cem estantes, onde se pode encontrar quase tudo. Correndo os olhos é possível ver desde *Fazenda modelo*, de Chico Buarque de Holanda, às obras completas de Lênin — ali estão, na casa do presidente da República, as célebres edições Progresso, editadas na URSS, que fariam a alegria da polícia política nos anos 70. Collor apanha numa estante o livro *Uma vida dedicada à questão social*, escrito por Ebe Reale sobre seu avô, Lindolfo Collor, criador e primeiro ocupante do Ministério do Trabalho, em 1930. Ao folhear o volume de capa dura e papel brilhante, é inevitável a lembrança do "escândalo Magri".

— Onde quer que esteja, meu avô deve ter reagido com palavrões.

A chegada do helicóptero à Casa da Dinda desperta a pontualidade: o presidente olha o relógio e vê que está na hora de partir. No portão está à sua espera o ajudante-de-ordens Onias, capitão da Marinha, de 32 anos. Ele se reveza no trabalho com dois majores e dois capitães das três armas. Eles são uma espécie de anjo da guarda de Collor. Não têm nada a ver com a segurança pessoal do presidente, que é composta de equipes de sete majores do Exército, chefiados pelo coronel Darke de Figueiredo. Mas passam as 24 horas do dia ao lado dele. Escolhidos entre os primeiros da turma em suas armas, falam línguas estrangeiras, nunca andam armados, são atletas e extremamente gentis. Onias e o capitão Eurico Peclat, que vai substituí-lo daqui a pouco, são os calouros da Ajudância. Substituíram dois capitães (um da Marinha e outro da Aeronáutica) que não agüentaram o repuxo. "Está todo mundo muito estressado com o ritmo do presidente", revela um assessor do gabinete. "Compare fotos nossas de agora com as do começo do governo para ver como todos envelhecemos em tão pouco tempo."

O ajudante-de-ordens chega às sete da manhã ao Planalto, abre o gabinete do presidente, checa as canetas, as luzes sobre a mesa, a temperatura — que deve estar regulada em 23 graus, pouco acima da temperatura ambiente do palácio —, acerta a hora do relógio da mesa, vê se o micro está OK. Depois fica na ante-sala aguardando a chegada de Collor — seu dia com o presidente só termina na manhã seguinte, quando outro o substitui.

8h50: Os grandes vidros da sala no segundo andar do Palácio do Planalto, em Brasília, começam a trepidar levemente com a vibração produzida pelo ruído de hélices em movimento que vem do lado de fora. O jovem diplomata Norton Rapesta caminha de sua mesa até a janela e, ao ver o helicóptero branco pousando nos jardins do palácio, acerta os ponteiros do relógio de pulso. O helicóptero é um Esquilo da FAB, e o ilustre passageiro que transporta é tão obsessivamente pontual que, além de Rapesta, dezenas de outros funcionários usam suas entradas e saídas do palácio para acertar seus relógios.

De pé na porta do aparelho espera-o o coronel Darke, chefe de segurança pessoal. O presidente desce e sai andando a passos muito rápidos — "o meio galope que ele herdou do pai", dirá o cunhado e secretário-geral da Presidência, Marcos Coimbra. Atrás dele vem o major Onias. Sempre a meio galope, Collor caminha pelos trinta metros da passarela de cimento cercada de flores que separa o heliponto da entrada do palácio. Na ponta da passarela, é cumprimentado por Coimbra, pelo general Agenor, chefe do Gabinete Militar, e pelo embaixador Osmar Chohfi, chefe do cerimonial da Presidência. Quando o mau tempo impede o vôo, o trajeto Dinda—Planalto é percorrido de carro em vinte minutos, e pode ser feito tanto em uma das duas Mercedes 560 SEL (uma marrom e outra cinza-chumbo) como em um dos quatro Lincoln Towncar pretos, todos cedidos em comodato à Presidência pelas fábricas. Ao ouvir o ruído dos motores do helicóptero, um dos sentinelas postados na frente do palácio hasteia, ao lado da bandeira do Brasil, a bandeira da Presidência, com o brasão de armas da República bordado sobre fundo verde.

O presidente sobe pelo elevador privativo e entra no gabinete. Faz o sinal-da-cruz e beija uma pequena imagem de Nossa Senhora das Graças, que o acompanha desde Alagoas. Não tira o paletó nunca. Da decoração do tempo do presidente Sarney não sobrou nada. A velha mesa colonial foi devolvida a um museu e em seu lugar foi colocada uma mesa moderna, de mogno avermelhado, que estava abandonada em um depósito do palácio. Sobre ela estão uma caixa de charutos de prata lavrada, dada de presente pelo ex-presidente da Colômbia, uma agenda de couro verde com um brasão de armas e o nome FERNANDO COLLOR gravados na capa, um pequeno mata-borrão de prata, uma guilhotina para cortar charutos e um isqueiro do tipo "lança-chamas", também especial para fumantes de charutos. No aparador atrás da mesa foi instalado um microcomputador de última geração. Na memória de quatrocentos megabytes estão armazenados, entre outros, o programa InvestNews, que a um toque do usuário dá as cotações da Bolsa de Valores de São Paulo, o DataIbope (por meio do qual é possível acompanhar a audiência, a cada minuto, de todos os canais de televisão) e uma agenda que registra as audiências do dia. Ao lado do micro há uma imagem de porcelana branca de são Francisco de Assis, que lhe foi dada por frei Damião.

9h00: A primeira chamada telefônica do dia é para o secretário de Imprensa, o jornalista Cláudio Humberto Rosa e Silva. O presidente cobra uma entrevista dada pelo senador Pedro Simon ao *Correio Braziliense* falando dos projetos anticorrupção em tramitação no Congresso. Collor acha injusto o senador gaúcho assumir a paternidade de projetos do governo. A ligação foi feita pelo telefone de uma rede privada, através da qual ele se comunica diretamente com todo o primeiro escalão. Em geral, Collor liga e deixa o telefone tocar duas vezes. Se ninguém atender do outro lado, desliga e pede ao ajudante-de-ordens para localizar o ministro pelo telefone celular. Foi assim que, num ensolarado domingo de manhã, um dos ajudantes-de-ordens localizou o ministro [*da Fazenda*] Marcílio Marques Moreira em meio a plácida caminhada pela praia de Ipanema, no Rio. Além da linha privada, Collor dispõe também de um sistema norte-americano — o Motorola svx-2400 — que parece ser decididamente à prova de grampo. Mas o usuário só está a salvo da bisbilhotice alheia se o interlocutor também estiver falando de um equipamento igual. Assim, deve ser supremo sinal de prestígio ter uma engenhoca dessas instalada na mesa de trabalho por ordem do presidente da República. Quem tem? O ministro João Santana, Marcos Coimbra, o general Agenor, Marcílio e Cláudio Vieira, secretário particular.

Depois do telefonema, fala rapidamente com auxiliares e embarca de novo no helicóptero, em direção à cidade-satélite de Ceilândia, onde vai inaugurar o ciac [*Centro Integrado de Ajuda à Criança*] Anísio Teixeira, nome que ele mesmo escolheu. A bordo do Esquilo é possível identificar a causa do ar tenso do presidente: o "caso Magri". Com as mãos crispadas, ele se queixa da "traição" do ex-ministro do Trabalho:

— Quando um presidente convida um cidadão para ser ministro, esse é um gesto equivalente a entregar um filho para alguém cuidar. Não cabe deslealdade. Eu me sinto como se tivesse sido apunhalado pelas costas.

Collor acha que, além da gravidade das denúncias em si, o "caso Magri" pode ter outra conseqüência, ainda mais grave:

— Esse escândalo vai alimentar um velho preconceito das elites brasileiras, segundo o qual um operário não pode ocupar cargos importantes.

Em Ceilândia, sob um sol abrasador, o presidente faz um rápido discurso para um público pequeno, visita a escola inaugurada e vai embora. A caminho do helicóptero, um menino mulatinho dribla a segurança e agarra-se à mão dele. Não solta mais. Na hora de embarcar, o menino anuncia:

— "Seu" Collor, eu vou no helicóptero com o senhor.

10h15: E vai mesmo. É Welderson Abreu Batista, de dez anos, morador das vizinhanças de Ceilândia, que acaba ganhando, além do passeio de helicóptero, uma bicicleta bicicross de presente e mais a promessa de uma vaga no CIAC e um terreno para a avó construir uma casa. Quando retorna ao palácio o presidente já encontra à sua espera os participantes da reunião das nove — que hoje começa com mais de uma hora de atraso: o ministro Jarbas Passarinho, o secretário de Assuntos Estratégicos Pedro Paulo Leoni Ramos, o consultor jurídico Célio Silva, Marcos Coimbra e o general Agenor. Uma hora e meia depois é que começa a agenda do dia. Embora nunca seja divulgada, a agenda é organizada todos os dias pelo secretário particular Cláudio Vieira, depois de ouvir Coimbra. Manter a agenda sob reserva, dizem os assessores, dá mais mobilidade: o presidente pode cancelar uma audiência sem parecer que está fritando alguém.

12h00: Ao meio-dia, pontualmente, chega o senador Amazonino Mendes. Fica vinte minutos dentro do gabinete e sai. Para 12h30 está agendada uma audiência com alguém de sobrenome conhecido: Collor. É o norte-americano Mark Collor, sobrinho-neto do dinamarquês Anthony Marquardt Collor, que migrou para o Brasil em 1860. Mesmo sem ter certeza da existência de um parentesco, Mark escreveu uma carta pedindo uma audiência com o membro mais ilustre da família Collor, ainda que fosse apenas para apertar-lhe a mão. O presidente agendou o encontro e pediu que dona Leda, sua mãe, estivesse presente. Uma hora antes da visita, no entanto, veio do Rio a notícia de que o casal Collor não poderia comparecer. Mark Collor chegara ao Brasil no dia anterior com tremores e febre e não conseguiria viajar.

No fim da manhã, o presidente fuma seu primeiro charuto, um Hoyo de Monterrey Double Coronas, com vinte centímetros de comprimento. Ex-fumante de cigarros (dois maços de Advance por dia), Collor trocou-os pelos charutos quando era deputado. Depois de eleito presidente, passou a receber regularmente caixas de Hoyo mandadas pelo presidente Fidel Castro. Os charutos vêm de Cuba com um anel especial, verde e amarelo, e com o nome PRESIDENTE FERNANDO COLLOR impresso no lugar da marca. Nunca fuma em público e não gosta de ser fotografado com um charuto entre os dedos. A única foto dele empunhando um *puro* — ao lado do primeiro-ministro espanhol Felipe González, no Palácio de la Moncloa, em Madri — teve sua divulgação vetada e foi para a coleção pessoal do seu ex-secretário de Imprensa, Cláudio Humberto Rosa e Silva.

13h00: O almoço do presidente é servido por um garçom na ponta da grande mesa de reuniões, no próprio gabinete — onde ele almoça quase todos os dias. O cardápio é o mesmo pelo qual os 2 mil funcionários do Planalto pagam diariamente a módica quantia de 1,5 mil cruzeiros no restaurante e no bandejão do subsolo do prédio. Collor parece ser a única exceção à unanimidade geral do palácio, que considera a comida lamentável. Hoje ele almoça frango à milanesa, arroz, creme de milho e salada de pepino. Entre o melão e a goiaba em calda, escolheu a fruta fresca como sobremesa. Ontem comeu almôndegas ao molho de azeitonas, arroz, salada de beterraba e repolho refogado. Amanhã vai comer peito de frango com petit-pois, arroz e salada. Há algumas semanas o governador Antonio Carlos Magalhães aceitou o convite para almoçar com o presidente no gabinete. À saída, disse aos repórteres que "a conversa estava ótima, mas a comida, nem tanto".

15h00: A atividade recomeça com a chegada do governador Leonel Brizola. Da ante-sala, o capitão Dário Cavalcanti pergunta pelo telefone se Brizola está sozinho. No outro lado da linha alguém responde: "Não, veio com um séquito". Mas na hora da audiência só ele entra no gabinete presidencial. O flerte político com Brizola parece ser mais forte que a pontualidade do presidente. Todo mundo à sua volta sabe muito bem o que ele faz quando o horário da audiência está chegando ao fim e o visitante não parece querer sair: primeiro olha ostensivamente o relógio. Se o gesto não for suficiente, simplesmente se põe de pé e vai levando o retardatário delicadamente pelo braço até a porta de saída. Com Brizola não teve uma coisa nem outra, e a agenda estoura em vinte minutos. Quem paga pelo atraso do governador do Rio é o ministro Reinhold Stephanes, do Trabalho, que perde metade do tempo a que teria direito.

O último compromisso do dia, no Palácio do Planalto, é a reunião com o chamado "pessoal da casa" — os mesmos participantes da reunião das nove da manhã. Como hoje é dia da ginástica vespertina, uma rotina que se repete duas vezes por semana, o presidente dispensa o helicóptero e vai na Mercedes cinza-chumbo para o Alvorada, onde mandou instalar a academia. Chega lá em poucos minutos — tempo suficiente para ouvir um pouco de música e elogiar a estação em que o rádio do carro está sintonizado: a Brasília Super Rádio FM, que só toca música clássica.

18h40: Protegido por três carros da segurança, ele chega ao Palácio da Alvorada. Antes de descer para o subsolo, onde está instalada a sala de ginástica, resolve vistoriar a reforma que está dirigindo pessoalmente. Seus passos a meio galope no mármore ressoam pelo palácio absolutamente vazio:

— Sou obsessivo com organização e com limpeza e encontrei o Palácio da Alvorada em estado lastimável. Estava tudo sujo, com obras de arte caríssimas sem nenhum cuidado. Terrível.

Collor resolveu reformar tudo sem gastar dinheiro. Solicitou às grandes empreiteiras que estão trabalhando para o governo que fizessem de graça as obras de engenharia. De graça, não. Em troca, mandou colocar uma plaquinha de metal na entrada do palácio agradecendo às empresas. Depois trocou carpetes, cortinas e mobiliário. Tudo, segundo o presidente, sem mexer no bolso do contribuinte:

— Essas cortinas foram doadas pelas Casas Pernambucanas. Os móveis ingleses da sala de jantar e o serviço da Companhia das Índias foram doados pelo doutor Roberto Marinho.

Desce para o subsolo, onde está a moderna academia de ginástica que a Varig doou à Presidência da República. O ajudante-de-ordens já está à sua espera vestido de training. Collor vai até o banheiro, tira o terno e volta de calção branco, camiseta, tênis e meias brancas. Faz alguns minutos de aquecimento e caminha para a primeira máquina. Agora é possível identificar o que ele carrega sempre no pescoço: uma correntinha de ouro de onde pendem dois crucifixos, uma medalha quadrada, com um olho dentro de um triângulo, e uma outra, em que está gravado um símbolo indecifrável. É algo parecido com uma menorá judaica, de cujas hastes saem tridentes. Perguntado sobre o significado daquilo, Collor desconversa e revela, pela primeira vez, um mau humor digno de terno preto.

Cada equipamento de ginástica tem uma pequena tabela plastificada, grudada no painel, em que aparecem datilografadas as melhores performances do presidente e de sua mulher, Rosane. Por ela é possível saber se o desempenho do dia está acima ou abaixo do ideal. Collor começa pedalando uma bicicleta ergométrica montada diante de um videocassete e de um monitor de televisão em cores. O ajudante-de-ordens escolhe uma fita de vídeo e, à medida que ele vai pedalando, as imagens de um passeio de bicicleta se sucedem no vídeo, transmitindo a impressão de que é ele quem está fazendo a viagem da tela. Nesse momento o presidente Collor está deslizando ao som de uma música típica sob as palmeiras da ciclovia que vai do Havaí (que ele pronuncia "rauái") a Maui. Quando pára de pedalar, o painel eletrônico indica o desempenho obtido: em seis minutos rodou o equivalente a 3470 metros e perdeu 59 calorias.

19h00: Da bicicleta, Collor vai passando para outros equipamentos. Quando consegue superar a marca anterior, registrada na tabela datilografada, a máquina cumprimenta o presidente: no painel começa a piscar, em letras vermelhas, a palavra *CONGRATULATIONS!*. Lá fora já é noite fechada quando o presidente vai para o último aparelho: sobe nos dois enormes pedais de um *stepper* — um simulador de degraus — e começa a pressionar os pés para baixo, iniciando um movimento idêntico ao de alguém que sobe uma escada. O painel vai registrando o tempo gasto, o número de calorias consumidas, quantos andares foram vencidos e o número de metros equivalentes. Aos quatro minutos, Collor está com o corpo completamente molhado de suor. Só nessa máquina já perdeu 33 calorias, subiu o equivalente a trinta andares, ou seja, um edifício de 95 metros de altura. Apesar do cansaço visível, ele não pára, como se estivesse em uma competição, e acaba conseguindo superar sua marca anterior: em seis minutos, o presidente perde cinqüenta calorias para subir o equivalente a 46 andares (um prédio de 143 metros de altura). Nada mau para alguém que dizem estar gravemente doente. A máquina apita pela última vez: *CONGRATULATIONS!*.

Antes de ir para o chuveiro, Collor sobe na balança: 75 quilos. Muito magro para quem mede 1,84 metro? Ele levanta a camiseta, olha para as costelas que aparecem sob a pele e diz que não: "Assim é mais saudável". Além disso — reclama com o ajudante-de-ordens —, aquela balança parece estar um pouco desregulada:

— Outro dia resolvi fazer um teste e pesei nela um saco com um quilo de feijão. Deu diferença.

A caminho do banheiro dá uma gargalhada — a única de um dia glacial — quando alguém diz que o erro pode não estar na balança, mas na honestidade do dono do armazém que vendeu o feijão.

O normal é o presidente ir para casa por volta das sete da noite. Toma uma sauna a vapor, uma ducha e fica ciscando os noticiosos da televisão: vê quinze minutos de Boris Casoy no SBT; às oito da noite pega o *Jornal Nacional*, na Globo; e, quando Cid Moreira diz "boa noite", ainda vê um pedaço do *Jornal da Manchete*. Quando bebe algo, é um copo de cerveja Bohemia, feita em Petrópolis — "melhor do que essas estrangeiras que estão por aí". Às vezes, toma uma caipirinha ou uma dose de uísque Black Label. "Com essa história de que bebo Logan, ganhei algumas caixas dele e nem abri." Não é só o uísque predileto que divulgaram errado. O presidente exibe o relógio de ouro que carrega no pulso:

— É um IWC suíço, e não Breitling, como os jornais dizem. Outro dia uma revista publicou três páginas sobre um licor de champanhe francês chamado Petite Liqueur dizendo que é o meu predileto. Nunca vi um na minha frente.

21h00: Quando está em casa, janta por volta das nove — nada de muito especial, mas a comida é sempre feita por Berto, um pernambucano de 45 anos que o acompanha desde os anos 70 fazendo o papel de cozinheiro, copeiro, mordomo. Duas vezes por semana pede uma pizza do restaurante Casebre 13 e manda esquentar em casa mesmo. Se o assessor Luís Carlos Chaves arranja alguma fita boa, ele e a mulher assistem a um vídeo no telão do pequeno auditório em que foi transformada uma antiga garagem da casa. Antes de dormir, ainda passa uma ou duas horas no pequeno escritório da casa lendo algum livro.

22h00: Hoje, porém, o presidente resolve passar parte da noite no próprio Alvorada. Uma hora depois chega sua mulher, Rosane. Os dois jantam lá mesmo — salada vichyçoise, carne assada com bolinhos de batata, arroz e feijão. Na sobremesa, frutas. Depois do café, o terceiro e último Hoyo de Monterrey do dia. No andar térreo do palácio fica a sala de cinema, redecorada com duas dúzias de elegantes poltronas Bertoia. O filme de hoje, escolhido por Luís Carlos Chaves, é *The last boy scout*, um policial estrelado por Bruce Willis.

23h00: Perto da meia-noite, o presidente e a primeira-dama Rosane voltam para casa. Durante uma hora ele lê contos da inglesa Katherine Mansfield, "considerada uma das melhores no gênero por Virginia Woolf". Collor lê pouca ficção, "por falta de tempo e porque os ensaios me prendem mais", diz. A última boa ficção que se lembra de ter lido foi *Agosto*, de Rubem Fonseca:

— Talvez eu tenha gostado tanto até pelo fato de que seja meio ficção e meio reportagem.

À uma da manhã já vestiu o pijama de calças curtas e está deitado no lado esquerdo da cama de casal tamanho king size, pronto para dormir.

9. O solitário da Dinda

Nunca mais vi Fernando Collor depois da reportagem "Um dia na vida do presidente". No dia 2 de outubro de 1992, meses depois que a matéria foi publicada, ele renunciou para evitar o impeachment. Passava férias em Salvador, na Bahia, e ao ouvir a notícia na TV, desci à gerência do Hotel Méridien e despachei um fax (o e-mail ainda não existia) para a Casa da Dinda, no qual me candidatava a ouvir sua versão final sobre os escândalos que o haviam derrubado. Dependendo da dimensão das declarações que tivesse a fazer, o trabalho poderia resultar em uma grande reportagem ou até mesmo em um livro. Embora tivesse deixado todas as coordenadas para que me localizasse na Bahia ou, depois, em São Paulo, jamais recebi qualquer resposta.

Collor passou meses e meses recluso na Casa da Dinda, de onde só saiu para uma interminável viagem turística pela Europa e Estados Unidos com sua mulher, Rosane. Em 1995, anunciou que iria trocar o Brasil pelos Estados Unidos. Já havia alugado uma casa em Miami e nos próximos anos pretendia dedicar-se apenas a escrever um livro de memórias. Quando essa notícia circulou, o di-

retor de redação da Playboy, *Ricardo Setti — meu amigo há mais de trinta anos, companheiro de vários empregos e batalhas jornalísticas — me procurou para propor um perfil do ex-presidente. Como era o cotidiano, a rotina do homem que governara o Brasil como um imperador e fora obrigado a deixar o Palácio do Planalto pela porta dos fundos? Quem o visitava? O que restava da atmosfera majestática que o envolvera o tempo todo, durante a Presidência?*

A julgar pelo homem de maus bofes que me recebera três anos antes, não alimentei maiores esperanças de que o ex-presidente topasse falar comigo. Se no auge do poder ele relutara em me receber, não seria agora, caído na mais profunda desgraça, que Collor aceitaria ser entrevistado por mim. Felizmente eu estava enganado. Os telefones da Casa da Dinda ainda eram os mesmos dos tempos da Presidência, e foi Berto, o cozinheiro, quem atendeu a meu chamado. Respondeu que "o presidente" não estava e pediu que telefonasse mais tarde. Liguei duas horas depois, e foi o próprio Collor quem atendeu. Gentil, ouviu meu pedido e aceitou no ato:

— Mas tem que ser logo, porque daqui a poucas semanas começo a encaixotar as coisas que levarei para os Estados Unidos.

Passei três dias freqüentando sua casa e seu escritório e me surpreendi ao ver transformado em personagem de García Márquez o homem que menos de três anos antes era cortejado por industriais, jornalistas, reis e presidentes. Nada, absolutamente nada fazia lembrar o empertigado, imperial presidente Collor que eu conhecera na outra reportagem. Ele respondeu a tudo, até às questões mais indiscretas ou dolorosas. Quando perguntei a ele, por exemplo, como se sentia em aparecer em revistas de frivolidades de peito nu, envolto em colares havaianos, ao lado de Rosane, na mesma semana em que seu irmão, Pedro, agonizava numa cama de hospital, devastado por um câncer no cérebro, temi, pelo olhar, que fosse atirar um cinzeiro na minha cabeça. Mas ele parece ter-se contido. Engoliu seco e respondeu.

Este perfil foi publicado na Playboy *em julho de 1995.*

Em março deste ano um vôo da Transbrasil vindo de Miami despejou no aeroporto de Cumbica, em São Paulo, um ruidoso magote de brasileiros que retornavam das férias na Flórida. Em meio à confusão de passageiros que se aglomeravam diante dos guichês da Polícia Federal, um disciplinado casal procurou a ponta de uma das filas e passou a aguardar ali, pacientemente, o momento de entregar os passaportes — verdes, como os de qualquer mortal — ao funcionário da alfândega. Os demais passageiros olhavam com curiosidade e dúvida para o casal, se perguntando: será que é ele mesmo? Até que viram um policial de terno escuro aproximar-se do homem alto e da moça miúda, cabelos loiros e olhos azuis, e perguntar:

— Por acaso o senhor não seria o Fernando Collor?

— Sim — respondeu, sério, o homem da fila —, sou eu mesmo.

O policial fez uma mesura, apontando o caminho com uma das mãos:

— O senhor é ex-presidente da República, não pode permanecer na fila. Venha por aqui com sua esposa, o senhor não pode se submeter a uma coisa dessas.

Embora o começo da cena já faça parte do cotidiano dele, não é sempre que terminam dessa maneira os desconfortos a que tem sido submetido o cidadão Fernando Affonso Collor de Mello. Desde a manhã de 29 de dezembro de 1992, quando o Congresso o apeou definitivamente da Presidência da República, o mais comum é que não apareça uma providencial e generosa mão, como a do policial de Cumbica, a lembrar que ele um dia foi o chefe do Estado brasileiro.

Foi assim, por exemplo, no final de 1993, em sua primeira viagem ao exterior depois do impeachment. Collor e a mulher, Rosane, chegaram a Paris e logo depois de se instalarem em um apartamento do luxuoso Hotel Ritz, pediram a um amigo que avisasse ao embaixador brasileiro, Carlos Alberto Leite Barbosa, que eles estavam em Paris. O ex-presidente não queria nenhum favor ou privilégio, mas apenas abraçar o amigo que, afinal, ele próprio nomeara para o posto na França. O embaixador mandou avisar que infelizmente não poderia sequer cumprimentá-lo, pois estava partindo naquele instante em viagem para fora do país. Como o próprio Collor descobriria dias depois, o diplomata não arredou o pé da França ("Foi incapaz de mandar um abraço, de perguntar se eu precisava de alguma coisa", queixa-se o ex-presidente).

Tratamento sem dúvida diferente do que recebera em Roma, em janeiro de 1990, do mesmo Leite Barbosa, então embaixador na Itália. Presidente eleito e ainda não empossado, naquela ocasião Collor foi convidado a se instalar no suntuoso palácio Doria Pamphilli, sede da embaixada brasileira. Para circular pela cidade, contava com um carro blindado, a companhia de dois secretários da embaixada e, dando tempo integral a seu lado, o onipresente Leite Barbosa. Em Paris, caído em desgraça, quem acabou ciceroneando-o foi o embaixador de Cuba, que por ordem do presidente Fidel Castro colocou à sua disposição um carro com motorista, recebeu-o para um jantar solene na embaixada e ainda contratou um médico francês para qualquer eventualidade.

Ao rememorar esses acontecimentos, Collor não consegue deixar de lembrar o comportamento que teve, na Presidência, com seus antecessores. Logo na primeira semana, conta, foi José

Sarney quem o consultou, por intermédio de Bernardo Cabral e Francisco Rezek (respectivamente ministros da Justiça e das Relações Exteriores), para saber se tinha direito, como ex-presidente, a um passaporte diplomático.

— Mandei que concedessem o passaporte diplomático, e mais: que orientassem as nossas embaixadas nos países por onde ele ia passar, determinando aos embaixadores que o recebessem no aeroporto e colocassem à sua disposição, permanentemente, um carro e um secretário da embaixada. Exigi tratamento de chefe de Estado. O mesmo valia para a Polícia Federal em nossos aeroportos: dar a Sarney todas as facilidades que devem ser concedidas a um ex-presidente da República.

Depois, acrescenta Collor, foi o general Agenor Homem de Carvalho, chefe do Gabinete Militar, que lhe contou que o carro oficial colocado à disposição do ex-presidente João Figueiredo estava em pandarecos. Um dia, contou Agenor, o carro pifou no meio da rua, obrigando o próprio Figueiredo a empurrá-lo, enquanto o motorista, na direção, tentava fazer o motor pegar. De novo, segundo Collor, prevaleceu a condição de ex-presidente:

— Mandei trocar imediatamente o carro de Figueiredo por um novo. Eu seria incapaz de dar a qualquer um deles o tratamento que estou recebendo.

Passados vários meses dos episódios de Paris e de Cumbica, o Fernando Collor que está sentado na varanda da Casa da Dinda, em Brasília, não parece indiferente a tais dissabores:

— Sou tratado como um pária.

Nem de longe esse Collor lembra o imperial presidente que o Brasil se habituou a ver três anos atrás. A começar pela aparência: catorze quilos mais gordo (agora pesa 89 quilos), queimado de sol, com os cabelos soltos, sem a camada de gel que usava antes, Collor veste uma camisa pólo cor de cenoura, da grife Ralph Lauren, surrados sapatos mocassim de couro marrom, sem meias, e calças que parecem ser a metade de um terno (amanhã ele estará com outras calças de terno, os mesmos mocassins e uma nova camisa pólo, esta listrada de azul e branco). E qualquer pessoa que o tenha conhecido na Presidência haverá de notar também, em poucas horas de convívio, que ele está mais cordial, mais afável e bem-humorado, sem o olhar crispado de antes.

Mas não foram apenas as aparências, claro, que mudaram depois que deixou de ser presidente. As diferenças começam cedo, na hora de acordar (aliás, essa parece ser a única, solitária vantagem de não estar mais no poder: antes, Collor acordava religiosamente às seis da manhã, não importava a que hora tivesse ido dormir; o ostracismo político deu-lhe três horas adicionais de sono diário, e hoje ele só salta de sua cama às nove). Entre março de 1990 e dezembro de 1992, a agitação da Dinda começava cedo. Antes mesmo que o dono da casa se levantasse, o helicóptero Esquilo da FAB já estava estacionado nos jardins, e pelas varandas circulava o coronel Darke de Figueiredo, chefe da segurança pessoal do presidente, em meio a um agitado vaivém de ordenanças, ajudantes-de-ordens e assessores. Do lado de fora do muro, soldados do Exército montavam guarda e protegiam os ilustres moradores do assédio da imprensa, que costumava madrugar na portaria. Hoje Collor acorda e, a caminho da sala de refeições, cruza no máximo com um de seus quatro empregados domésticos: o cozinheiro Berto, a arrumadeira Vicentina, a lavadeira Maria e Miguel, o motorista.

Entre paredes pintadas de branco (nas quais podem-se ver telas de Di Cavalcanti e Manabu Mabe), Collor toma seu café-da-manhã: pão, queijo, manteiga, bolachas de água e sal, café com leite, uma mistura de sucos de mamão, laranja e cenoura e, como antes, uma dose generosa de vitaminas (hoje o coquetel tem vitaminas A, E e uma dose de magnésio — "um excelente antioxidante", explica). Enquanto come, lê primeiro os jornais da capital, o *Correio Braziliense* e o *Jornal de Brasília*. Mais tarde, o motorista vai buscar, em uma banca do centro, *O Globo, O Estado de S. Paulo*, a *Gazeta Mercantil* e a *Folha de S.Paulo*. Seu próprio jornal, a *Gazeta de Alagoas*, que ele lê todos os dias, só chega às bancas de Brasília depois do almoço. Da mesa de café é possível identificar, sobre uma cômoda junto à porta de saída, vários porta-retratos com fotos familiares. Duas delas chamam a atenção: a mais recente, feita na última temporada de esqui em Aspen, nos Estados Unidos, mostra que o filho mais velho, Arnon Affonso, de dezoito anos, já está meio palmo mais alto que o pai; a outra se destaca nem tanto pela qualidade, mas pela celebridade que a bateu. É um retrato de Collor sem camisa e de cabelos ao vento, a bordo de uma lancha na baía de Angra dos Reis, tirado ainda no tempo da Presidência. Para não restar dúvida sobre a autenticidade, o autor assinou a fotografia na margem branca: "Roberto Marinho".

Baixa, bonita e confortável, sem ser luxuosa, a Casa da Dinda foi construída nos anos 60 no meio de um terreno de 5 mil metros quadrados, à beira do lago Norte de Brasília, e comprada logo depois pelo então deputado Arnon de Mello, pai de Collor. Em estilo espanhol, tem três dormitórios, uma sala de jantar, um pequeno e bonito escritório revestido de madeira escura e uma grande varanda nos fundos, dando para o lago Paranoá. Na parte da frente, os jardins que ficaram célebres durante o processo de impeachment nem são tão babilônicos assim: bem medidos, devem ser uns cinco metros de muro recobertos de plantas sobre um pequeno lago de pedras (por entre as quais já não nadam mais as carpas japonesas *nishikigoi*). No outro lado do jardim permanece a pequena gruta de pedras com a imagem de Nossa Senhora de Medjugorje.

Da mesa de café ele vai para um antigo quarto de dormir, onde está instalado um aparelho de ginástica. Ali, faz meia hora de ginástica calistênica (Collor garante que é "para manter o físico em condições normais"; no dicionário *Aurélio* está escrito que "calistênico" é também um exercício para a "beleza física"). Se o tempo estiver bom, vai até a piscina da casa, à beira do lago, e dá braçadas durante quinze minutos. Toma banho, pega um bloco de papel e uma caneta e senta-se a uma das mesas para retomar seu atual projeto mais importante: um livro sobre sua trajetória política.

Collor escreve sempre à mão, depois entrega os originais para a secretária Valneida digitar em um micro Acer 486. Enquanto escreve, fuma o primeiro charuto do dia, um enorme Hoyo de Monterrey Double Coronas, tirado do estoque que o presidente Fidel Castro continua lhe mandando regularmente de Cuba (a diferença é que agora trazem apenas a marca impressa no anel, e não mais a inscrição PRESIDENTE FERNANDO COLLOR, como antes). As primeiras páginas do livro começaram a ser escritas na viagem à Flórida, mas o autor só pegou pique depois que retornou a Brasília. Inspiração para falar da Presidência não lhe deve faltar: da mesa onde ele se senta para escrever é possível ver, a olho nu, na outra margem do lago, o Palácio do Planalto. Mas, naturalmente, não é só dessa imagem que ele extrai as informações que o livro vai trazer. A poucas centenas de metros, nos escritórios que mantém em um terreno no outro lado da rua, estão os minuciosos registros, inclusive em fitas gravadas, que fez de seu período presidencial, depositados em um banco de dados criado ainda no tempo do Planalto.

Collor trabalha sozinho, sem a ajuda de auxiliares ou pesquisadores. Quando tem alguma dúvida, é ele mesmo que vai desenterrar a informação em seus arquivos. A estrutura do livro — que ainda não tem título e deve estar pronto no final do ano — é cronológica, com flashbacks que levarão o leitor ao tempo em que o ex-presidente foi prefeito de Maceió, deputado federal e governador de Alagoas. Com sessenta páginas já escritas, Collor garante que seu livro não será uma revanche nem uma vendeta contra os que o derrubaram da Presidência. "Existem diversas versões sobre o que foi meu governo, mas ainda não apareceu a minha versão", ele adianta. "Preciso fazer esse registro para ser fiel, sem o desejo de deslustrar quem quer que seja." Será? Quando alguém pergunta se no livro vai entrar, por exemplo, o que ele chama de "o episódio da lei de patentes", Collor ri e não diz que sim nem que não. Só na hora da edição é que vai decidir o que entra e o que será descartado. Mesmo sem saber se vai usá-la, o ex-presidente rememora a história.

Nesse episódio, ele havia convocado alguns ministros para discutir o projeto que o governo enviaria ao Congresso. Como a reunião terminou inconclusiva, decidiu chamar de novo os participantes para outra rodada dali a alguns dias. Quando o fez, descobriu que um dos ministros estava no exterior. Determinou seu imediato retorno ao Brasil e reconvocou a reunião para o dia seguinte. O ministro apareceu com uma minuta de projeto que, dizia, "contava com a boa vontade do governo americano". Collor achou-a exageradamente favorável aos interesses dos Estados Unidos. Acuado, o ministro abriu um pouco mais o jogo e revelou que sua viagem tinha sido para uma visita ao Departamento de Comércio, em Washington. Irritado, Collor disse que era inaceitável mandar ao Congresso uma proposta de inspiração estrangeira como sendo oriunda de estudos e avaliações do próprio governo. Ao pito, passado em público no ministro, o presidente acrescentou um ditado espanhol, que ficou registrado nas fitas gravadas: "*Al que mucho se rebaja, el culo se le ve*" ["*Quem se agacha demais, acaba mostrando a bunda*"].

Hoje Collor até acha que o ministro estava agindo de boa-fé. "O projeto não veio de forma escamoteada, para atender os interesses de outro país", ele atenua. "O próprio ministro disse que tinha estado no Departamento de Comércio." Quem era o ministro? Isto talvez só se saiba lendo o livro. O máximo que o autor concede hoje é reconhecer que era "um paulista".

O desejo de dedicar-se em tempo integral ao livro foi um dos ingredientes de sua decisão de mudar-se para os Estados Unidos. Na viagem do começo do ano, acabou alugando, por 3 mil dólares mensais, uma casa em Miami, no bairro chique de Bal Harbour, onde pretende morar por ao menos um ano e meio. Lá, Collor imagina, terá "tempo e sossego" para terminar o livro, o que implicará levar consigo, armazenada em discos de computador, parte do banco de dados acumulado diariamente no período da Presidência (além disso, o ex-presidente acredita que terá de contratar um pesquisador de confiança para cuidar de seus arquivos aqui e remeter-lhe regularmente informações adicionais para o livro).

Outra forte razão para a mudança é a vontade de estar mais tempo perto do filho mais velho, Arnon Affonso. O rapaz está terminando o colégio em Zuoz, na Suíça (onde também estuda o caçula, Joaquim Pedro, de dezesseis anos), e ainda este ano pretende matricular-se em alguma universidade americana para estudar administração de empresas ou diplomacia. Os amigos de Collor, no entanto, têm uma versão adicional para a mudança: defensores há vários meses da ida dele para o exterior, acreditam que a estada fora do Brasil vai permitir que volte a "viver como um cidadão normal". Aqui no Brasil, eles lembram, foram raras as vezes, depois do processo de impeachment, em que o ex-presidente deixou a Casa da Dinda. Nunca houve um caso de provocação ou insulto de alguém na rua contra Collor, mas a verdade é que ele leva uma vida de recluso.

Quando termina de escrever a cota diária do livro, almoça, quase sempre em companhia da mulher. Come arroz, feijão-preto, farofa, picanha Sadia, tipo exportação, batatinha frita. De sobremesa, queijo branco e goiabada cascão que um amigo manda regularmente de Uberaba, em Minas Gerais. Terminado o almoço ele vai até a garagem da casa, pega o Tempra preto emprestado pelo amigo Luís Estevão, empresário de quarenta anos e agora deputado distrital (PP-DF). Além do Tempra, Collor e Rosane costumam usar um dos outros três carros da casa: um Opala 1990, um Escort 1988 e um velho Ford Landau 1982 — "quase uma peça de museu, mas ainda muito confortável", diz o dono.

O trajeto que o carro percorre todas as tardes poderia tranqüilamente ser feito a pé: são quinhentos metros pela rua de terra até o portão de ferro verde onde fica o local que ele transformou em seu escritório. São cerca de dez salas enfileiradas, construídas de pré-moldado e separadas por divisórias. Até 1992 a construção servia de alojamento para a guarda presidencial e a segurança pessoal de Collor. Quando ele chega do almoço já estão a postos os quatro auxiliares que trabalham em tempo integral com o ex-presidente: o major Dário César Cavalcanti, o sargento Amorim e as secretárias Renata e Valneida. Os dois militares são da PM alagoana e estão gozando licença-prêmio. Ao final desse período, serão colocados pelo governador Divaldo Suruagy à disposição de Collor. Este corrige: "Não é à minha disposição, mas de um ex-presidente da República". Os salários de Renata e Valneida são pagos pelo patrão.

De onde vem o dinheiro para essas despesas? Collor conta a origem — a Organização Arnon de Mello —, mas prefere não dizer o montante de seus rendimentos. Desde a morte da mãe, Leda, e do irmão Pedro, os quatro herdeiros remanescentes (Leopoldo, Collor, Ledinha e Ana Luísa) se reconciliaram e decidiram que ficaria com ele o comando das empresas. Collor, por sua vez, nomeou o primo Euclides de Mello, ex-deputado federal não reeleito, para a presidência do pequeno conglomerado de comunicações: uma gráfica, uma estação de TV (repetidora da Rede Globo em Alagoas), o jornal diário *Gazeta de Alagoas* e três estações de rádio, duas em Maceió e uma em Arapiraca.

A inconfidência de um amigo do ex-presidente, porém, revela que cada um dos irmãos (e mais a cunhada Thereza Collor, herdeira, com os dois filhos, dos direitos de Pedro) tem uma retirada mensal nas empresas de cerca de 15 mil reais — e que Leopoldo abriu mão de sua parte em benefício de Collor. Ou seja, ele teria uma renda mensal em torno de 30 mil reais. O ex-presidente prefere não confirmar nem desmentir esses números. O mesmo amigo revela mais: quando Leopoldo, nomeado testamenteiro por dona Leda, abrir o inventário da matriarca, se saberá que o valor total dos bens da família (além das empresas de Alagoas, os Collor são proprietários de imóveis no Rio e em São Paulo) deve girar em torno de 20 milhões de reais. Uma fortuna? "Nem tanto", responde o amigo anônimo. "Isso, segundo a revista *Forbes*, é o que a Xuxa fatura por ano."

E as viagens, quanto custaram? Quem pagou? Collor afirma que sua turnê de cem dias pela Europa e Estados Unidos em companhia de Rosane "deve ter custado uns 40 mil dólares", e que foi paga do seu próprio bolso. Pode ser, mas, tomando-se por base o preço da diária do Hotel Ritz, onde o casal ficou hospedado em Paris, o valor estimado pelo ex-presidente só daria para pagar os hotéis, não sobrando um centavo para o café-da-manhã, almoços, jantares, teatro etc. Amigos de Collor garantem que as despesas foram bancadas pelo amigo Luís Estevão e pelo ex-sogro e avô de seus filhos, o empresário Joaquim "Baby" Monteiro de Carvalho, com quem ele continua mantendo relações cordiais. Os gastos com a escola e a manutenção dos filhos na Suíça, estes sim, Collor informa, sem precisar valores, que correm por conta da ex-mulher, Lilibeth Monteiro de Carvalho.

Depois do almoço, o ex-presidente entrega a Valneida os originais do livro escritos de manhã e recebe dela as cartas que vêm de todo o Brasil. A Casa da Dinda recebe diariamente entre quinze e vinte cartas. Tanto ele como a secretária garantem que nunca chegou uma correspondência contendo qualquer agressão ou desaforo — e que quase todas são de solidariedade ao expresidente. Collor lê uma por uma, devolve o maço a Valneida, que prepara as respostas que o chefe irá assinar no dia seguinte. Acende o segundo Hoyo do dia, revê o que escreveu na véspera e dedica as horas seguintes à leitura de livros. Atualmente está lendo (com grande interesse) a biografia de Oswaldo Aranha escrita pelo brasilianista Stanley Hilton. Recentemente leu *O paraíso perdido*, de frei Betto, e não gostou. Mas leu também, e apreciou muito, *A revolução impossível*, de Luís Mir. Está na fila, esperando tempo, a biografia de Irineu Evangelista de Souza, *Mauá*, escrita por Jorge Caldeira. O último romance que leu (e de que gostou) foi *Do amor e outros demônios*, de Gabriel García Márquez. Num canto da mesa de trabalho, chama a atenção a inusitada presença de uma obra. O que faz aqui o livro *Brasil: Nunca mais*, patrocinado pela Igreja para denunciar os envolvidos em torturas durante o regime militar? Collor conta que descobriu "uma pérola" no índex dos torturadores: o nome do procurador-geral da República, Aristides Junqueira, autor formal da denúncia que desembocou no seu impeachment. Corre o dedo até a página 152 e lê um trecho, com indisfarçável satisfação:

— Este é um livro insuspeito, não é? Afinal, foi prefaciado por dom Paulo Evaristo Arns. Pois então olhe aqui o que está escrito: "O procurador da República Aristides Junqueira Alvarenga reconhece que, de fato, só no inquérito policial há provas contra o recorrente, mas, consoante reiteradas decisões do Tribunal, merecem valia". Você entendeu? O doutor Aristides aceitava como válidos depoimentos tomados de presos políticos nos órgãos de segurança. E você sabe como era tomada a maioria desses depoimentos...

A quem quiser acreditar, Collor garante, a sério, que não leu nenhum dos vários livros publicados sobre o processo que levou a seu impeachment. Nem o de seu irmão, Pedro, e nem mesmo o de seu ex-assessor de Imprensa, Cláudio Humberto Rosa e Silva. E insiste: "Não li e não tenho a menor curiosidade em saber o que está escrito em nenhum deles".

Ao longo da tarde ele interrompe várias vezes as leituras para falar por telefone com o primo Euclides, presidente de suas empresas em Maceió. Pergunta tudo, principalmente sobre a *Gazeta de Alagoas*: quer saber o que vai sair na primeira página do dia seguinte, o que será a manchete do jornal, de que assuntos vão tratar os editoriais. Dá palpites, orienta, sugere mudanças. Mas jura que a orientação que dá ao jornal para tratar o governo estadual é a mesma que dava quando era ele o governador: "Absoluta independência. Nada de comportamento panfletário. Errou, criticamos; acertou, elogiamos". Segundo Collor, essas normas valem para todos, aí incluídos P. C. Farias, o piloto Jorge Bandeira e antigos inimigos seus ou políticos que participaram do processo de impeachment. O jornal, porém, nem sequer noticiou a prisão de Jorge Bandeira, ocorrida em maio.

A sala onde Collor passa suas tardes é modesta, deve ter no máximo trinta metros quadrados. Para entrar nela é preciso passar por uma ante-sala decorada com um insólito quadro: um enorme retrato a bico-de-pena do guerrilheiro Che Guevara, comprado pelo ex-presidente há alguns meses na praça da Catedral, no centro de Havana. Acarpetada e arejada por um aparelho de ar-condicionado, a sala de Collor tem uma mesa de trabalho e outra, redonda, para reuniões. Uma porta dá para um banheiro pequeno e simples. Nas paredes da sala pode-se ver um óleo do artista plástico Siron Franco, pintado a partir de "santinhos" eleitorais com a foto dele ("presente do Luís Estevão", esclarece), e, no outro extremo, o último presente de aniversário que recebeu da mãe: um retrato dele a óleo, aos dois anos de idade, encontrado entre os guardados de dona Leda em Alagoas, e que ela mandou restaurar para dar ao filho em 1992.

Sobre os armários baixos que contornam as paredes, vê-se uma nostalgia que não deve deixá-lo esquecer os tempos do poder: fotos autografadas de autoridades e chefes de Estado com quem conviveu quando presidente. Ali estão, enfileirados, o rei Juan Carlos, da Espanha, os príncipes britânicos Phillip e Charles, a ex-primeira-ministra Margareth Thatcher, o presidente português Mário Soares, o príncipe Rainier de Mônaco, o pesquisador francês Jacques Cousteau, o chanceler alemão Helmut Kohl, Fidel Castro, o papa João Paulo II, o presidente argentino Carlos Menem, o ex-presidente francês François Mitterrand, o ex-presidente americano George Bush e até o general Alexander Rutskoy, presidente do Parlamento russo que sobreviveu ao feroz bombardeio determinado por Boris Yeltsin em agosto de 1991.

Quando foi absolvido pelo Supremo Tribunal Federal, em dezembro do ano passado, Collor mandou cartas a todos os chefes de Estado e autoridades com quem tinha estado na Presidência, comunicando a eles o conteúdo da sentença. Só três responderam: o rei da Espanha, o secretário-geral da ONU, Boutros Ghali, e o presidente da República Dominicana, Joaquín Balaguer. E pelo menos dois deles parecem continuar se interessando pelo destino de Collor: os arquiinimigos comuns George Bush e Fidel Castro. Bush, que na visita do então presidente brasileiro aos Estados Unidos o comparou ao herói Indiana Jones, queixou-se no começo do ano de não ter sido convidado para a homenagem prestada a Collor em Miami por uma certa Fundação pela Liberdade Econômica e Desenvolvimento Social, presidida pelo advogado brasileiro José Carlos Graça Wagner. E Fidel (que continua tratando-o por "*don* Fernando"), além dos charutos, enviou-lhe uma carta simpática, entregue pelo embaixador cubano em Paris.

Collor sabe retribuir as gentilezas: quando passou por Miami, em suas férias, recusou-se a atender os líderes anticastristas locais, que cobravam dele uma declaração contra Fidel. "Não faço comentários sobre chefes de Estado ou de governo com os quais convivi", respondeu. "Do ponto de vista ideológico, defendo as liberdades econômicas, o que me coloca num espectro diferenciado daquele defendido pelo presidente Castro, mas os senhores não terão de mim uma única palavra contra ele."

Apesar de ter se reconciliado com os irmãos, algumas feridas familiares parecem continuar abertas. É com visível desconforto que Collor fala do irmão Pedro. Quem perguntar por que não compareceu ao enterro dele, vai vê-lo incomodado, mexendo-se na cadeira, baixando os olhos:

— Ao enterro de minha mãe não compareci porque não havia tempo. Ela tinha que ser sepultada e eu não tinha como chegar a tempo. O do meu irmão? É preciso falar disso? Bem... Não fui porque os sinais que recebi eram de que minha presença não seria bem aceita. Para evitar constrangimentos, eu não podia estar lá, criar desconforto em um enterro.

Sinais vindos de quem?

— De minha cunhada Tereza, a viúva de Pedro.

E Collor não acha que podem ter causado mal-estar as fotos em que ele apareceu nos jornais, feliz, em férias, beijando a esposa, enquanto o irmão agonizava em um hospital, com câncer no cérebro? Não, ele não concorda com isso:

— Tentei uma aproximação durante a doença, mas senti que não seria bem recebido. Nem por ele nem por minha cunhada. O que pude fazer foi mandar rezar uma missa na Dinda pedindo por ele, quando estava doente.

Collor não gosta de falar desses assuntos. E muito menos se aventura a interpretar o destino que tiveram os principais líderes do processo que o derrubou: Pedro Collor e Ulysses Guimarães morreram tragicamente, o deputado Ibsen Pinheiro foi cassado por corrupção, o senador Amir Lando e o deputado José Dirceu perderam eleições e, segundo intriga publicada na *Gazeta de Alagoas*, o procurador-geral da República, Aristides Junqueira, estaria com câncer na boca.

— São desígnios de Deus, eu não falo disso. Muito mais surpreendente foi o que aconteceu comigo.

Mas fala com desenvoltura sobre seu impeachment, repisando a tese de que seus gastos eram originários de restos de campanha:

— Nunca criei obstáculos às investigações. Os ministros me traziam os extratos bancários, as contas de telefones requisitadas pela CPI, eu olhava aquilo por alto e determinava: toquem o pau, entreguem tudo. Joguei limpo, e meus adversários — movidos por baixos apetites, por ódio, inveja, despeito, raiva, por interesses contrariados — se valeram de minha absoluta ingenuidade. Eu dizia: só serei presidente inteiro. Desarmado, entreguei tudo. Se criasse embaraços, seria meio presidente. Se obstasse as investigações, perderia minha autoridade. Mas eu não cairia jamais no jogo fisiológico. Talvez não tenha calculado que o preço seria tão elevado, em termos de sofrimento pessoal, mas agiria de novo do mesmo jeito que agi.

Num dos últimos encontros que teve com ele, Leonel Brizola afirmou que seu sofrimento pessoal era maior do que o que levou Getúlio Vargas ao suicídio. O então governador do Rio de Janeiro temia que Collor tivesse destino idêntico ao de Getúlio.

— Meu sofrimento foi tenebroso, mas estou vivo. E sem mágoa, sem rancor.

Ele insiste em que o Brasil "nunca viu nada parecido com a perseguição que se move contra mim":

— A meus adversários não bastou eu ter perdido minha mãe, meu mandato, meus direitos políticos, minhas empresas, hoje graças a Deus recuperadas. Romperam-se laços de família, que agora estão se recompondo. Não bastou todo esse sofrimento, toda essa humilhação, essa execração que impuseram a mim. Agora mesmo pediram o seqüestro dos meus bens. Meu Deus do céu! O Supremo já me julgou e me absolveu!

A patrulha de que se queixa parece ter alcançado também seus ex-auxiliares. Como exemplo, Collor cita o processo de expulsão aberto pelo sindicato dos jornalistas do Distrito Federal contra seu último assessor de Imprensa na Presidência, o jornalista Etevaldo Dias. Uma das acusações contra Dias é baseada em reportagem que este escreveu, ainda no *Jornal do Brasil*, sobre a chamada "Operação Uruguai" — o suposto empréstimo obtido pelo ex-presidente que justificaria suas despesas. Segundo o sindicato, "o conteúdo final de sua reportagem vai contra as conclusões da CPI do caso PC".

Hoje Collor persegue duas suspeitas de conjuras que, na sua opinião, teriam sido o verdadeiro motivo daquilo que chama de "golpe". A primeira, já denunciada por ele em artigo de jornal, defende que o que houve foi uma conspiração que juntou extremos — empresários paulistas e sindicalistas da CUT, tendo no meio, "inocentemente", os jovens caras-pintadas. A segunda suspeita, ainda mais rocambolesca, foi passada por um repórter da rede americana de televisão CNN à Procuradoria Geral da República e fala em 70 milhões de dólares de empresários de Taiwan destinados a corromper deputados e fazê-los votar pró-impeachment.

O dia já está escuro quando responde aos eventuais telefonemas do dia, antes de retornar à Casa da Dinda. Quem tem telefonado? O presidente Fernando Henrique Cardoso, por exemplo, já ligou alguma vez? Quando ouve a pergunta, Collor pára, olha fixo nos olhos do interlocutor e faz lembrar um personagem de um de seus autores preferidos, Gabriel García Márquez:

— Meu caro, ninguém me telefona mais...

Embora nos dois dias inteiros em que acompanhei sua rotina, Collor só tenha recebido duas chamadas telefônicas (uma do amigo Luís Estevão e outra do jornalista Elio Gaspari), ele exagera quando diz que ninguém o procura mais. Além dos amigos mais próximos, costumam telefonar alguns dos antigos colaboradores, como Lafaiete Coutinho, ex-presidente do Banco do Brasil, e Pedro Paulo Leoni Ramos, ex-titular da Secretaria de Assuntos Estratégicos. E, fora das relações pessoais, alguns poucos figurões ainda ligam para ele, como o senador Antonio Carlos Magalhães e o dono da Rede Globo, Roberto Marinho. E Paulo César Cavalcante Farias, o PC, costuma ligar? Não, garante Collor. Depois da tempestade que custou a liberdade de um e a Presidência do outro, os dois amigos só se falaram uma vez, há poucos meses, por telefone e por iniciativa de Collor.

Ao retornar, à noite, ele atravessa os portões de uma Casa da Dinda sem guardas, seguranças ou vigias. Quando era presidente, Collor tinha o hábito de mariscar quase todos os telejornais da noite, de controle remoto em punho. Hoje só vê o *Jornal Nacional* e, mais tarde, captado por uma antena parabólica, um dos noticiosos da CNN. Não acompanha novelas nem vê nenhum dos *talk-shows* do fim da noite. Janta quase sempre a mesma comida caseira feita por Berto e avança na leitura de algum livro. É nessa hora que fuma o terceiro e último charuto do dia. Depois que deixou a Presidência, Collor nunca mais pisou em um teatro ou cinema no Brasil. A viagem à Europa e aos Estados Unidos permitiu que tomasse um verdadeiro banho de cultura: viu a *Cavalleria rusticana*, *La traviata*, *A bela e a fera*, reviu *Miss Saigon*, assistiu a *Grease*, com a atriz Brooke Shields, e se maravilhou com Glenn Close em *Sunset Boulevard*. Filmes, Collor só assiste quando os lançamentos chegam às videolocadoras de Brasília. Em geral ele e a mulher os vêem à noite, no quarto de dormir.

Isso quando os poucos amigos que restaram não aparecem para um carteado. Dos tempos do poder permanecem próximos o empresário Luís Estevão, o ex-secretário particular Luís Carlos Chaves, o funcionário público aposentado Afrânio Rodrigues da Cunha, o ex-deputado pernambucano Thales Ramalho, a ex-secretária de Rosane, Eunícia (e o marido dela, José Carlos Guimarães), o ex-presidente da Embratur, Ronaldo Monte Rosa. Durante a crise, Collor ganhou um fiel casal de amigos, os vizinhos Hélio Macedo Soares e sua mulher, Marisa (irmã da apresentadora de televisão Marília Gabriela). Até conhecê-los, Collor só jogava biriba, mas Hélio acabou seduzindo-o para o pôquer. E são de pôquer as rodadas que, nos fins de semana, costumam avançar pela madrugada. O grupo não joga a leite-de-pato, mas está próximo disto: cada "pingo" custa modestíssimos dez centavos de real. Quem tem sorte e ganha muito leva para casa entre vinte e trinta reais. Se a animação é grande, o dono da casa, que não é de beber, toma uma ou duas doses de uísque Logan ou alguns copos de cerveja Bohemia. Um amigo inseparável dos bons tempos já não aparece mais: o empresário e ex-deputado Paulo Octavio. "Faz tempo que não o vejo", desconversa Collor, "ele deve estar muito atarefado com seus negócios." Os outros amigos, entretanto, garantem que o afastamento foi decorrente de desentendimentos entre Rosane e a mulher de Paulo Octavio, Ana Cristina Barbará, neta do ex-presidente Juscelino Kubitschek.

Já é noite fechada quando Collor volta a falar dos planos para Miami. Conta que, ao tirar sua carteira de motorista, foi reconhecido por Paco, um funcionário de origem cubana que o atendia. Ao perguntar a Paco quanto teria que pagar pelo serviço, recebeu como resposta um sorriso e um pedido:

— O senhor não me deve nada. Ou melhor, leve meu cartão de visita. Quero que o senhor me mande um convite para a sua posse, quando voltar à Presidência da República, no Brasil.

Fernando Collor de Mello alimenta esperanças de poder atender ao pedido de Paco? Ele pensa um pouco mas não hesita ao responder:

— Vou fazer força.

A seguir, veja o que Collor pensa hoje de amigos e desafetos:

Itamar Franco: "A imagem que guardo da minha sucessão é a de alguém que está guiando um carro a toda a velocidade e de repente é tirado da direção. No meu lugar colocaram o vice-presidente, só que ele não era habilitado, não sabia guiar. Não tinha competência, não conhecia nada daqueles instrumentos, não sabia para que servia cada alavanca daquelas. Por intuição ele deixou o carro seguir. Quando o advertiram de que não podia apenas ir no vácuo, apareceu um passageiro chamado Fernando Henrique Cardoso e disse: 'Deixe que ajudo você a fazer isso'. E guiou com tal competência que se elegeu presidente da República. O Itamar me traiu do começo ao fim. Conspirou contra mim, contra o meu governo, do começo ao fim. Além disso, ele era dado a faniquitos. No nosso primeiro comício em Juiz de Fora, à noite, o ambiente estava muito pesado. O palanque estava cercado de petistas histéricos, provocando, vaiando sem parar. Ele ficou tão nervoso que, quando começou a falar, sua voz afinou. Começou a falar em falsete. A petezada, naquela anarquia, delirava. Ele acabou perdendo completamente a voz. Estava morrendo de medo, na sua própria cidade! Se ainda fosse no ABC... Tomei o microfone da mão dele: 'Me dá essa merda pra cá, porra!'. O resultado daquele fiasco ia aparecer nas urnas: em Juiz de Fora, terra dele, perdemos nos dois turnos. Eu, que não tenho muita paciência para ficar amansando, passando a mão, tinha vontade era de dar-lhe umas palmadas nos glúteos, mas tinha que me conter, respeitando aquelas melenas encaracoladas dele. Aí veio a Presidência. Em todas as reuniões lá estava ele, com aquele ar absorto, de quem não está entendendo nada, aquela cara de 'sá Mariquinha, cadê o frade?'. Como se perguntasse sempre: 'O que está acontecendo aqui?'. E era 'o Itamar hoje está mal-humorado', 'o Itamar está assim', 'o Itamar está assado'. Tudo frescura, tudo frescura. Toda vez que eu me ausentava do país, tinha que deixar o general Agenor de Carvalho [*chefe do Gabinete Militar*] ou o embaixador Marcos Coimbra [*secretário-geral da Presidência*] de olho nele para não sair besteira. Mesmo assim ele acabava fazendo bobagem. Numa dessas vezes simplesmente demitiu o ministro da Justiça, que era o Jarbas Passarinho. Por puro faniquito, por chilique. Antes de uma viagem eu o convoquei para passar-lhe a Presidência. Tinha estourado uma greve dos eletricitários, o gabinete estava agitado. Quando recomendei que tentasse dialogar com os grevistas, ele teve um ataque. Tapou os ouvidos com as duas mãos e começou a gritar: 'Pára! Pára! Eu não agüento mais isso! Eu não vou falar com grevista nenhum!'. Apertava os ouvidos com tanta força que caiu alguma coisa das mãos ou de uma orelha dele, não sei se era um aparelho de surdez, não vi o que era. Ele se abaixou, começou a procurar aquilo no chão. Eu perguntei o que estava havendo, ele se levantou e foi embora dizendo: 'Não é nada, não! Não é nada! Até logo, até logo!'. A primeira coisa que ele fez ao assumir a Presidência, depois do golpe contra mim, foi mudar o nome dos CIAC para CAIC — como se quisesse dizer: isto aqui não é do Collor. É como mudar o nome dele de Itamar para Shirley: a essência não muda, o espírito é o mesmo. O que protege um pouco a imagem desse sujeito é que ele tem à sua volta duas ou três pessoas que sabem ler e escrever e que salvam as aparências. Nada mais."

Fernando Henrique Cardoso: "Muito da minha admiração por Fernando Henrique é pelo homem que soube evoluir. Quando mandei o emendão para o Congresso, ele foi um dos críticos mais tenazes. Dizia que eu queria rasgar a Constituição, que aquelas medidas eram inteiramente dispensáveis. Hoje assumiu integralmente todas as propostas contidas no emendão."

Mário Covas: "De todos os candidatos derrotados ele foi, junto com Ulysses Guimarães, o mais ressentido contra mim. Eu não sei fazer política com gente fraca. Veja a famosa foto da professora dando de dedo na cara dele."

Luiz Inácio Lula da Silva: "Uma força telúrica, uma expressão da natureza. Tem um valor extraordinário, eu o admiro muito."

Antonio Carlos Magalhães: "Tenho uma estima e uma gratidão muito grandes por ele. Junto com os governadores [*Geraldo*] Bulhões, de Alagoas, e Romildo [*Magalhães*], do Acre, ficou firme comigo até o fim. Divergíamos muito, mas hoje vejo que ele é que tinha razão, e não eu. Com ele você sabe onde está pisando. É pão-pão, queijo-queijo."

Leonel Brizola: "Apesar de adversário político, teve um comportamento digno. Não entrou no achincalhe, não entrou nesse jogo contra mim."

Ciro Gomes: "Foi ele quem inspirou a frase em que eu disse que tinha nascido com 'aquilo roxo'. Num palanque cercado por oposicionistas, no Ceará, ele tinha as mãos frias como gelo e molhadas de suor. Estava nervoso, sugeriu que não falássemos àquela multidão. Eu insisti, ele queria que só eu falasse, e ele não. E ele branco, lívido, com medo. Um governador de Estado com medo de um magote de gatos-pingados. Esse foi o Ciro Gomes que eu conheci."

Paulo Maluf: "Tem qualidades, é obstinado. Pediu votos para meu impeachment, mas não tinha nenhum compromisso comigo."

Roberto Campos: "O voto a favor do meu impeachment foi um fato episódico. Eu, que quando jovem cansei de gritar contra ele, chamando-o de Bob Fields, agente do imperialismo, virei um grande admirador dele. É um gênio."

José Serra: "Muito competente. Se não fosse o Mário Covas, teria sido meu ministro da Fazenda."

10. Entre Kane e os malditos da *beat generation*

No começo de 1996 eu dividia meu tempo entre escrever roteiros de documentários para a GNT/Globosat e fazer pesquisas e entrevistas para o livro Corações sujos. E foi nessa época que o Jornal da Tarde *decidiu lançar sua edição dominical, que incorporaria o já existente suplemento de turismo do jornal. Desde que deixara o* JT, *mais de vinte anos antes, nunca mais tive oportunidade de publicar alguma coisa no vespertino que tanta importância representou para minha carreira profissional. Ela surgiu através de um convite feito pelo então diretor executivo do jornal, Leão Serva: na estréia da edição de domingo ele pretendia publicar uma reportagem minha sobre o Hearst Castle, em San Simeon, na Califórnia. Entre as paredes do monstrengo construído pelo bilionário magnata da mídia William Randolph Hearst carreiras de artistas e políticos foram construídas e demolidas, golpes de Estado foram tramados, até guerras foram iniciadas, como a hispano-americana de 1898 — ali seriam assinados, também, alguns dos mais importantes contratos de Hollywood na primeira metade do século XX.*

A proximidade geográfica de San Simeon com Big Sur, o pa-

raíso *da* beat generation *americana, animou Leão a ampliar a abrangência da reportagem: por que não fazer de carro o trecho da Costa Oeste americana entre Los Angeles e São Francisco? Esta alternativa permitiria não só fazer uma reportagem cult, mas também uma matéria de serviços, um guia turístico que o leitor pudesse recortar, guardar e depois repetir. A escolha do meu nome para a tarefa parecia natural: para a maioria dos leitores, era quase automática a associação do nome de Hearst ao de Assis Chateaubriand, que eu acabara de biografar. Ambos eram figuras excêntricas, ambos foram políticos, ambos tinham sido donos de impérios jornalísticos construídos sobre tijolos de duvidosa argamassa ética.*

Como eu jamais havia feito trabalho semelhante, apanhei bastante para pegar a embocadura de repórter de turismo. Desabituado com a necessidade de anotar os mínimos detalhes da viagem — preço de café-da-manhã, almoço e jantar, preço da gasolina, total de quilômetros rodados, qualidade do hotel e dos restaurantes, endereços de todos os lugares citados —, várias vezes tive que manobrar o Buick do ano na estrada e voltar alguns quilômetros para perguntar o preço de um sanduíche ou a marca de uma cerveja. Acompanhado de minha mulher Marina e de uma filha adulta, Luciana, eu aprendera que não bastava indicar os programas que nos agradassem. Era preciso lembrar que entre as dezenas de milhares de milhares de leitores do jt *certamente haveria gente que gostaria de fazer aquele roteiro com os filhos pequenos — ou com os pais idosos. Ou seja, eu devia pensar em todo mundo na hora de levantar as informações.*

Terminamos a viagem em San Francisco. Entreguei a matéria, ganhei várias páginas da edição de 17 de março de 1996 e voltei para casa certo de que agora poderia dizer que era, também, repórter de turismo.

A primeira impressão do visitante, diante do impacto causado pelas duas torres monumentais, é a de já ter visto aquela construção antes. Pode ser a igreja da Sagrada Família de Gaudí, em Barcelona, ou o prédio em estilo mourisco do Instituto Manguinhos, no Rio. Ou, ainda, a sede da prefeitura metropolitana de Tóquio, em Shinjuku. Mas é só impressão. Em lugar algum haverá arquitetura que se assemelhe a esse maciço de mármore, pedra, concreto e madeira. Ele não tem similar pela simples razão de que nasceu da cabeça de um homem absolutamente singular, seu dono e criador. Trata-se do Hearst Castle — o castelo de William Randolph Hearst, que foi o mais poderoso e perigoso jornalista americano. O homem em quem Orson Welles se inspirou para realizar o filme *Cidadão Kane*.

O castelo fica em San Simeon, na Califórnia, no centro de uma área com cerca de 100 mil hectares — originalmente denominada Piedras Blancas Ranch — comprada pelo pai de Hearst no final do século XIX. O jornalista afeiçoou-se ao lugar ainda garoto, quando era levado para acampar ali nas férias escolares. Em 1919, trinta anos após a morte do pai, e quando já era um dos homens mais temidos e polêmicos dos Estados Unidos, Hearst rebatizou o lugar com o nome de "La Cuesta Encantada" e começou a construir ali o castelo de seus sonhos.

Para projetá-lo, Hearst convidou Julia Morgan, arquiteta americana com acentuada queda pelo barroco. Segundo os biógrafos do jornalista, ele poderia ter contratado até Frank Lloyd Wright, o pai da moderna arquitetura americana, que o castelo teria a mesma cara que tem hoje. Porque, embora o projeto tenha sido assinado pela arquiteta, cada coluna, cada torre, cada banheiro leva a impressão digital do dono. Quando um turista (e por lá já passaram 20 milhões deles) pede aos guias que definam a escola arquitetônica a que pertence o conjunto, eles respondem prontamente: "Escola? Esta é a escola WRH, a escola William Randolph Hearst".

Se o Hearst Castle é de fato revelador da personalidade de seu criador, então o Charles Foster Kane criado por Orson Welles não é uma mera caricatura, mas um fidelíssimo retrato de Hearst. As versões mais próximas da realidade dizem que sua inspiração, ao imaginar o castelo que queria construir, teria vindo de um convento do século xv que ele visitara na Espanha ainda criança.

Antes de chegar ao topo de La Cuesta Encantada, o visitante percorre uma pequena estradinha asfaltada. Primeiro vêm os jardins, onde Hearst mandou plantar 700 mil mudas de árvores e flores. Logo depois, no trajeto de seis quilômetros, é possível ver, no gramado bem cuidado, zebras, lhamas e veados, remanescentes do maior zoológico privado do mundo, ali criado pelo magnata em 1930.

Lá no alto descobre-se que o conjunto é composto de quatro edificações. Cercando o castelo existem três casas de hóspedes: a Casa dei Monte, a Casa dei Sol e a Casa dei Mar. Comparadas à soberba do castelo, parecem singelas. Mas a modéstia é só aparente. Na entrada da Casa dei Mar, sobre a mesa de centro, fica uma coleção de esculturas em quartzo rosa da dinastia Ching. O parapeito da sacada da Casa dei Monte é um alto-relevo, em mármore branco, tirado de um sarcófago romano do ano 230. No quarto principal da Casa dei Sol, os hóspedes dormiam em uma sólida cama de nogueira negra que pertencera ao cardeal Richelieu.

Depois de conhecer as três casas, o visitante está preparado para o prato principal: o castelo. Ao transpor suas portas, um lance de escadas leva ao primeiro susto: a piscina externa, ou Piscina de Netuno, com 35 metros de extensão. Convivendo com peças de gosto duvidoso, uma surpresa: pousado sobre o espelho d'água, há um conjunto de esculturas raríssimas. Ali estão, entre outras, *O nascimento de Vênus*, de Andrea del Verrocchio, e *As três Graças*, de Antonio Canova. Tudo falso. Mas, se o dinheiro de

Hearst não foi suficiente para baldeá-las para a Califórnia, logo na entrada do castelo o visitante verá um Canova legítimo — uma deslumbrante *Vênus*, esculpida em mármore branco quase translúcido.

Para entrar no castelo é preciso transpor a porta principal, um arco de ferro batido com quatro metros de altura. Essa porta foi o que restou de um dos freqüentes delírios de grandeza de Hearst: em visita à Europa, no final da década de 1910, ele se apaixonou por um mosteiro espanhol do século XIII. Comprou o edifício inteiro e contratou um batalhão de engenheiros e pedreiros para desmontá-lo, numerar peça por peça e embarcar tudo num navio cargueiro. O plano era reconstruir tudo nos Estados Unidos, mas, quando a cordilheira de pedras já estava depositada em um armazém da Califórnia, o jornalista concluiu que fora seduzido não pelo mosteiro, mas apenas por sua porta de entrada, que mandou embutir no projeto de La Cuesta Encantada.

Dentro do salão principal, minutos após o início da visita, já fica difícil dizer se você está em um castelo, um templo religioso ou uma confusa exposição de obras de arte vindas de todo o planeta. As duas paredes laterais são cobertas por lambri de madeira negra, e junto delas se vêem dezenas de cadeiras também escuras, com assentos revestidos de veludo vermelho. As paredes onde não há cadeiras estão recobertas de tapeçaria flamenga bordada sobre desenhos de Rubens. Por cima da lareira, uma cornija de mármore da Renascença francesa sobe até o teto. Num canto, sobre uma mesa, chama a atenção um abajur de prata de um metro de altura, feito sob encomenda pela casa Tiffany em 1900 para Phoebe Hearst, a mãe do jornalista. Do salão passa-se à biblioteca principal, com 5 mil volumes depositados em estantes instaladas sobre tapetes persas e cercadas de arcas chinesas, potes etruscos, ânforas gregas do século VIII a.C. e jarras em maiólica renascentista italiana. Logo em seguida vem o salão de jogos com uma mesa de sinuca e outra de bilhar inglês. O revestimento das paredes é de cerâmica persa do século XVI.

Por um corredor estreito passa-se ao salão de jantar, em cujo centro fica uma mesa com 22 cadeiras. Pendurados no teto, 22 estandartes de seda de Siena tremulam sobre a cabeça dos fantasmas de Marion Davies (amante do dono e moradora do castelo por longos anos) e de Douglas Fairbanks, Mary Pickford, Clark Gable, Charlie Chaplin, Gloria Swanson, D. W. Griffith, Pola Negri e Harpo Marx — os freqüentadores mais assíduos dos banquetes servidos ali. No chão reluz um monumental tapete Kerman, persa, de 1890. Foi aqui, em 1924, logo depois da inauguração, que um Hearst envaidecido ouviu o pré-lançamento de sua frustrada candidatura à Presidência dos Estados Unidos.

Os turistas parecem ficar embriagados com o desvario de jarros, potes, tapetes, esculturas, arcas e ânforas; e com o estilo arquitetônico que vai mudando à medida que o grupo circula pelas salas do castelo: uma é gótica, a seguinte é barroca, a última é renascentista, há outra que lembra o manuelino português. Ainda no térreo, entra-se no salão de cinema, onde Hearst organizava duas sessões diárias toda vez que estreava um novo filme da sua produtora. Todo acarpetado, o salão é sustentado por vigas de madeira que terminam em colunas adornadas com esculturas de marfim e bronze que lembram assustadores Chiparus gigantes. Para os espectadores, cinqüenta confortáveis poltronas revestidas de gobelinos franceses. Na primeira fila, ao lado da poltrona do meio, foi instalado um telefone. Ali se sentava o chefe. (Hoje, o cinema exibe sucessivas sessões de curtas mostrando a vida social do castelo no tempo de Hearst.)

Na parte dos fundos do andar térreo fica a adega. Abstêmio convicto que se horrorizava com os porres de seus hóspedes, Hearst criou uma norma rígida para regulamentar o consumo de bebidas alcoólicas pelas visitas do castelo. Era a *one drink rule*.

Nas festas, jantares e recepções, a determinadas horas os garçons passavam com as bandejas de bebidas. Cada convidado tinha direito a uma dose — que só poderia repetir quando viesse a rodada seguinte. Os consumidores contumazes sabiam que o mais prudente era levar sua própria garrafinha no bolso. Mas nem mesmo tanto rigor foi suficiente para impedir alguns vexames. Em 1935, na festança para comemorar o término das filmagens de *Capitão Blood*, Errol Flynn, o ator principal do filme (provavelmente abastecido por alguma garrafa contrabandeada para dentro do castelo), teve de ser socorrido por Carole Lombard depois de desabar sobre a mesa de jantar, ao final de um pileque literalmente hollywoodiano.

Outro incidente provocado por bebidas foi protagonizado por Samuel Goldwyn, o G da MGM. Ao chegar de carro ao castelo para uma projeção de cinema, já meio chumbado, o produtor enterrou seu Cadillac em um centenário carvalho. Dias depois, Goldwyn receberia uma conta de 5 mil dólares mandada por Hearst: era o valor, segundo ele, que tinha sido pago a botânicos para recuperar e pôr novamente em pé a árvore...

Apesar dessa aversão a bebidas, o governo da Califórnia encontrou um verdadeiro tesouro na adega, quando tomou posse do castelo. Lá dentro jaziam, entre outras raridades, 28 caixas de Château Léoville Poyferré 1926; 49 de Romanée-Conti 1934; vinte de Château Lafitte Cascasse 1919; e 45 de Château Margaux 1925.

Por um corredor estreito e sombrio (como quase todos os outros do castelo), chega-se à escada que dá no pavimento superior — esta também é muito escura, lembrando a atmosfera de masmorras. Chegou a vez dos quartos. São 38 ao todo, distribuídos pelo segundo e terceiro pavimentos. O primeiro deles chama-se Suíte dos Doges, e o nome não é casual. Ele foi inteiramente copiado de um dos aposentos do Palácio dos Doges, em Veneza. De sua janela o hóspede podia ver, ao longe, as colinas das montanhas Santa Lucia. Sobre a lareira, um camafeu de mármore do século XIV com um metro de largura e a imagem de uma madona. O dossel da cama é sustentado por colunas florentinas douradas. Num aparador encostado à parede, o bronze *Apolo e Dafne*, de Bernini, de 1617.

Após passar por mais uma dúzia de quartos chega-se ao centro do edifício, onde fica a Biblioteca Gótica. Era ali que Hearst despachava e fazia reuniões com os executivos de suas empresas. Os arcos de madeira trabalhada que separam as estantes fecham-se em direção ao teto de treliça italiana. No chão, uma rara coleção de tapetes Kazak caucasianos do século XIX. Contígua à biblioteca, fica a sala de trabalho privativa de Hearst. Dali, sentado em uma cadeira renascentista, estofada com gobelinos, ele comandava seu império, declarava guerras, sugeria o assassinato de presidentes.

Depois de ver salões tão monumentais, o visitante se espanta com as pequenas dimensões do quarto do sr. e sra. Hearst, que deve medir em torno de vinte metros quadrados (quando se fala de sra. Hearst, isso tanto pode significar a oficial, Millicent, quanto a eterna amante, Marion Davies). Além de pequeno, o quarto é simples, se comparado ao que se viu até agora. O ambiente é iluminado por um turíbulo de prata portuguesa transformado em lustre. No centro, uma cama de carvalho francesa do século XIV com um dossel azul-marinho. Na parede, uma madona renascentista e duas fotos de George e Phoebe, pais de Hearst. Do outro lado, uma significativa reprodução emoldurada do salmo número 23, de Davi: "O senhor é meu pastor, nada me faltará...".

Mais um lance de escadas e chega-se ao único aposento do último andar: na torre norte, a mais alta do castelo, fica a chamada Suíte Celestial. De formato octogonal, com os batentes das janelas em arabescos de mogno negro, o cômodo abriga uma cama cuja cabeceira termina em uma escultura do século XV representando são José com o Menino Jesus no colo. Aquele era o lugar nobre do castelo, reservado a convidados muito especiais. E para chegar até lá era preciso galgar, um a um, nada menos que 96 degraus.

O primeiro a ocupar a Suíte Celestial foi o presidente americano Calvin Coolidge. Depois ela permaneceu fechada por cinco anos, até receber, em um fim de semana de 1929, a visita de Winston Churchill, então ministro da Fazenda da Grã-Bretanha (ele foi poupado das escadas: em 1928 já haviam sido instalados dois elevadores no castelo). Conta-se que, ao acordar naquele domingo, Churchill recebeu de um criado edições do dia de vários jornais da cadeia Hearst. Semanas depois, em Londres, ao ser entrevistado sobre suas impressões dos Estados Unidos, ele parecia lembrar-se dos calhamaços que folheara no castelo: "Eles fazem jornais muito grossos e papel higiênico muito fino", respondeu.

Atordoado pela profusão de mosaicos e esculturas, e pela miscelânea de estilos falsos e legítimos que passaram diante de seus olhos nas últimas cinco horas, o visitante imagina que nada mais o surpreenderá. Novo engano. O prato de resistência dessa alucinante Xanadu — nome do castelo de *Cidadão Kane* — foi deliberadamente guardado para o fim. Num enorme vão sob o castelo está a Piscina Romana. Chamada de "mictório de califas" pelo escritor Umberto Eco, a piscina térmica onde Hearst nadava no inverno lembra um indefinível monumento turco. Paredes e teto são revestidos de mosaicos azul-turquesa e dourados, produzidos em Murano, na Itália, especialmente para o jornalista. Como era utilizada também à noite, o dono mandou embutir centenas de pequeninos globos de alabastro no teto, para que, refletida na água, a luz causasse a impressão de que se nadava num céu estrelado. Cercando a piscina, quatro estátuas de deuses olímpicos em mármore de Carrara. Todas falsas.

A caminho do microônibus que os levará de volta à portaria, visitantes trocam impressões sobre o que acabaram de ver, e a conclusão é quase unânime: ao fazer *Cidadão Kane*, Orson Welles decididamente não realizou um filme de ficção, mas um documentário sobre William Randolph Hearst.

Visitar o castelo do *Cidadão Kane* é uma oportunidade para conhecer o miolo da Costa Oeste dos Estados Unidos, uma região cuja beleza só é comparável à do outro extremo do país — a Nova Inglaterra, na Costa Leste. Com uma diferença a favor da Califórnia: aqui o viajante vai rodar 709 quilômetros sem ver um único prédio de mais de quatro andares. Alugue um carro e saia no sentido sul—norte, partindo de Los Angeles. Esta, aliás, é uma cidade vitimada por injusta má fama, a de metrópole *Blade runner*, onde só se anda de carro. Quem não conhece Los Angeles deve passar pelo menos um dia lá, sem susto. Ainda que seja apenas para visitar Beverly Hills, Hollywood, Santa Monica e Malibu. As ofertas de hotéis e restaurantes são infinitas, mas quem quiser comer sanduíches deliciosos e baratos pode passar no Nat'n Ais, uma padaria de meio século que tem fama de servir um pastrami incomparável.

Não caia na tentação de percorrer a *Scenic Coast*, como é conhecido esse trecho da Costa Oeste, pela moderna e monótona auto-estrada 101. Tome uma estrada estadual, a Highway 1 (ou Rodovia 1), que, apesar de secundária, é segura e confortável. Por ela é possível fazer quase todo o trajeto desfrutando a vista do Pacífico a poucos metros do carro. Esse, entretanto, não é um roteiro para quem gosta de alta velocidade: o limite, e apenas em alguns trechos, é de 55 milhas por hora — ou seja, 88 quilômetros por hora. Quem sair cedo de Los Angeles e respeitar as leis na estrada vai sentir fome na hora em que estiver chegando a Montecito, um pequeno e encantador vilarejo a 120 quilômetros de distância, um pouco antes de Santa Barbara. Tome a San Ysidro Lane e, depois de rodar alguns minutos por estradinhas cercadas de árvores e casarões elegantes, pare no número 900. Você estará no San Ysidro Ranch, um hotel muito bonito, em que os hóspedes são instalados em chalés espalhados por um bosque florido. Foi aqui que John e Jacqueline Kennedy passaram sua noite de núpcias, em setembro de 1951. E foi também aqui que Laurence Olivier e Viven Leigh se casaram, em 1940.

Quem quiser fazer uma incursão que não aparece nos guias de turismo deve abandonar por alguns quilômetros a vista para o mar e tomar a auto-estrada 101. Depois de rodar sessenta quilômetros (os cinco últimos em meio a serras cobertas de ciprestes), o viajante terá a impressão de estar entrando em um cenário de filme: é Solvang, uma cidade de 4 mil habitantes que parece ter sido arrancada da Dinamarca e transplantada para os Estados Unidos. Com apenas dez quarteirões, Solvang foi construída no início do século xx por um grupo de lavradores dinamarqueses que emigraram para os Estados Unidos. Os postes de luz que iluminam a cidade até hoje são os mesmos que foram retirados das ruas de Copenhague, em 1911, e transportados de navio até a Califórnia. Noventa anos depois de fundada, a cidade mantém a arquitetura e os costumes do país de origem de seus primeiros habitantes.

Apesar de pequena, Solvang oferece hotéis excelentes e restaurantes muito bons. Mas aqui (como, de resto, em quase toda a viagem) é preciso ficar esperto com o relógio, porque os restaurantes fecham muito cedo. Às oito e meia da noite, já não se come mais no Angelika, por exemplo. O remédio é bater à porta do Bit O'Denmark e pedir um apetitoso arenque defumado, acompanhado de uma caneca de cerveja. Uma das atrações da cidade é o Solvang Antique Center — um conjunto de antiquários onde se encontram desde relógios de parede do século xix (45 mil dólares) até curiosas miniaturas da cabeça de Josef Stálin usadas para arrolhar garrafas de *acquavit* (modestos sessenta dólares). Para crianças, dois programas especiais: o primeiro é o Hans Christian Andersen Museum, onde foram montados cenários, em miniatura, dos principais livros infantis do autor. O outro é a Nathalie's Doll House, uma loja que oferece uma infinidade de modelos de bonecas. Para quem gosta do gênero, a sugestão é ir até os arredores da cidade e passear de carro na frente das casas de campo de Michael Jackson e Steven Segal, entre outras celebridades. Durma em Solvang e volte à estrada calculando que sua visita ao Castelo Hearst está marcada para o dia seguinte. Há duas alternativas. A mais tentadora é tomar de novo a Rodovia 1, que em seguida se aproximará outra vez do litoral, e seguir até San Luis Obispo. São apenas cem quilômetros de distância, e vale a pena ver, no meio do caminho, a Missão de La Inmaculada Concepción de María La Más Pura — ou simplesmente *La Purísima* —, fundada em 1787, destruída por um terremoto em 1815 e restaurada em 1937, depois de comprada pelo governo da Califórnia.

San Luis Obispo não tem nada especial, além da missão, que justifique uma parada. A passagem por lá é apenas um pretexto para conhecer de perto o motel Madonna Inn. Construído em 1958, à primeira vista não tem nada que o faça parecer diferente de qualquer outro motel americano de luxo. Quando o carro se aproxima do estacionamento, no entanto, o hóspede começa a descobrir por que ele é considerado a meca universal do kitsch: os postes de luz são pintados de rosa-choque acrílico! Depois de dormir aqui, o escritor Umberto Eco parecia de tal forma embriagado que foi obrigado a recorrer a algumas "sugestões analógicas" para descrever o que vira:

Digamos que Piacentini, folheando um livro de Gaudí, tenha ingerido uma dose exagerada de LSD e se tenha posto a construir uma catacumba nupcial para Liza Minelli. Mas não dá a idéia. Digamos, o Arcimboldo construindo para Orietta Berti a Sagrada Família. Ou então: Carmen Miranda desenhando um ambiente Tiffany para os Motéis Motta. Ainda, o Vitoriai imaginado por Fantozzi, as Cidades Invisíveis de Calvino descritas por Liala e realizadas por Eleanor Fini para a Feira do Feltro, a "Sonata em si bemol" de Chopin cantada por Claudio Villa com arranjo de Valentino Liberace e executada pela banda dos Bombeiros de Viggiu. Mas ainda não chegamos perto.

A descrição do autor de *O nome da rosa* não contém uma única sílaba de exagero. O Madonna Inn é mesmo de tirar o fôlego. O saguão é iluminado por um lustre montado dentro de um barril, pendurado no teto, de onde saem cachos de uvas de vidro, separados por pequeninas estátuas de Baco feitas de cristal de Murano, uma de cada cor. Encostados às paredes, sofás de plástico rosa com botões em capitonê. Da entrada passa-se à cafeteria, um enorme salão com janelas de vidros bisotados nos quais flores envolvem vitrais multicores com motivos religiosos.

No meio do ambiente, um balanço infantil pende do teto, movido por um mecanismo elétrico. Sentada na tábua, e balançando o tempo todo, está uma boneca em tamanho natural, vestida de holandesa, de cujas mãos escorrem buquês de flores — de plástico, naturalmente. A chapeleira é um urso de louça verde-escura, também em tamanho natural, de pé, segurando um chifre de alce. Para chegar aos quartos do bloco central sobe-se um lance de escadas cobertas por carpete verde-periquito imitando grama. No caminho, uma cabine telefônica instalada em uma caverna de pedra.

Mas o melhor de tudo são os quartos. A todo são 109, e os donos se orgulham de que nenhum deles tenha decoração igual à de outro. Todos são batizados com nomes sugestivos: *Love Birds, Everything Nice, Honey-Moon, Happy Birthday, Old Fashioned Honey-Moon*. No *Caveman Room*, o hóspede terá a impressão de que foi transportado para a história em quadrinhos do Brucutu ou para os desenhos animados dos Flintstones. Ele tem as paredes e o teto revestidos de pedra, e a luz entra por uma janela-vitral com o desenho de um homem das cavernas. A gruta onde está a penteadeira lembra o oratório dos jardins da Casa da Dinda, em Brasília, pertencente ao ex-presidente Fernando Collor. A cama e o sofá são revestidos de pele de tigre (artificial, de plástico), e a água que enche a banheira escorre das pedras como se brotasse de uma mina natural. Já o *Old Word*, também recoberto de pedra bruta, inclusive no piso, é todo vermelho-bombeiro, com a cama coberta por uma colcha de matelassê colorida.

Embora a decoração dos quartos possa sugerir isso, o nome do motel não é uma homenagem à cantora Madonna. É o adequado sobrenome de Phyllis e Alex, proprietários e criadores do que chamam de "*world's famous inn*".

O viajante que não quiser desfrutar o privilégio de conhecer o Madonna Inn deve seguir direto pela Rodovia 1 rumo a San Simeon, que fica sessenta quilômetros ao norte de San Luis Obispo. A distância é curta, mas torça para dar fome no caminho — será a oportunidade de comer no Hoppe's at 901, restaurante situado no alto da cidadezinha de Morro Bay. Não apenas pela comida, que é recomendada em toda a região (segundo *The New York Times*, o Hoppe's é "o favorito da Califórnia"), mas pela deslumbrante vista que se tem das janelas envidraçadas do restaurante: dali se pode ver uma colossal e agressiva rocha que salta do mar, nua e sem nenhuma vegetação.

Terminada a visita, volte à Rodovia 1 e tome o caminho de Big Sur. Depois de cem quilômetros e de passar por penhascos que lembram a costa amalfitana, na Itália, você estará entrando no território dos malditos e da *beat generation*. Big Sur é o nome de um belíssimo trecho da costa (entre uma vilazinha chamada Lucia e a cidade de Carmel) que inspirou fotos de Ansel Adams e o romance *Big Sur*, escrito pelo guru *beat* Jack Kerouac. Quem leu *Big Sur* haverá de identificar aqui, em bares e trapiches de pescadores, os cenários das crises de *delirium tremens* e da devastação causada pelo álcool no autor de *On the road*. Para continuar no clima da rebeldia dos anos 60, faça uma visita nostálgica ao Esalen Institute. Criado em 1960 por Michael Murphy como um revolucionário centro de terapia alternativa, o Esalen continua funcionando até hoje — menos hippie do que em 1960, mas ainda não totalmente globalizado.

Três quilômetros após passar pelas placas indicativas do Pfeiffer State Park, vá devagar. Quando aparecer à esquerda um bosque de pinheiros altíssimos, com uma cerca de madeira na frente, pare o carro no acostamento de pedras e desça para conhecer a Biblioteca Henry Miller. O escritor chegou a Big Sur por acaso, em 1944, para visitar a amiga Lynda Sargent. Ao ver aquela região pedregosa sobre o Pacífico, ele escreveu: "Aqui vou encontrar a paz. Em Big Sur encontrarei a força para fazer o trabalho para o qual nasci".

Ele voltou a Nova York, onde vivia, e semanas depois desembarcava com a mudança. Comprou uma casa em um dos penhascos à beira-mar e a cabana de madeira sob as árvores onde hoje está instalada a biblioteca. Boa parte de sua vida em Big Sur, entre 1944 e 1961, Miller passou na modesta casinha, onde escreveu a célebre trilogia *Sexus* (1949), *Plexus* (1953) e *Nexus* (1960).

Mais um quilômetro ao norte e outra surpresa, num lugarejo chamado Nepenthe. Ali só existe um restaurante, o Phoenix Cafee, e uma pequena cabana de adobe e telha vã, ambos com vista para as praias de Big Sur, ao longe. Quem transformou Nepenthe em lugar famoso foi o primeiro dono da cabana, o cineasta Orson Welles. O autor de *Cidadão Kane* a construiu com planos de ali passar temporadas com sua mulher de então, a atriz Rita Hayworth, projeto frustrado pelo divórcio do casal. Welles acabou vendendo a casa a um empresário, que contratou um discípulo do arquiteto Frank Lloyd Wright para construir uma moderna extensão dela — onde hoje está instalado o Phoenix Cafe. Se der fome, uma ótima pedida são os bons sanduíches desse café. Ou então rode mais doze quilômetros, entre em Ventana e almoce no restaurante panorâmico do Ventana Big Sur Country Inn Resort. Apesar de luxuoso e com vista para o mar, o restaurante é acessível a qualquer bolso. Um almoço com ostras de entrada e cassoulet como prato principal sai por menos de vinte dólares.

A quarenta quilômetros de Big Sur, pela Highway 1, fica Carmel, a parada seguinte depois de Ventana. Famosa depois que o astro Clint Eastwood foi seu prefeito, é uma cidade pequena, bonita, chique e, para os padrões da região, cara — talvez por esta última razão tenha se convertido em ponto preferido de colunáveis brasileiros. Pelas onze ruazinhas que cortam a cidade vão aparecendo restaurantes e hotéis refinados, butiques de grifes internacionais e restaurantes de luxo. A missão religiosa que dá nome à cidade é de 1770, a mais antiga de todo o trecho percorrido.

Há duas boas alternativas para se chegar ao próximo ponto da viagem — a cidade de Monterey. Quem optar pela auto-estrada 101 terá a oportunidade de atravessar o Silicon Valley, a capital mundial da informática, e visitar o campus da Stanford University. Pelo outro caminho, mais bonito e mais demorado, continua-se à beira-mar. Quem se decidir por ele deve pegar a Rodovia 1 e, pouco depois de sair de Carmel, tomar uma estradinha particular no Seventeen-Mile Drive, um dos mais fechados condomínios residenciais dos Estados Unidos.

Atravessar os 27 quilômetros (ou dezessete milhas, como diz

o nome) que cortam o condomínio é um passeio inesquecível para adultos e crianças. No caminho, cruza-se um bosque de pinheiros, margeando os jardins de casarões projetados para todos os gostos — da arquitetura country até o kitsch tipicamente novo-rico, passando por modernas mansões de concreto aparente. Ainda dentro do condomínio, a estrada gruda de novo no mar, mas agora em Pebble Beach, onde foram construídos os mirantes Point Joe e o Bird Rock. Neste último, um ruído insistente vindo do mar, semelhante ao latido de uma matilha de cachorros, chama a atenção. A vinte ou trinta metros de distância, a surpreendente explicação para os "latidos": sobre uma rocha, centenas de filhotes de leões-marinhos brincam ao sol, visíveis a olho nu o ano inteiro. Se já estiver na hora de comer, não se deve perder a oportunidade de conhecer o Restaurante Club xix. Ele fica em um anexo do refinado The Lodge Hotel, construído em 1919 dentro do condomínio. Das suas varandas, tem-se uma belíssima vista dos campos de golfe.

Quem gosta de jazz ou de sardinhas não pode deixar de fazer uma parada em Monterey, que está apenas a dez quilômetros de distância da saída do Seventeen-Mile Drive. Sardinha tem o ano inteiro, mas jazz só em setembro, mês de um festival mundialmente famoso, criado há quarenta anos. A cidade é conhecida pela música, pelos peixes e porque ali viveu, nos anos 40, uma das maiores glórias da literatura americana, o prêmio Nobel John Steinbeck. Foi nos pescadores e vagabundos da zona portuária de Monterey que Steinbeck inspirou-se para escrever pelo menos dois de seus romances, *Cannery Row* (1945) e *The pearl* (1947). A região de Cannery Row, onde antes ficavam as fábricas de sardinha da cidade, foi inteiramente restaurada e transformada em área de recreação, com restaurantes e lojas. É ali também que fica um passeio essencial para quem viaja com crianças: o Monterey Bay Aquarium. Construído há apenas dez anos, sua grande atração é o aquário cavado no subsolo, a trinta metros de profundidade: a parede de vidro dá para o fundo dos arrecifes que cercam o prédio, o que permite ver os peixes não em cativeiro, mas soltos no mar. A caminho de Cannery Row, não deixe de parar em uma modesta casa da Foam Street, onde fica o pequenino John Steinbeck Museum, que exibe objetos pessoais do escritor. Do lado de fora do museu, uma visão fantasmagórica parece saída de um romance: uma estátua de Steinbeck, em tamanho natural, foi inteiramente pichada com spray dourado e teve os dois braços arrancados.

Cidade rica em peixes e frutos do mar, Monterey tinha de ser conhecida também pela boa comida. Dois de seus restaurantes são especialmente recomendados: o Sardine Factory e o Montrio. Mas, apesar da fama, um casal come muito bem em qualquer um deles por, no máximo, quarenta dólares — sempre sem bebida e gorjeta.

De volta à Rodovia 1, a caminho de San Francisco — que fica a 160 quilômetros de Monterey —, o viajante atravessa campos cultivados que se perdem no horizonte. São morangos e alcachofras (na primavera, floridas de amarelo). Se der fome na estrada, a sugestão é parar em Capitola, um vilarejo à beira do Pacífico. Quem quiser comer peixe deve ir ao Zelda's on the Beach, um dos muitos restaurantes do porto. Ninguém deve se impressionar com a péssima aparência do Zeldas's, porque a comida é excelente e baratíssima. Uma deliciosa sopa de peixes servida dentro de um pão italiano, sem o miolo, custa 6,95 dólares. Um prato de lulas pescadas à vista do cliente sai por 7,95 dólares.

Ao chegar a San Francisco, o viajante tanto pode devolver o carro à locadora como ficar com ele para os passeios locais. Esta, segundo seus freqüentadores habituais, é uma das poucas cidades dos Estados Unidos onde o turista pode andar a pé, de carro, de metrô, de ônibus ou de bonde. Como em qualquer metrópole, há hotéis e restaurantes para todos os gostos e bolsos. Uma boa indicação é o centenário St. Francis Hotel, situado no coração da cidade, a Union Square. Era nele que William Randolph Hearst ficava hospedado no começo do século.

A oferta de bons restaurantes também é infindável. Pode-se tomar uma suculenta sopa de frutos do mar no Taddich Grill (o mais antigo da cidade), ver astros do cinema durante o jantar no Stars, almoçar no Postrio (onde as mesas são colocadas em torno da cozinha, cercada por mureta de tijolos) ou comer o excelente bife do velhíssimo John's Grill, *set* da filmagem de *Relíquia macabra*, de John Huston. Para quem gosta de cozinha chinesa (é em San Francisco que fica o famoso bairro Chinatown, lembrese), o lugar é o Far East Café, especializado em comida cantonesa e pequinesa.

Se você estiver com crianças, deixe os filhos por um par de horas naquela que é considerada a melhor loja de brinquedos do mundo, a Fao Schwarz (na filial nova-iorquina dela foram filmadas as cenas finais de *Esqueceram de mim 2*). Enquanto isso, dê uma volta pela Union Square e escolha quanto quer gastar: de um lado, na sapataria suíça Bally, um pelotão de japoneses vai medir cada dedo do seu pé para oferecer-lhe um par de sapatos de crocodilo legítimo pela bagatela de 1,5 mil dólares. Se optar por um programa mais barato, mas também sedutor, atravesse a praça e vá ao Dewey's, o britânico *pub* do Hotel St. Francis. Lá você mesmo monta seu sanduíche, que pode ser acompanhado de uma caneca de cerveja Urkel, tcheca, ou da *stout* Guiness, inglesa. Escolhendo o Dewey's, economizam-se 1492 dólares.

Mas a marca registrada da cidade não são os sapatos da Bally ou os sanduíches do Dewey's. É a sua vida cultural. Em um dia qualquer do mês de fevereiro, San Francisco oferecia ao público 108 filmes, 94 peças de teatro, 227 espetáculos de música clássica e popular, 137 exposições de arte em galerias e museus, e 141 atrações dedicadas exclusivamente a crianças. Como é inverno, esta é considerada uma programação da baixa temporada. Dá para imaginar como será o verão.

Há programa até para quem não gosta de música, de teatro, de dança, de cinema, não gosta de comer e detesta sapatos de crocodilo. Os cassinos de Reno, no estado de Nevada, a trezentos quilômetros de distância, oferecem viagens gratuitas em ônibus de luxo, e estada em hotéis cinco-estrelas a trinta dólares a diária, para os que quiserem tentar a sorte na roleta ou no *black jack*. Decididamente, ninguém fica órfão em San Francisco.

QUEM FOI W. R. HEARST

William Randolph Hearst nasceu em 1863 em São Francisco, Califórnia, filho único de George Hearst, milionário semi-analfabeto que enriqueceu durante a corrida do ouro e acabaria elegendo-se senador. Aos dezenove anos, entrou na Universidade Harvard. Expulso de lá aos 22, foi trabalhar com Joseph Pulitzer no diário *New York World*.

Em 1887, ganhou de presente do pai o jornal *San Francisco Examiner*. Com a morte do velho, em 1891, recebeu uma herança de 25 milhões de dólares. Começou, então, a montar a maior cadeia de jornais dos Estados Unidos. A rede cresceu rapidamente e, com ela, a reputação de fazer jornalismo marrom, sensacionalista e inescrupuloso. Atribui-se a campanhas orquestradas pelos jornais do *Hearst Syndicate* a declaração de guerra dos Estados Unidos à Espanha, em 1898.

Quatro anos depois, Hearst elegeu-se deputado federal pelo Partido Democrata. Reeleito em 1904, tentou em vão uma vaga de senador e governador do estado de Nova York. Aos 39 anos, Hearst se casa com Millicent Wilson, de 21 anos, com quem teve cinco filhos. Foi como produtor de cinema — era dono da Cosmopolitan e do estúdio Astoria — que conheceu a atriz Marion Davies, 34 anos mais nova que ele, de quem se tornaria amante pelos trinta anos seguintes, até sua morte.

Em 1941, Hearst inspirou o cineasta Orson Welles a filmar *Cidadão Kane*. Incapaz de impedir a exibição do filme (que tentara comprar e destruir), Hearst mobilizou todo o poder de seu império a serviço de uma campanha de desmoralização de Welles.

O magnata foi dono de 26 jornais e dezesseis revistas. Ao morrer, aos 88 anos, em 1951, sua fortuna era avaliada em cerca de 300 milhões de dólares. Ele deixou ainda para os filhos várias propriedades, entre elas os 109 mil hectares em San Simeon, onde construíra o Hearst Castle.

Alguns anos depois da morte do jornalista, a família percebeu que o castelo era, na verdade, um monumental problema. Quem se interessaria em pagar uma fortuna por um imóvel com 41 lareiras e 61 banheiros? A idéia de convertê-lo em um hotel de luxo foi descartada quando os Hearst descobriram que só as obras de arte espalhadas pelos 130 cômodos representavam metade do valor total do castelo, avaliado em 30 milhões de dólares. A única alternativa encontrada para se livrar do castelo — cuja manutenção custava uma fortuna por ano — foi dá-lo de presente ao estado da Califórnia, juntamente com uma área de quinhentos hectares ao redor. Em 1958, o conjunto foi transformado em parque estadual aberto à visitação pública.

11. Encontro marcado com Chatô

Os primeiros bilhetes de Otto Lara Resende começaram a chegar pelo correio em meados de 1987, poucas semanas depois que um jornal noticiou que Luiz Schwarcz, editor da Companhia das Letras, havia comprado os direitos de publicação da biografia do jornalista Assis Chateaubriand, que eu pretendia escrever. Para mim foi uma surpresa ver que alguém tão célebre se oferecia espontaneamente para ajudar o trabalho de um estranho. Afinal, tratava-se de um membro da Academia Brasileira de Letras que, ao lado de Fernando Sabino, Paulo Mendes Campos e Hélio Pellegrino, compunha o grupo dos quatro mitos da literatura contemporânea mineira. Embora já fosse um admirador da obra e da figura do escritor, eu o vira poucas vezes e, se tanto, trocara meia dúzia de palavras com ele em encontros sociais no Rio e em São Paulo.

Os bilhetes eram sempre datilografados em pedacinhos de papel que davam a impressão de ser folhas de tamanho ofício cuidadosamente divididas em quatro partes iguais. O texto era espremido em espaço um, sem rasuras ou correções, e tinha uma peculiaridade: os acréscimos e pequenas alterações posteriores eram feitos sem-

pre à máquina. Manuscrita, apenas a assinatura. Era visível que o mesmo pedaço de papel tinha sido enfiado várias vezes no cilindro da máquina de escrever para incluir observações de que o autor se esquecera. Na parte de trás do envelope, acima do endereço, o remetente se identificava apenas como "o. l. r." — tudo, endereço e iniciais, era sempre escrito em letras minúsculas.

Às vezes vinham cinco, seis micropáginas contendo as mais variadas informações sobre Chatô ou sobre a fauna da intelligentsia *brasileira que durante décadas gravitara em torno do fundador dos Diários Associados. Tanto podiam ser lembranças pessoais de Otto ou indicações de nomes que dariam entrevistas interessantes como sugestões de leituras de livros ou documentos. Coisas como: "Não deixe de ler o discurso do João Cabral ao tomar posse na Academia. Acho que foi o único que ele terá pronunciado em toda a sua vida. É uma análise muito inteligente (como tudo o que ele faz) do 'estilo' do Chatô". Ou então: "Tente comprar o livro* Dez anos, *do Gustavo Corção, editado pela Agir em 1957. Se você não conseguir, posso emprestar o meu. Basta ler a p. 117 e seguintes. O Corção, que escreve muito bem, fino prosador na linha machadiana e tiradas à Chesterton, espinafra o Chatô de alto a baixo". Cada bilhetinho era torrencial em dicas, sugestões e "pautas", que ele prodigiosamente conseguia enfiar em tão pouco papel. Mas de vez em quando Otto colocava um PS — quase sempre datilografado nos milímetros que sobravam na página — do qual emergia a modéstia mineira: "Será que não estou chovendo no molhado? Você, com tantos recursos e mais computador, já sabe tudo!".*

Não foi preciso muito para eu perceber que um depoimento de Otto Lara Resende seria imprescindível para a biografia de Chateaubriand. Quando sugeri que ele me desse uma entrevista gravada, Otto tentou escapulir, alegando que tinha trabalhado pouco tempo com Chateaubriand e que quase nada sabia sobre ele. Mas, generoso, se dispôs a organizar um encontro meu com Rubem Braga e Moacir

Werneck de Castro. "Estes, sim", garantia, "sabem tudo sobre Chatô." Como eu insistisse no depoimento dele, Otto aceitou participar do encontro com os dois amigos. "Eu organizo a noitada e vou junto", prometeu. "Mas não espere muito de mim. Vou lá só para atiçar o Moacir e o Braga e para contribuir com pouquíssimas lembranças pessoais."

O depoimento acabou acontecendo no dia 30 de outubro de 1987, no apartamento de Rubem Braga no Leblon, na zona sul do Rio — a mitológica cobertura em que o cronista cultivava árvores frutíferas e diversas espécies de pássaros em gaiolas. Ao contrário do que prometera, Otto falou o tempo todo. Rubem Braga e Moacir Werneck de Castro é que acabaram fazendo o papel de "atiçadores", cutucando a memória do mineiro com lembranças do Rio e do Brasil dos anos 30, 40 e 50. Depois de algumas horas de gravação, Rubem Braga, recostado em uma rede, com os olhos semicerrados, dava a impressão de cochilar. De vez em quando "despertava" com perguntas inesperadas, do tipo: "Fulano de Tal já morreu?". Ou então: "Ô Otto, conta a história daquela mulher que o Chatô não conseguiu comer...".

Nosso encontro começou por volta das oito da noite e entrou madrugada adentro. Só terminaria às três e meia da manhã, quando os quatro, famintos e meio baleados pelo uísque, entramos no fusca azul-claro de Otto à procura de um restaurante aberto na noite carioca. O balanço da conversa era animador. Falou-se muito de Assis Chateaubriand, claro. Mas na verdade Otto, Moacir e Rubem Braga tinham acabado de pintar um retrato vivo e bem-humorado do jornalismo, da política e da intelectualidade brasileira da metade deste século.

O farto material produzido naquela noitada rendeu incontáveis parágrafos de Chatô, o rei do Brasil. Mas como era um volume tão torrencial de revelações e reminiscências, sempre acreditei que seria um desperdício deixar essas gravações mofando em meus *arquivos. Em janeiro de 1999, a* Folha de S.Paulo *soube da existência desse material e se interessou em publicá-lo. Em benefício do leitor, na edição preferi eliminar minhas intervenções, deixando a palavra apenas com os três depoentes. Por mais que eu cortasse, foram necessárias várias páginas inteiras da Ilustrada para registrar um encontro memorável, cujos melhores momentos aqui vão.*

RUBEM BRAGA [*na seqüência*, RB]: Eu comecei a trabalhar nos jornais do Chateaubriand em Belo Horizonte, n'*O Estado de Minas*, mas ele quase não ia lá. O diretor era o Dario de Almeida Magalhães e depois o Afonso Arinos. Mas, um belo dia, eu, que já estava cansado de Belo Horizonte, briguei com o gerente do jornal e resolvi ir embora. Tomei um trem e fui para São Paulo com um dinheirinho no bolso e fui procurar emprego. Isso foi em 1933, porque em 1932 fui correspondente na Mantiqueira. Fui lá nos Diários Associados e procurei o Chateaubriand, que me recebeu na mesma hora e foi logo perguntando: "O que é que há com o senhor?".

Eu disse que estava meio enjoado de Belo Horizonte e que tinha decidido viver em São Paulo. Ele quis saber como tinha sido minha saída, e eu disse que tinha brigado com o gerente, o Caio Júlio César de Oliveira. Os olhos do Chateaubriand brilharam: "Mas fez muito bem. Aquele sujeito é uma besta! Isso depõe a seu favor. Temos uma vaga na revisão, e o senhor já pode começar hoje mesmo".

Eu reagi: "Revisor, não. Eu sou redator, não vou trabalhar na revisão. Não vou andar para trás. Ser revisor eu não quero".

"Então vamos fazer uma experiência. O Caio de Freitas está saindo do jornal, e o senhor fica no lugar dele."

Aí ele me mandou fazer uma reportagem sobre briga de galo.

Fiz, ficou muito boa, e ele me convidou para fazer crônicas diárias, que era o que eu já fazia em Minas. Aí fui ficando, mas sempre tinha atritos com ele, porque ele queria que eu fizesse as reportagens mais idiotas. Uma vez tive que descrever a casa de uma daquelas Prado quatrocentonas que ia hospedar um casal de nobres que vinha da Europa. Depois fui fazer uma reportagem sobre uma festa de um daqueles grã-finos paulistas. Era no Hotel Esplanada e, no centro da festa, havia uma mesa redonda com bebidas de dezenas de países do mundo. A cada passo que se dava, tomava-se uma bebida de um lugar diferente. Quando cheguei ao Equador, eu já estava num porre miserável, acabei me agarrando numa mulher daquelas. Cheguei à redação de porre, não podia nem escrever — ele ficou meio bravo comigo, mas passou.

Uma vez fiquei quatro dias sem trabalhar e, quando voltei, ele me chamou ao gabinete. Junto com ele, estava dona Corita [*a esposa de Chateaubriand*], belíssima. Ele perguntou por que eu faltara ao trabalho, respondi que estava doente. Ele quis saber o que eu tinha e, meio sem jeito, disse a ele que era uma "doença de rapaz". Ele insistiu e eu falei: "Estava com gonorréia, doutor Assis". Dona Corita ficou espantada com aquilo, mas ele nem ligou: "Mas o senhor também, seu Braga... Trepando com mulheres vagabundíssimas, só podia acabar assim...".

E uma vez ele me chamou para dizer que queria que eu viesse para o Rio dirigir o *Diário da Noite*, que, segundo ele, tinha sido um grande jornal, mas que estava "uma lástima". Eu levei um susto. Primeiro, eu não sabia dirigir jornal. Depois, ser diretor significava que teria que ficar sob as ordens do Chateaubriand, e eu via como ele tratava os chefes dele, um negócio horroroso. Recusei polidamente, disse que não podia, dei uma desculpa. Foi aí que ele disse a alguém que estava junto: "Esse rapaz tem um desprezo olímpico pelo dinheiro!".

Ele era incapaz de entender que alguém pudesse não se entusiasmar com um convite para ser diretor do *Diário da Noite*. Foi por isso que ficou tão safado da vida quando briguei com ele — afinal, ele devia achar que eu devia favores a ele. Mas eu o achava muito desagradável pessoalmente. Onde é que já se viu o sujeito perguntar que doença você tem?

Mas fui indo, fui ficando. Ganhava pouco, mas de vez em quando aparecia alguma matéria paga, e o jornal sempre dava uma pequena comissão para o jornalista que escrevesse. Depois o Antoninho Alcântara Machado, que vinha dirigir o *Diário da Noite* do Rio de Janeiro, me convidou para vir para o Rio. Vim para cá no começo de 1935. O Antoninho morreu logo depois, de apendicite. Eu passei a trabalhar na redação d'*O Jornal* e a fazer uma crônica diária no *Diário da Noite* — ou então era vice-versa, não me lembro.

Mas a encrenca que tive com ele foi a seguinte: um dia fiz uma crônica sobre um negócio de política espanhola. A Igreja na Espanha estava fazendo uma campanha para dar o direito de voto às mulheres. Claro, era uma jogada, porque a maioria das mulheres era católica. E eu fiz uma crônica dizendo que aquilo não ia adiantar nada, porque a Igreja espanhola também era uma pinóia... Daí a dois dias, o secretário de redação me chama: "Aquela sua crônica deu um bode danado".

Embora o doutor Assis tivesse lido e aprovado a crônica, chegou uma carta para ele, mandada pelo Tristão de Ataíde [*pseudônimo de Alceu Amoroso Lima*]. O Tristão tinha uma coluna chamada "Coluna do Centro". Cada dia escrevia um cristão do Centro Dom Vital, que tinha sido fundado em 1922 pelo Jackson de Figueiredo. Um dia era o Alceu, outro dia era o Perilo Gomes, no outro era o Hamilton Nogueira ou o Sobral Pinto. E o Tristão era diretor da revista *A Ordem*, do Centro Dom Vital. E o Chateaubriand prestigiava o Centro Dom Vital, publicando n'*O Jornal* uma coluna que era chamada "Coluna do Centro" — na verdade, um esperto jogo de palavras: era do Centro Dom Vital e insinuava que fosse, politicamente, de centro. Tanto que ficava bem no centro da página. Mas, na verdade, quem escrevia ali era a direita católica. Ele me deu a carta para ler: o Tristão dizia que infelizmente ia retirar a coluna deles do jornal porque não podia publicar seus textos "ao lado de um sujeito desatinado como esse Rubem Braga". Era um ultimato ao Chateaubriand. O secretário me preveniu: vinha trovoada por aí. Cheguei à sala dele e já o vi gritando: "Seu Braga, o senhor está querendo arruinar o meu jornal? Como é que o senhor me escreve uma crônica completamente idiota como essa?".

Eu ainda tentei me defender: "Mas, doutor Assis, o senhor é dono do jornal, pode ler o que eu escrevo antes e cortar aquilo de que não gostar".

Ele era mal-educado: "Eu lá tenho tempo para ler porcaria?".

Eu decidi pedir minhas contas. Aí o Dario me procurou para propor que eu voltasse para São Paulo ou para Minas, mas eu não queria voltar para nenhum dos dois lugares. O Dario me disse que então eu poderia escolher entre Recife e Porto Alegre. No Rio, o Tristão não me deixaria ficar — pelo menos não nos Associados. Aí fui para o Recife, por imposição do Tristão.

Uma vez o Ribeiro Couto fez para *O Cruzeiro* uma crônica muito bonita sobre santa Terezinha do Menino Jesus — que acabou virando livro depois. E o diretor da revista, que era o Lincoln Nery, pediu ao Santa Rosa para fazer a ilustração. Ele fez a santa com rosas na mão, um desenho muito bonito. Quando o Tristão de Ataíde soube daquilo foi se queixar com o Chateaubriand, dizendo que era um absurdo deixar um comunista ilustrar um trabalho daquele na revista. O Lincoln ainda defendeu o Santa Rosa, dizendo que não sabia se ele era ou não comunista, mas que o que interessava era a ilustração dele, que não tinha nada de comunista. O Tristão insistiu com o Chateaubriand para que despedisse o Santa Rosa, com um argumento terrível: uma revista democrática como *O Cruzeiro* não podia ajudar a sustentar um comunista. Mas o Santa Rosa acabou ficando.

Fui para Recife trabalhar no *Diário de Pernambuco*. Aí funda-se a Aliança Nacional Libertadora lá no Recife. Eles precisavam de alguém para fazer o jornal da ANL em Pernambuco e me chamaram. Eu, que já estava de saco cheio dos Associados, saí. Mas saí sem briga. Fiz o jornal deles [*da ANL*], que chamava *Folha do Povo*. Aí vim para o Rio trabalhar no *A Manhã*. E nessa época o Chateaubriand fez um artigo de pau nos comunistas, dizendo que comunismo no Brasil era uma coisa de humoristas, de *détraqués*, esculhambando a mim e ao Aporelli.

Aquilo era uma sacanagem: ser chamado de comunista era um risco pessoal naquela época. E eu nem comunista era. Aí resolvi responder no *A Manhã* com uma crônica contra ele. Chateaubriand ficou puto da vida, ficou uma fera comigo, deu um verdadeiro escândalo dentro da redação, me chamou de filho-da-puta, do diabo. E ele achava que era uma ingratidão eu fazer aquilo, porque, na cabeça dele, eu tinha sobrevivido às suas custas durante muito tempo. Depois eu soube que o que o enfureceu foi eu ter feito uma referência — pouco elegante, reconheço — a umas peladas que ele tinha na cabeça, um negócio que dava uns caminhos-de-rato. Ele não perdoou a sacanagem. Nunca mais nos falamos. Meses depois eu me encontrei na rua com o Dario de Almeida Magalhães e ele me advertiu: "Você é louco de brigar com o Chateaubriand. Jornalista brasileiro não pode viver aqui se brigar com Chateaubriand. Ou muda de profissão ou muda de país".

OTTO LARA RESENDE [*na seqüência*, OLR]: Mas, ô Rubem, você deve ter escrito sobre o Chateaubriand depois disso. Sua memória deve estar falhando. Afinal, você escreveu durante muito tempo no *Diário de Notícias*, e o Orlando Dantas, que tinha sido gerente d'*O Jornal*, brigou com o Chateaubriand e fundou o *Diário de Notícias*. E, assim como tinha alguns mitos sagrados, como o Artur Bernardes, o Otávio Mangabeira, o *Diário de Notícias*, que foi o jornal que mais resistiu ao Estado Novo, virou um ninho de inimigos do Chateaubriand — Rafael Correia de Oliveira, Osório Borba, você, Rubem, e o próprio Orlando Dantas. Não se perdoava Chateaubriand. Será que você nunca entrou nessas campanhas?

RB: Eu me lembro de que um dia o Dario foi a São Paulo e me convidou para almoçar com ele e com o Chateaubriand num restaurante. Eu nunca tinha visto o Chateaubriand comendo. Era um horror: falava de boca cheia, metia o garfo no prato alheio. No meio da conversa eu me dirigi ao Dario, chamando-o pelo nome. Chateaubriand se espantou: "Como é que você deixa esse menino chamá-lo de 'Dario', com essa intimidade? Que falta de hierarquia, de respeito!".

OLR: Essa história de que ele não falava línguas era folclore. Ele falava várias línguas, mas todas com sotaque nordestino. Dizem que uma vez chegou atrasado a um compromisso na França por causa de uma tempestade e disse à pessoa que o esperava que tinha visto "*chaque rayon de mettre peur*" — cada raio de meter medo! Ou então quando dizia que "*avec moi c'est dans la pomme de terre*", ou seja, "comigo é na batata". São anedotas expressivas da hostilidade a Chateaubriand.

RB: Ele era muito malquisto pelos empregados...

OLR: Eu realmente não tive contato direto com o Chateaubriand. O que é uma coisa curiosa, porque na prática convivi profissionalmente com quase todos os diretores de jornais no Rio, intimamente, participando da vida da direção de algumas dessas empresas. Minha relação com ele, portanto, foi muito vaga, tênue, distante. Primeiro eu comecei a colaborar n'*O Jor-*

nal. Moacir foi diretor do suplemento literário, e lá trabalhavam, entre outros, Vinicius de Moraes e Carlos Lacerda, que foi redator-chefe e diretor da Agência Meridional, no fim do Estado Novo. Mas eu ainda vivia em Minas quando comecei a colaborar com *O Jornal.* Porque ele [*Chateaubriand*], ao contrário do depoimento do Rubem, ia muito a Minas, porque o jogo político exigia muita presença lá. E, quando ele aparecia em Belo Horizonte, era um vendaval. O *Estado de Minas* ficava na rua Goiás. O *Diário* era ali pertinho, do outro lado, na rua Goitacazes. A *Folha de Minas* era na rua da Bahia, também ali perto. Ou seja, eram todos os jornais muito próximos uns dos outros — e então era inevitável que a presença dele em Minas fosse conhecida por todos nós.

Sobre isso, quem pode dar um bom depoimento é o Carlos Castello Branco, que era secretário d'*O Estado de Minas*. Eu nunca quis trabalhar nos Associados em Minas porque tinha deles uma visão escravocrata: pagavam muito mal, e eu via a vida que o Castelinho levava — acordava ao meio-dia, ia para o jornal e só saía de lá de madrugada, quando o jornal rodava. Então ele só tinha livres os domingos. Ele tinha aquela palidez dos sujeitos que não tomam sol.

MOACIR WERNECK DE CASTRO [*na seqüência*, MWC]: É o "amarelo redação".

OLR: Essa história que o Castelinho conta, de que eu nunca o convidei para entrar na minha casa, é mentira dele. Primeiro, ele não tinha tempo. E era muito tímido, não freqüentava ninguém.

RB: Depois, ele era muito feio também, né? Puta que pariu!

OLR: Era, sim, mas outro dia encontrei uma foto dele com o Leon Eliachar, o Fernando Sabino, o Afonsinho Arinos — e até que ele está bonitinho, com o cabelinho na testa, depois vou te mostrar. Mas ele próprio várias vezes me chamou para ir trabalhar em *O Estado de Minas*, mas eu não quis. E quando o Castello veio para o Rio, em 1944, um dos jornalistas convidados para substituí-lo fui eu.

RB: Espera aí, que agora eu estou me lembrando do período em que fui correspondente na Revolução Constitucionalista. Eu fui correspondente na frente do túnel da Mantiqueira, e o Arnon de Mello [*pai do ex-presidente Fernando Collor de Mello*] foi para o vale do Paraíba. O Chateaubriand jogou o destino dele ali: ele ficou ao lado da revolução, foi preso junto com Artur Bernardes. O governo de Minas estava hesitante, e o Chateaubriand achou que os paulistas iam ganhar.

OLR: Ora, Rubem, o Chateaubriand jamais aceitaria um correspondente na guerra que ele apoiava que não passasse pelo *nihil obstat* dele.

RB: Bem, tinha censura no jornal, claro. E lá no front tinha outra censura — e quem fazia era o doutor Benedito Valadares, que era prefeito de Pará de Minas e tinha sido comissionado como chefe de polícia das forças em operação — fardado e tudo. Um dia os mineiros estavam preparando um ataque, e os paulistas tiveram sorte e mataram um sujeito da infantaria mineira que era um sujeito queridíssimo, valente — era o comandante do Sexto Batalhão. Esse coronel — que se chamava Fulgêncio —, operado pelo Juscelino Kubitschek, que era médico, morreu. E o chefe do Estado-Maior, um coronel da Força Pública, achou que ali eu estava correndo riscos e me prendeu — para me proteger — e me mandou para Belo Horizonte. Lá fui eu.

MWC: O que eu não acho é que as forças políticas que apoiaram a Revolução de 1930 fossem automaticamente ficar ao lado do Getúlio em 1932. Porque a Revolução de 32 era de São Paulo, mas também era a questão da redemocratização do Brasil. Porque Getúlio se autoproclamava "ditador", chamava o regime de "ditadura". Havia também um conteúdo revanchista da plutocracia paulista decaída em 1930, mas isso não tirava o caráter re-democratizador do movimento.

OLR: Mas o Chateaubriand conheceu em 1932 o Benedito Valadares, que era um personagem que não tinha sido inserido ainda na vida política nacional, assim como o Juscelino Kubitschek, o general Falconiéri, o Góes Monteiro, o Dutra — que iniciou a resistência dos mineiros a partir de Muzambinho e fez os paulistas recuarem até o túnel. E essa Revolução de 1932 fixou nomes que vieram a ser importantes na paisagem brasileira, militar e civil. Eles entraram para o clube do poder. Então, quando o Chateaubriand ia a Minas, suspeito que ia também em função do peso de Minas naquela época. O Benedito era o único interventor que mantinha o título de governador.

Em 37, quando veio o golpe do Estado Novo, o Chateaubriand apoiava o Zé Américo — eu também era Zé Américo cem por cento. Mas Minas teve muita responsabilidade na sucessão que deveria acontecer em 1938. O Benedito era uma peça fundamental. Foi ele quem lançou o candidato oficial, que era considerado uma candidatura "subversiva" — uma coisa curiosíssima, porque era aquela ambigüidade: o Zé Américo era o candidato oficial e era tachado de esquerdista, sem autorização, sem licença do *establishment*, sobretudo do *establishment* paulista. São Paulo quatrocentão apoiava Armando de Salles Oliveira, homem do doutor Julinho [*Júlio de Mesquita Filho, diretor-responsável de* O Estado de S. Paulo *até 1969*], inserido naquele contexto de poder paulista que era importante.

Então, tenho a impressão de que o Chateaubriand em 1932 já tinha feito a opção dele. Você pode dizer que há vários tipos de inteligência. Eu diria que ele tinha a inteligência do rato: a luz está apagada e o rato está num salão que tem um único buraquinho num rodapé. Nenhum ser humano seria capaz de acertar o buraco de saída. O rato não dá uma cabeçada, passa direto no buraco. E, se o buraco for menor do que seu corpo, ele afina. Isso é uma forma de inteligência fantástica! Inteligência é capacidade de adaptação para sobreviver...

RB: Agora lembrei de uma coisa: quando Chateaubriand fez esse artigo, que me esculhambava, eu respondi escrevendo um negócio lembrando uma frase do Prestes. O Prestes o chamava de "nauseabundo Chateaubriand". Eu usei essa expressão no meu artigo e ele não me perdoou.

OLR: Mas então eu dizia: ele chegou ao Rio com fama de ser muito inteligente. Ele fez um concurso em Pernambuco e ganhou a tal fama de que, depois do Tobias Barreto, e sem contar o Gilberto Amado, ele era a grande fulguração do Nordeste. Ele era o sol. Ou seja, chegou ao Rio precedido de uma fama incomparável.

RB: Lembrei de outra coisa: um dia apareceu um redator novo lá no *Diário de São Paulo*. Um rapaz simpático, e um dia fomos a um botequim beber umas coisas e eu perguntei a ele: "O que você está fazendo no jornal?". O sujeito me contou que, na verdade, ele não tinha nada a ver com jornal, mas que, quando o Chateaubriand esteve preso, em 1932, esse cara tinha sido uma espécie de carcereiro dele. E o Chateaubriand disse que estava com uma mulher nova e que tinha porque tinha que se encontrar com ela na cadeia. Toda noite a mulher ia lá encontrar-se com ele. O sujeito deixava e ganhou a gratidão eterna dele. Quando saiu da cadeia, o Chateaubriand nomeou-o redator do jornal em São Paulo. Ele não fazia nada, apenas freqüentava a redação e recebia salário. Chateaubriand era muito esquisito com a família também. Tem um artigo em que ele chama de puta a mãe do Gilberto, filho dele. E chama o Gilberto de veado.

OLR: Quando o Gilberto passou no concurso para o Itamaraty, eu encontrei o Chateaubriand na rua e disse para ele: "Doutor Assis, e o Gilberto, hein? Que coisa boa, passou no concurso do Itamaraty". Ele disse: "Só um cretino como ele poderia entrar num concurso do Itamaraty". Mas, voltando ao começo: ele chegou ao Rio precedido de uma tradição fantástica, com um arsenal intelectual invejável, com o brilho da aura de ter vencido o Joaquim Pimenta no concurso. Ou seja, o sujeito abandonava o posto de vice-rei no Recife para vir fazer carreira no Rio. O destino dele no Rio não era o jornalismo apenas — era o poder. O Chateaubriand identificava o interesse dele.

Em 1932, ele pode até ter achado que aquilo seria o melhor para o Brasil, mas o que o levou a apoiar o movimento foi a perspectiva de vitória — porque ele nunca entrava em fria. Ele sempre escolhia o lado vencedor. O que ele teve foi a perspicácia de perceber que a imprensa era o caminho para o poder. Um jornal não era um órgão de informação ou de opinião, aquela bobagem de "quarto poder" — o jornal pertencia ao poder, era apenas uma folha que defendia uma determinada facção.

Veja a história da compra de *O Jornal*, que tinha sido fundado pelo Renato Toledo Lopes. O Toledo Lopes era um homem respeitável no Rio de Janeiro, como o doutor Dario, doutor Gudin. O jornal dele ia mal, e aí aquele nordestinozinho miúdo, que tinha tido uma passagem pelo *Jornal do Brasil*, simplesmente vai lá e compra o jornal. O que ele queria era influir — ele se considerava um igual de todas as pessoas poderosas. Ele tinha uma relação de igual para igual com essa gente, o que não excluía a bajulação. Mas ele era um homem do clube do poder no Brasil. Tinha uma liberdade moral total, porque achava que os objetivos dele eram certos, então todos os métodos para atingi-los eram válidos.

MWC: Como era o tratamento dele com os poderosos?

OLR: Ele tinha uma atitude de certa bravura, ele corria riscos. Mas, depois de um certo momento, ele se confundiu de tal maneira com o poder que, por exemplo, apoiou a queda do Getúlio em 1945, e isso não o incompatibilizou com o Getúlio. Quem é que manda o Samuel Wainer lá no Sul para entrevistar o Getúlio? Ele! Quem devolve Getúlio à cena política é o Samuel. O Chateaubriand sabia que o Samuel tinha um tino como o dele para identificar o poder. E, se o Chateaubriand não estivesse de acordo, não teria publicado nada daquilo — aliás, ele foi até acusado de tentar ressuscitar o Getúlio, que estava completamente fora do jogo político.

Getúlio tinha apoiado o Dutra no último momento, por meio de uma gestão feita pelo João Neves da Fontoura, tinha mandado votar no Dutra para impedir a vitória da UDN, dos inimigos dele, mas estava completamente afastado da política. Ou seja, Chateaubriand era um homem do poder — a imprensa para ele era apenas um instrumento do poder. A partir da compra d'*O Jornal*, o comportamento dele — um homem inteligente, com grande facilidade de expressão e de identificação de seus interesses, e ao mesmo tempo um homem com uma visão muito otimista do Brasil — passou a tocar em todos os pontos nevrálgicos do Brasil.

Realmente ele tinha uma visão de futuro, às vezes até sob um lado paranóico. E vivia a situação de homem solitário: o código moral do Chateaubriand era o interesse dele; na sua cabeça, o interesse dele era o interesse do Brasil. Ele se via como um grande brasileiro. E, depois que teve sucesso, que comprou outros jornais, rádios, televisão, a partir daí então ele foi aceito pelo poder, pelo *establishment* brasileiro, mas pela intimidação. Esse folclore, essa coisa de "Ordem do Jagunço", esse lado festivo, tudo isso era uma forma de intimidação. Era uma forma de ridicularizar, intimidar os poderosos.

MWC: Como é que vocês analisam o estilo jornalístico do Chateaubriand, pelos artigos dele? Como é que se compararia Chateaubriand, por exemplo, com Macedo Soares?

OLR: A partir de certa altura os artigos de Chateaubriand já não tinham mais importância. Quando queria elogiar alguém ele utilizava um estilo de retórica muito peculiar. Então, se queria puxar o saco de um ministro, dizia lá no artigo: "Esse cangaceiro analfabeto já nasceu com a sabedoria no berço...", quer dizer, era uma forma agressiva de elogiar, uma mistura que deixava o elogiado meio perturbado, tinha que ler duas ou três vezes para entender se era elogio ou insulto. E ele escrevia muito, escrevia no avião, escrevia em todo lugar — e isso de escrever em qualquer lugar acabou se tornando clichê. Parece que era ele quase sempre que escrevia. O que sei é que três relatórios que fiz para ele foram publicados como artigos dele, assinados.

RB: Lá em São Paulo também era assim. Para agradar aquele Garibaldi Dantas, muitas vezes ele mandava um redator fazer um artigo sobre a política do algodão, por exemplo. Depois pegava o miolo da coisa, punha um parágrafo dele em cima, outro embaixo e mandava publicar.

OLR: É, ele não tinha escrúpulos de burguês, de classe média. Ele se considerava um homem liberto, uma pessoa que não tinha superego. Ele era o próprio superego. Ele se considerava um homem livre para tudo, um homem com liberdade total. Tratava todo mundo da mesma maneira. E, quando ele vira o homem do mundo, essa aspereza seria um pouco atenuada pelo cargo de embaixador. Porque ele era um sujeito pequeno, nordestino, feio, com um certo nanismo — atenção, é nanismo, não onanismo. É nanismo, de anão. Era um homem que buscava o êxito a qualquer preço. E que se sentia com liberdade moral para ir direto ao objetivo dele. E ele sempre achou que os objetivos dele eram o que podia haver de melhor para o Brasil: tirar o país da monocultura, internacionalizar a economia, integrar o Brasil no mundo econômico mundial. Tanto que, nos anos 20, logo depois de comprar *O Jornal*, ele foi o grande defensor do Percival Farquhar, da Itabira Iron. E isso foi uma coisa fundamental para a carreira dele.

RB: Lembrei de uma coisa agora. Em São Paulo havia uma famosa mercearia, na esquina da Líbero Badaró com o largo São Francisco [*Rubem Braga se refere à Casa Godinho, existente até hoje*], e eu fui encarregado de fazer uma reportagem sobre um condomínio de luxo que o dono da mercearia estava fazendo. Só depois é que eu soube que um dia o Chateaubriand encostou um caminhão do jornal na porta da tal mercearia, mandou encher de caixas de champanhe francês e entregar na casa de uma mulher. Um caminhão de champanhe! Mas ele simplesmente não pagou a conta. E depois convenceram o dono da mercearia a lotear um terreno que ele tinha — o jornal pagaria a conta da bebida com reportagens sobre o tal condomínio. Reportagens feitas inocentemente por mim.

OLR: É, ele não gostava de pagar contas — ele se sentia com licença para tudo... Ele não tinha superego, não tinha pecado original e tinha todos os direitos. Em 1965 eu fui a um jantar em Estocolmo, oferecido por um jornal de lá. Éramos 22 jornalistas da América Latina e só dois brasileiros — um deles era eu. A certa altura, o anfitrião aproxima-se de mim e pergunta: "Como vai o Assis Chateaubriand?".

Contei que ele estava doente, e o sujeito me disse que Chateaubriand era um "personagem inesquecível" para ele, e eu quis saber por quê. O sueco tinha um ar meio irônico ao falar de Chateaubriand e contou que, anos antes, ele dera ali, em Estocolmo, um jantar faraônico para príncipes, princesas, atrizes e chefes de Estado de vários países. Continuei indagando por que o sujeito não se esquecia dele. O cara disse: "Ele ficará na nossa lembrança para sempre pelo sucesso do jantar, que abalou Estocolmo na época, mas principalmente pelo fato de que não pagou a conta. Assinou as notas e foi embora para o Brasil".

E ele devia achar que a Suécia é que ficou em dívida com ele.

MWC: Mas você se lembra de alguma história dos quadros?

OLR: Quem pode contar isso é o Hugo Gouthier. Mas o Chateaubriand adorava esse negócio de homenagear os outros, inventar padrinho disso, paraninfo daquilo. Então chamava um figurão — Manuel Ferreira Guimarães, Augusto Trajano, Pedro Brando — e, na hora de saudar o homenageado, no meio de um jantar, ele metia um discurso de surpresa: "Tenho o prazer, o privilégio de anunciar aos nossos amigos o que até agora era um segredo entre o nosso homenageado e eu [*sic*]: ele comunicou-me que é o doador do Renoir que aqui está!". O doador ficava sabendo daquilo ali, na hora. E ninguém ousava dizer não. Os sujeitos achavam graça e viam que o melhor era contribuir mesmo.

MWC: O Pedro Brando era o homem do Henrique Lage, era o diretor da Costeira. O Chateaubriand telefonou para o Pedro Brando, que tinha um luxuoso palacete na Vieira Souto, uma réplica da Casa dos Contos, de Ouro Preto, e disse a ele: "Faça um coquetel aí amanhã que eu preciso convidar umas pessoas ilustres". O Pedro, que é pai da Maria da Glória, atual mulher do Renato Archer, fez o tal negócio. No dia seguinte o Chateaubriand aparece lá com os convidados e arma a cena tal como o Otto contou: "Está aqui o nosso grande empresário, que nos contou que acaba de doar esse maravilhoso Velásquez aqui da parede". E o Chateaubriand simplesmente levou o quadro para o museu.

OLR: Era assim, ele "confiscava" os quadros. Ele era um homem audacioso, extrovertido e se considerava como tendo conquistado o direito de fazer essas coisas com as pessoas. Onde quer que chegasse era paparicado. E transformava isso em poder. Ele vetou o nome do Dario de Almeida Magalhães para o Ministério da Educação, e o Dutra obedeceu. O Dario tem todo um dossiê sobre o Chateaubriand — e é um dos homens mais altivos do Brasil.

RB: Mas depois eles se reconciliaram.

OLR: O que revela o lado generoso de ambos. Você sabe que

o Chateaubriand pôs o nome do Dario no prédio dos Associados de Belo Horizonte? Tirou o nome do irmão, Oswaldo, para pôr o nome do Dario. E foi até um gesto de caridade do Dario aceitar a reconciliação — afinal, aquele que estava ali na cadeira de rodas era quase um detrito do Chateaubriand de verdade que ele conhecera.

RB: Vai, Otto, fale mais de sua experiência pessoal com Chateaubriand.

OLR: Pois vou até fazer minha confissãozinha aqui: eu também escrevi na "Coluna do Centro", de que o Rubem falou antes. Escrevi já na fase final da existência dela, já nos anos 40. Porque ela chegou até o tempo da guerra. Era aquela época em que o país estava muito radicalizado pelo pós-1935 [*Otto refere-se à revolta comunista de 1935*], em que toda tentativa de progresso social era identificada com o comunismo. Foi quando se gerou esse horror zoológico ao comunismo, essa monomania da segurança nacional, da repressão, do combate à subversão. Então aquela Igreja católica pré-conciliar tinha uma evidente identificação com a idéia do integralismo. Muitos dos membros do Centro Dom Vital nem chegaram a ser integralistas — alguns até foram antiintegralistas. Uma das colunas de combate ao integralismo saiu de lá do Centro Dom Vital. O próprio Tristão nunca foi integralista.

RB: Tem um famoso artigo em que ele aconselhava os jovens católicos que tivessem vocação política a entrarem para o integralismo, mas ele próprio nunca foi integralista.

OLR: Isto está num livro dele intitulado *Indicações políticas*. O artigo, se não me engano, chama-se "Catolicismo e integralismo". O Tristão se converteu ao catolicismo em 1928, pouco antes da morte do Jackson de Figueiredo, grande amigo dele, com quem trocou enorme correspondência. Mas o Tristão pertencia àquela aristocracia fluminense a quem o Chateaubriand rendia todas as homenagens. O Chateaubriand queimava seu incenso junto ao bezerro de ouro.

Sabendo-se um homem muito bem-dotado, muito inteligente e com propósitos de conquistar o mundo, ele veio disposto a realizar um projeto muito ambicioso. E com uma grande liberdade moral, uma desenvoltura moral muito grande. Ocorre que o Alceu Amoroso Lima era amigo, por ligações familiares, do fundador d'*O Jornal*. E foi o homem que começou a escrever notas desde o número 1 de *O Jornal* — e que depois viraram notas contra o modernismo. Então daí vinha o prestígio do Alceu com o Chateaubriand. E o Alceu era o último vínculo do Chateaubriand com *O Jornal* original, com a gênese de *O Jornal*. Ele tinha lá o seu temor, o seu respeito reverencial, por essa figura fundadora de *O Jornal* que era o Tristão.

Ele era absolutamente inserido no meio aristocrático-burguês fluminense — Amoroso Costa, Amoroso Lima, toda aquela gente que vinha da nascente burguesia industrial e comercial, ele próprio era diretor da fábrica Cometa, era ligado até por árvore genealógica, era um fruto sumarento da burguesia fluminense. Era tão incompatível a atividade intelectual com a situação burguesa de um bom filho de família, como era o Alceu, que ele não quis assinar Alceu Amoroso Lima. Ele achava que assinar coisas em jornais não era compatível com um cidadão como ele, que tinha aquela situação, que lia inglês, francês, alemão, que tinha ido à Europa, que lia Marcel Proust — em 1924 ele já falava em Marcel Proust aqui no Brasil, imagine! Então ele adotou o pseudônimo de Tristão de Ataíde para não ser identificado.

No dia 4 de novembro de 1928 morreu o Jackson de Figueiredo, afogado na Barra, na Gruta da Imprensa, pescando num domingo de sol maravilhoso, diante do filho e de um amigo. E em seguida o Alceu, que vinha com uma correspondência de quatro ou cinco anos com ele, converteu-se ao catolicismo e saiu daquela posição de cético, liberal, burguês, para uma posição radical no momento em que o mundo estava virando. Ele adota então a posição da LEC, a Liga Eleitoral Católica, e da Ação Católica, que se confundiam muito, em alguns aspectos políticos pragmáticos, com o integralismo. Porque era muito difícil, a partir do momento em que você não tinha uma posição marxista ou socialista, para um sujeito que não fosse católico era muito difícil não apoiar uma coisa como aquela. Mas a coluna do Centro Dom Vital não era algo integralista. Depois de escolher o nome é que ele descobriu que houve um navegador português chamado Tristão de Ataíde.

MWC: O Tristão, além de presidente do Centro Dom Vital, era o mentor, diretor, da revista *A Ordem*. Essa posição do Tristão chegou muito perto do integralismo, nessa época...

OLR: Mas ele não vestiu a camisa do integralismo. E condenou o "Juramento ao chefe"...

MWC: Mas ele aconselhava os jovens que tivessem vocação política a entrarem para o integralismo. Ele foi o mentor daquela juventude que levou, por exemplo, o Gerardo Mello Mourão a se tornar um espião nazista, a denunciar brasileiros...

OLR: Aí eu contesto. Ninguém leva ninguém a ser espião. Quem foi espião tem que assumir a própria culpa...

MWC: Toda essa geração de direita, à qual o Vinicius de Moraes esteve ligado, o Otávio de Farias, tudo isso caminhava para o nazismo se alguns deles, como o nosso Vinicius, não tivessem recuado a tempo. Mas o que eu quero dizer é que o Tristão chegou a escrever um artigo, naquele delírio direitista, em que ele dizia que "o Anísio Teixeira tem que assumir a responsabilidade pelas suas posições que geraram isso que está aí" — e isso logo depois da Intentona Comunista. Mas você não pode ver o Tristão esteticamente com essa posição que ele teve nessa época. Porque depois ele deu um depoimento ao Medeiros Lima, jornalista, em que ele faz lisamente uma penitência — como ele diria, como católico, e não uma autocrítica, como diria um comunista —, com uma revisão de suas posições naquele tempo. Ele se penitencia da posição que teve em relação a Anísio Teixeira, que nem era comunista e a quem ele praticamente denunciou — ele fez uma coisa muito limpa, e eu considero isso uma coisa muito importante na vida do Alceu. Tudo isso para você saber o que era a posição da "Coluna do Centro", que era quem dava, na verdade, a orientação ideológica aos Diários Associados por volta de 1935, 1936. Era a direita clerical.

OLR: Quando colaborei na "Coluna do Centro" já tinha passado essa radicalização de direita e esquerda. Porque nessa época do Alceu era muito difícil a um católico, por exemplo, não tomar o partido do Franco, contra a República, porque havia uma identificação evidente com a Igreja. E o sujeito engajado está na luta — muitas vezes você vai silenciando razões pessoais, mas vai porque tem que ir, porque está na luta, porque a política não permite os tons frios, os cinzas. É preto ou branco. Chega o momento em que você tem que fazer uma opção. Você não encontra na minha vida, por exemplo, esses erros fatais que cometeu o Alceu. Mas é porque eu nunca estive engajado. Apesar da minha ardência em certos momentos cívicos, eu sempre tive uma certa distância e um certo ceticismo. E além disso o Alceu tinha aquele fervor do convertido, do cristão-novo, do soldado — e que até contrariava o temperamento dele. E depois ele caminhou para uma posição até lírica...

RB: Quando o Tristão mudou de orientação política — era um homem de direita, apaixonado —, ele fez um artigo, acho que no Diário de Notícias, em que dizia que afinal de contas a democracia é que valia a pena, que a guerra tinha acabado, enfim, um artigo declarando-se democrático. Eu então fiz uma crônica, não sei mais onde, saudando aquela adesão à causa democrática, mas dizendo que, como ele tinha aconselhado os jovens a entrarem para o integralismo, tinha obrigação, agora, de avisar aos jovens que a nova opção era a democracia. O João Mangabeira, sempre que me encontrava, dava uma gargalhada e dizia: "Como é? Quando é que ele vai avisar os rapazes?".

OLR: Mas eu quero contar como é que o Alceu, depois de *O Jornal*, foi parar no *Diário de Notícias*. Quando o Chateaubriand ganhou importância e o Alceu, tendo se catolicizado e virado um militante da Ação Católica, perdeu importância — afinal ele anunciou em 1928 que abrira mão até do prestígio burguês que ele tinha, que vinha da família. Quando veio a Guerra Mundial e a Guerra Civil na Espanha, ele tinha uma posição que era difícil nuançar. Não havia como fazer matiz ali, não dava. Na dúvida virava suspeito dos dois lados. Quando houve o pacto germano-soviético, ninguém teve dúvida: quem estava engajado no lado soviético ficou com o pacto. Depois, com a perspectiva histórica, algumas situações parecem monstruosas, mas é preciso ver no contexto.

Eu não estou querendo defender o Alceu, mas a verdade é que ele não foi pró-vitória da Alemanha, ele não escreveu a favor do nazismo, ele não desejou a derrota dos Aliados. Ele traduziu *A noite de agonia em França*, de Jacques Maritain, que foi escrito no momento em que a França caiu. O Maritain já estava em Princeton, nos Estados Unidos, e publicou um livro que é um dos primeiros pronunciamentos a favor da Resistência — e ele traduziu e fez um prefácio que é maior do que o livro. E nesse prefácio ele não tem uma palavra de concessão ao nazismo. Então ele já não era mais aquele porta-voz do [*cardeal arcebispo do Rio de Janeiro*] dom Sebastião Leme. A partir de certo momento ele mudou. Ele nunca foi nazista, nunca pediu a vitória de Hitler, mas ele foi evoluindo...

Mas a certa altura o Chateaubriand já não tinha mais no Alceu a figura importante, do ponto de vista social, burguês. Até porque ele virou um pastor, um pregador. E essa inflexibilidade de suas opiniões não interessava ao Chateaubriand, que não gostava de pessoas assim, como não gostava do Rubem Braga. Chateaubriand não suportava pessoas com essa nitidez política, ideológica. Chateaubriand era um oportunista, era o camundongo que acerta o buraco no escuro.

MWC: Mas como foi a saída dele dos Associados?

OLR: Logo depois da guerra todo mundo começou a brigar com o Chateaubriand. O Rafael Correia de Oliveira saiu dos Associados, e organizou-se um almoço em homenagem a ele, precedido de um abaixo-assinado. Isso deve ter sido coisa do Osório Borba. E quem foi a esse almoço, quem prestigiou o Rafael, entrou na lista negra do Chateaubriand — jornalistas ou não, pouco importava. Porque o Chateaubriand tinha *blacklist* no duro — e ela era executada no duro: o sujeito entrava na lista negra dele e não saía mais no jornal, era agredido pelos Associados, o Chateaubriand inventava coisas contra ele. Não tinha conversa. Aí o Alceu Amoroso Lima, que nunca tinha ido a almoço de ninguém, porque nunca desceu de Petrópolis — mesmo quando estava no Rio, ele ficava em Petrópolis —, tinha sempre aquela visão burguesa de quem vê o povo lá de Petrópolis, que é até uma visão caridosa... Em 1945 quando a UDN o convidou para ser candidato a senador, ele ficou surpreso, não quis e indicou o Hamilton Nogueira, seu colega de "Coluna do Centro", que foi eleito junto com o Prestes. Mas então o Alceu — que não veio ao almoço — passou um telegrama de solidariedade ao Rafael. O Chateaubriand parou imediatamente de publicar os artigos do Alceu.

MWC: Mas foi nessa época que você escreveu na "Coluna do Centro"?

OLR: Quando eu escrevi na "Coluna do Centro", ela já era um espaço aliadófilo, maritainista, era católico de esquerda. Mas, então, voltando: o Chateaubriand ficou indignado com o telegrama do Alceu. E o Rafael nessa época era articulista diário do

Diário de Notícias e chefe da sucursal carioca de *O Estado de S. Paulo.* Era um homem veemente, que escrevia numa temperatura mais alta que o Osório Borba, que era indignado, mas ranheta, ranzinza. Enfurecido com aquilo, Chateaubriand procurou Carlos Castello Branco, a quem ele via rapidamente — porque o Castello não é de conversar senão com o Zé Aparecido — e chamou-o como o tratava sempre: "Pequeno sabotador: não me publique mais esse homem".

O Castello ainda tentou fazer ver ao Assis que o Alceu era fundador do jornal, colaborava desde o número 1, ia ficar uma situação constrangedora para todos, mas o Chateaubriand foi irredutível: "Faça como o senhor quiser, mas aqui não sai mais. E não me desobedeça!".

Bem, aí começaram a chegar artigos. Ele mandava em geral dois ou três. O Castello meteu aquilo na gaveta e ficou esperando. Aí eu não me lembro exatamente se eu era redator de *O Jornal* ou se fazia o suplemento literário. Porque o suplemento, quem fez, foi você primeiro, não é, Moacir? E depois o Vinicius, não?

MWC: É, eu fiz mais ou menos de novembro de 1944 a março de 1945. Eu substituí o Vinicius.

OLR: E, quando você saiu, entrei eu para ser diretor. Nessa época estavam lá o Carpeaux, o Zé Guilherme [*Mendes*], o Hélio Pellegrino — e na verdade não era apenas o suplemento cultural, mas todos os suplementos, que se chamavam "Revista do *O Jornal*" — era literário, rural, o diabo. A gente ia para a oficina, paginava, pegava o paquê, tirava prova de escova — tudo o que eu já fazia em Minas. E, quando o Castello saía do jornal, à noite, nós nos encontrávamos para jantar no restaurante Colombo — não era o Colombo da rua Gonçalves Dias, era outro. Então o Castello veio me pedir ajuda, "como católico, redator da 'Coluna do Centro' e amigo do Tristão", para solucionar o desconforto de ter que engavetar os artigos dele por ordem do Chateaubriand.

Eu decidi ir ao *Diário de Notícias* e procurei o Orlando Dantas, com quem eu trabalhava. Contei a história, e ele tinha um tal ódio do Chateaubriand que bastava os Associados serem contra alguém para ele acolher.

RB: Diga-se de passagem que o Dantas era muito burro.

OLR: Não, Rubem... Ele não era um intelectual, mas...

RB: Perto do Chateaubriand, por exemplo, ele era uma besta.

OLR: Bom... Mas do ponto de vista da inteligência o Chateaubriand não tem quem se lhe compare, como diria Jânio Quadros, nesse ranking de diretores de jornais. Talvez um Paulo Bittencourt, mas que não tinha o fascínio, o vôo do Chateaubriand. Mas aí o Dantas se animou com a perspectiva de levar "esse grande crítico do modernismo" para o seu jornal. O Tristão uma vez fizera uma espécie de hierarquia entre os ditadores — Mussolini, Hitler, Franco e Salazar — que deixara o Oswald de Andrade furioso... Mas o seu Dantas aceitou a colaboração do Tristão. Eu já tinha levado vários colaboradores para o *Diário de Notícias* — e o seu Dantas, que era muito udenista, tinha ódio ao Chateaubriand, horror ao Getúlio, que ele considerava "o mal do Brasil", a "ruína do Brasil". Mas ele tinha um demônio, um satã, que fazia mal ao Brasil, que era o Oswaldo Aranha. Quem quisesse ganhar a simpatia do Dantas tinha apenas que falar mal do Oswaldo Aranha... Politicamente o que era o seu Dantas? Ele tinha uma vaga simpatia por um socialismo democrático — conquistado pelo Hermes Lima, João Mangabeira, esquerda democrática, aquela coisa... Tudo isso por volta de 1946. Aí o Tristão foi para o *Diário de Notícias*, mas surge um problema: quanto pagar a ele? O seu Dantas quis saber quanto ele ganhava n'*O Jornal*. O Castelinho não sabia, o Barata não sabia, finalmente descobriu-se que ele ganhava uma bobagem — ele ganhava cinqüenta cruzeiros por artigo, e não lhe pagavam havia dezessete anos. Afinal ele foi para lá ganhando quatrocentos cruzeiros por artigo...

RB: O Oswaldo Penido já morreu?

OLR: Ô Rubem, deixa eu falar... Mas aí foi a grande fase de Alceu Amoroso Lima. Para mostrar como foi rápida a conversão do Alceu para a democracia, basta dizer que ele foi fundador do PDC — que era uma forma de social-democracia cristã. Foi aí que ele começou sua projeção política — e daí ele foi para o *Jornal do Brasil*, quando o *Diário de Notícias* desapareceu. Mas, então, resumindo, esse período do Tristão na "Coluna do Centro", de direita, durou o quê? Uns oito, dez anos, mais ou menos... Deve ter começado em 35, 36. E na guerra ele já estava pró-Aliados. Mas o Chateaubriand nunca teve o menor remorso de perder um homem como o Tristão — como nunca teve com o Rafael.

MWC: Mas fala do Chateaubriand, Otto...

OLR: Já falei, sô. Do que eu me lembro mais? Bem, eu sei que, apesar daquele delírio deambulatório dele, o Chateaubriand, quando tinha que parar em algum lugar, parava n'*O Jornal*, que era o ovo, o princípio, o início da vida dele. Era chamado de "o órgão líder dos Diários Associados". Tudo o mais era importante, mas era ali que ele escrevia, tinha o Figueiredo, o linotipista que entendia a letra dele, tinha o gabinete dele. Nos últimos anos ele dormia muito em público — muitas vezes em jantares ele me pedia: "Se eu dormir, você me acorda...". Tinha que cutucá-lo. E depois ele vira o homem importante. Com a queda do Getúlio ele teve uma certa importância. O Chateaubriand optou pela queda do Getúlio e apoiou o Dutra, que tinha um verdadeiro pavor do Chateaubriand — porque o Chateaubriand era "a" imprensa. Então todas aquelas bandalheiras que o Chateaubriand fez, aquela coisa do laboratório Schering, tudo foi feito com a conivência do governo. A Schering fazia parte dos bens do Eixo incorporados à União e redistribuídos, o Virgílio Mello Franco foi nomeado interventor no Banco Alemão... E, acabada a guerra, esses bens — a Bayer inclusive — foram loteados entre os amigos do poder. E ao Chateaubriand coube o laboratório Schering, que ele usaria depois para destruir os concorrentes. Ele acabou sendo dono também dos laboratórios Raul Leite e Licor de Cacau Xavier. Eu me lembro também de ver o Chateaubriand naqueles comícios da queda do Getúlio e das comemorações da vitória, ele aparecia muito, fazia discursos, falava, aquela figura esfuziante.

MWC: Há pouco você falou do momento em que ele conheceu a condessa [*Maurina Dunshee d'Abranches*] Pereira Carneiro. Como foi isso?

OLR: Ah, isso foi muito tempo depois. É que, quando ela casou com o conde Ernesto Pereira Carneiro, que tinha ficado viúvo... Porque o conde comprou o *Jornal do Brasil* do Cândido Mendes, avô do Cândido Mendes atual — ele era conde do Vaticano, conde papalino. Nessa época áurea do Chateaubriand de que falamos, a condessa não existia, era secretária do conde — depois é que ela se casa com o conde, que não tinha filhos, não tinha herdeiros, que não deixou legado para ninguém, e ela só tinha uma filha, que é a Leda... Ou seja, foi o maior golpe do baú do mundo.

MWC: O Chateaubriand devia ter casado com a condessa...

RB: Ou com o conde...

OLR: Então, a certa altura, numa reunião social qualquer, o Chateaubriand me disse que não conhecia a dona Maurina. Eu não acreditei naquilo, lembrei que ele tinha sido redator-chefe do *Jornal do Brasil*, e ele respondeu que aquilo tinha sido "na pré-história". Então eu o apresentei à condessa. Ela, muito recatada, começou a lembrar que ele tinha sido redator-chefe do jornal, aquela coisa muito composta, ele fazendo reminiscências sobre sua chegada ao Rio, e aí, surpreendentemente, Chatô passou o braço pela cintura da condessa e saiu dançando com ela pelo salão. Isso deve ter sido perto dos anos 50...

MWC: Eu também já dancei com a condessa, mas foi no Cairo...

OLR: O Chateaubriand tinha aquela posição extremamente antinacionalista e aquela coragem na tribuna do Senado, e falava todo dia. Quando estava lá, ele falava. Eu era repórter, cobria o Senado. E o Kerginaldo Cavalcanti, que era um senador que defendia o monopólio do petróleo, vivia às turras com ele. A minoria nacionalista era ruidosa. E sempre que ele chegava, de chapéu, já ia pedindo a palavra, impondo um temor reverencial. E ia de um assunto para outro. Ele tinha uma visão muito otimista, muito de futuro, mas seria aquilo que hoje se chamaria de uma visão multinacional — ele era o símbolo do entreguismo. O Artur Bernardes dizia que o Chateaubriand era "um caixeiro-viajante da Standard Oil"... Ele primeiro paparicou os ingleses, depois os americanos.

MWC: É preciso lembrar ao Fernando Morais que essa gente representava os interesses ingleses e americanos no Brasil — Eugênio Gudin, Raul Fernandes, Percival Farquhar, Manuel Leão, o Guinle com as docas de Santos — e as ligações do Chateaubriand com esse pessoal.

OLR: Esse tipo de interesses tinha no Chateaubriand um defensor aguerrido, descarado. Ele no Senado fazia uma defesa absoluta desses interesses — ele na tribuna era um inferno. Ele tinha um projeto de Brasil. A venalidade dele, em seu ponto de vista, não era crime.

MWC: Ele queria fazer um Brasil satélite, queria fazer um Brasil à sombra das grandes metrópoles...

OLR: Um dia eu ia saindo do banheiro do Senado e ele estava chegando. Nos cumprimentamos e eu comentei com ele que o banheiro do Senado era um negócio nojento, nauseabundo. Eu não cobria o dia-a-dia, só fazia o "off". Levei-o para ver a sujeira das latrinas, e ele se impressionou com aquilo, e eu, malandramente, sugeri que fizesse um discurso sobre o assunto. Pois não é que ele foi para a tribuna e fez um discurso dizendo que "um país que não tem as latrinas limpas não pode ter democracia"? Ele começou falando das latrinas para pedir "um governo autoritário, que limpasse a latrina em que tinha se transformado o Brasil". Pediu o fim da democracia, fez um discurso apocalíptico.

MWC: E o fim da vida dele, como foi?

OLR: Quando tomou partido contra a *Última Hora*, do Samuel Wainer, ele escreveu um artigo extremamente cruel, que terminava, se não me engano, dizendo que "Fulano de Tal foi isso, Beltrano fez aquilo, Carlos Lacerda foi o promotor. De Samuel Wainer resta remover o cadáver". E ele estava brigado com Lacerda. Se não foi exatamente assim, foi pior. Eu nunca tive razões para ter intimidade com ele. E já vim muito prevenido contra o Chateaubriand — ele já era um pouco sinônimo de imprensa venal, de corrupção. Mas ele tinha o lado pioneiro, inteligente. E, embora tivesse horror a quem divergisse dele, tinha também um fascínio e uma enorme capacidade de identificar talento. Até o Lacerda fez um artigo elogiando a campanha dele para o Senado. Não é à toa que ele teve, apesar de suas posições, os melhores profissionais do Brasil nos seus jornais.

MWC: Ele e o Samuel talvez fossem os dois diretores de jornal que mais tiveram tino e instinto para procurar os seus talentos no mercado.

OLR: O que ele nunca suportou no Samuel — e partiu para agredi-lo por causa disso — é que ele tivesse se transformado num competidor. E o Samuel também nunca acreditou que o Chateaubriand fosse ficar contra ele como ficou — e nunca imaginou que o Chateaubriand um dia fosse fazer as pazes com Carlos Lacerda. Eu me lembro de ter ido levar o Samuel em casa, no parque Guinle, de madrugada, em plena guerra movida contra ele pelo Lacerda, e o Chateaubriand não tinha aderido ainda à campanha contra a *Última Hora*. E o Samuel, ingenuamente, coisa que eu acho que o Chateaubriand não cometeria, achava que o Chateaubriand não se reconciliaria com o Carlos Lacerda e que não daria acesso ao Lacerda à televisão para malhar o Samuel.

O Lacerda já estava se preparando para ocupar a TV Tupi, e o Samuel ainda achava que o Chateaubriand não daria espaço a ele. E o Chateaubriand entrou na briga associado ao Lacerda de uma maneira brutal, implacável, como nesse artigo em que chamava o Samuel de "cadáver". E eu tive oportunidade de conversar com o Chateaubriand sobre isso. Foi uma das raras vezes em que ousei comentar atitudes dele. A outra tinha sido naquela campanha dele contra Franklin de Oliveira e Neiva Moreira lá no Maranhão. Quando os ataques dele ao Samuel chegaram ao paroxismo, eu disse a ele, com muito cuidado: "Mas, doutor Assis, a águia não pode descer ao galinheiro. O senhor tem tantas causas para combater e está descendo muito, está entrando na mesquinharia... Um general como o senhor não pode usar metralhadora para matar galinha".

Achei que aquilo fosse mexer com o ego dele, que era enorme, e fazê-lo desistir daquela campanha. Mas ele era um homem que, quando brigava, não tinha nenhuma inibição de ordem moral. Ele me deu uma resposta curta: "Seu Otto, essa sua argumentação é tão cretina quanto o patife que o senhor quer defender. Não toque mais nesse assunto comigo".

Para começo de conversa, o Chateaubriand tinha a perfeita noção de que o Brasil era governado por um poder elaborado num círculo restrito. Se ele não pertencia a esse círculo, pelo menos influía nele. Com Getúlio havia a relação cordial, mas não permitia a abordagem ao estilo Chateaubriand. O Dutra tinha um medo pânico do Chateaubriand, não quis contrariar o Chateaubriand — tinha medo de rádio, de jornal, de televisão. Ao Getúlio ele tratava com ambigüidade — o Getúlio tinha aquela coisa nacionalista, dos humildes, que contrastava com o Chateaubriand.

Sobre Juscelino, o Chateaubriand tinha uma certa ascendência, os dois tinham aquela visão louca do Brasil, de um grande país à maneira deles. Mas o Chateaubriand tinha horror a Brasília. Verdadeiro horror. E acabou sendo uma coisa cruel do destino que o Chateaubriand tenha tido a trombose no dia da inauguração de Brasília. Até onde me lembro ele não agredia nem atacava Brasília ou o Juscelino abertamente, mas tinha verdadeiro horror. Quando eu lhe perguntei se Brasília não era uma maneira de ocupar o país, ele ficou indignado: "Já que Juscelino quer mudar a capital, por que não muda para a Baixada Fluminense? Aquilo é muito melhor que o sertão goiano!".

E o Juscelino, ao nomear o Chateaubriand embaixador, fez algo que o Getúlio não faria. O Getúlio daria um jeito de contornar esse problema. Mas o Juscelino não só fazia o que o Chateaubriand queria como tinha até interesse em se ver livre dele. Em Londres ele deixou o governo em paz. Ele tinha um traço curioso: em Londres ele fazia questão de ser o vaqueiro, o nordestino, era o folclore dele. E no Brasil era o britânico, o representante de Londres, o que recebia homenagens na Bahia de fraque, casaca e cartola. Apesar da centelha de gênio, aqui ele transmitia um certo desdém, quase um desprezo pelo Brasil. Ele se considerava um ser de escol, de elite. Ele quis fazer campanhas pela criação de uma elite nacional... Tudo dele era no sentido de aprimorar o Brasil para transformá-lo numa pátria digna de Assis Chateaubriand.

12. Ele mandou prender Pinochet

No final de 1998, minha mulher, Marina, e eu decidimos mudar de ares. Com o câmbio artificial a nosso favor, fizemos as contas e concluímos que dava para passar um ano — dois, quem sabe? — em Paris. Vendemos os carros e a motocicleta, juntamos as economias e lá fomos nós, rumo à França. Levei meus caixotes com notas, apontamentos, fitas gravadas e documentos, com planos de me dedicar apenas a escrever o livro Corações sujos, *que viria a ser lançado em 2000, nada mais. Semanas depois de iniciado o ano de 1999, nossos planos evaporaram: o dólar subiu para a estratosfera e levou consigo nosso projeto de um ano semi-sabático. Se quisesse continuar por lá, eu teria que trabalhar. Disparei e-mails para o Brasil avisando à praça que estava disponível. Passei a assinar uma coluna semanal na revista* IstoÉ Gente *e a fazer um miniprograma diário na Rádio Nova Brasil FM, de São Paulo, enquanto mandava pautas para o diretor de redação da* Playboy, *meu velho amigo Ricardo Setti. A Ferrari ia lançar um novo modelo? Que tal fazermos uma reportagem sobre essa "fábrica de sonhos"? Lá ia eu para Maranello, na Itália, escrever sobre automóveis. E se a* Playboy *pu-*

blicasse uma reportagem romântica sobre a Riviera francesa? Toca para Nice e Saint-Tropez para ver como vivem os ricos de verdade. O que de longe pode parecer a vida que um repórter pediu a Deus na verdade era um duro retorno à rotina das redações, com horários rígidos e limites rigorosos de espaço — além de ser um trabalho que tomava o tempo de que eu tanto precisava para terminar o meu livro Corações sujos.

Desde o Brasil, eu já vinha acompanhando a surpreendente prisão, ocorrida em Londres, do ex-ditador chileno Augusto Pinochet. Além de contar com minha integral simpatia, o episódio me chamou a atenção para uma figura que até então estava em segundo plano: o autor do mandado de prisão, o jovem juiz espanhol Baltasar Garzón. Passei a ler o noticiário dos jornais europeus com um olho atento a qualquer reportagem, nota ou registro que fizesse referência a ele — não havia dúvidas de que se tratava de um personagem especial. Jovem, bonito, corajoso e cabeça-dura, ele atirava indistintamente em ditadores, guerrilheiros, torturadores de guerrilheiros, traficantes de cocaína e presidentes corruptos, onde quer que estivessem.

Em uma lauda resumi a biografia de Garzón e enviei para Setti. Falamos ao telefone longamente e ele sugeriu que eu fosse a Madri para fazer um perfil do juiz. Só depois de a pauta ter sido aprovada, percebi que talvez não fosse tão simples chegar perto de alguém como ele, que além de ter-se convertido em alvo de refletores planetários, depois da prisão de Pinochet, era sabidamente um homem permanentemente cercado de medidas de segurança. Todos os telefones que me haviam dado como sendo dele caíam em secretárias eletrônicas sem nenhuma mensagem de voz, apenas com um bipe metálico. Jornalistas espanhóis meus amigos me desanimavam da empreitada, repetindo que ele não dava entrevistas, não gostava de jornalistas. Eu já estava pensando em sugerir outro assunto à revista quando li na edição européia do diário espanhol El País *que*

Garzón tinha ouvido, no processo contra Pinochet, ninguém menos que meu velho amigo Emir Sader. Sociólogo e ex-exilado político brasileiro no Chile, dizia o jornal, Emir fora ouvido pelo juiz como testemunha de acusação nas investigações sobre a "Operação Condor" — associação clandestina entre os órgãos de segurança das ditaduras do Brasil, Argentina e Chile para caçar e eliminar presos políticos e opositores dos três países.

Liguei para o Brasil e consegui com Emir os telefones que lhe tinham dado para que fizesse contato com Garzón quando chegasse a Madri para depor. Certo de que aquela estava no papo, disquei o primeiro número: secretária eletrônica e bipe, nada mais. O segundo, a mesma coisa, o terceiro, idem. Mais um e aquele seria o vigésimo recado que eu deixaria no gravador pedindo a entrevista. Mais uma vez o acaso me ajudaria: de passagem por Paris, a caminho da China, apareceu na minha casa um amigo, o jornalista brasileiro Eduardo Fernandes, dirigente da organização política MR-8 — Movimento Revolucionário 8 de Outubro, de orientação marxista (Eduardo viria a morrer menos de um ano depois, baleado por um assaltante na avenida Paulista, em São Paulo). Conversamos por um par de horas e, quando lhe contei minhas dificuldades para chegar perto do juiz, ele tirou do bolso do casaco uma gorda caderneta de endereços e murmurou, enquanto virava as páginas:

— Acho que conheço um amigo do Garzón... Sim, está aqui: Tito Drago, empresário no ramo editorial em Madri.

Passou a mão no telefone, fez duas ou três chamadas para a capital espanhola até que conseguiu achar o misterioso Drago, dizendo que eu iria procurá-lo em Madri para tentar fazer um perfil do juiz que prendera Pinochet. Nascido no Uruguai, ex-combatente da guerrilha de Che Guevara na Bolívia, Tito Drago era, nessa época, correspondente em Madri de importantes jornais hispano-americanos e presidente do Comitê de Correspondentes Estrangeiros na Espanha. Dono de uma editora de porte médio, voltada para *publicações especializadas, Drago tornara-se amigo de Garzón quando este ainda era um juiz de província. Antes de pedir que o juiz me recebesse, fez uma lista de amigos, inimigos, parentes e auxiliares de Garzón que eu deveria ouvir antes de falar com ele — se é que ele estava disposto a falar.*

Uma semana depois, após dezenas de entrevistas e visitas a arquivos, eu já me considerava uma autoridade em Baltasar Garzón, só faltava o principal: falar com o próprio. Ao saber dos meus planos, pediu aos intermediários que me avisassem que a idéia da entrevista estava descartada. No máximo, ele se dispunha a falar comigo em off e, mesmo assim, "quando houvesse uma oportunidade". Pensei que esta tivesse chegado num sábado em que fui "contrabandeado" por um jornalista espanhol para um churrasco em que estava o juiz, com a mulher e uma filha. Ao saber que eu era a pessoa que vinha tentando a entrevista, afastou-se sem disfarçar. A intrusão valeu pelo menos para poder ver o personagem de perto, à vontade, entre amigos. A minha chance verdadeira surgiu dias depois, numa sexta-feira: Drago me telefonou dizendo que na segunda-feira seguinte o secretário-geral da ONU, Koffi Annan, iria receber, junto com Garzón, um prêmio pelo trabalho de ambos em defesa dos direitos humanos. A cerimônia seria no salão de convenções de um dos hotéis mais elegantes de Madri. Como o Comitê de Correspondentes era o encarregado de credenciar os jornalistas, minha entrada estava garantida. Dali para diante era por minha conta.

Foi mais fácil do que eu imaginava. Após me desvencilhar dos guarda-costas dos dois homenageados, permaneci a dois passos de Annan e Garzón. Como a cerimônia se atrasaria para aguardar a chegada de um ministro, e como os repórteres estavam mais interessados no secretário-geral da ONU (ali ele era a estrela), não tive dificuldades para me aproximar do juiz. Apresentei-me e perguntei se podíamos falar um pouco. Gentil, ele me puxou de lado e nos sentamos num canto do salão. Do outro lado, equipes de TV, de rá-

dio e de jornais se amontoavam em torno de Annan. É possível que tenhamos conversado por meia hora ou, no máximo, quarenta minutos. Mas estava de bom tamanho: era o que me faltava para fechar o perfil, que foi publicado na Playboy *em agosto de 1999.*

Eram onze da noite de 16 de outubro de 1998, e o general chileno Augusto Pinochet, 82 anos, cochilava num quarto do oitavo andar da London Clinic, no número 20 da Devonshire Place, no centro da capital britânica. Não entendeu o que estava acontecendo quando, despertado pelo barulho, viu um homem de cabelos ruivos e terno azul-marinho de pé, ao lado de sua cama, com uma folha de papel na mão. Era a primeira vez em muitos anos — uns trinta, quem sabe? — que um estranho entrava em seus aposentos sem autorização. O homem anunciou:

— *Mr. Pinochet, I am an official of Scotland Yard and I come to communicate to you that for judge Ronald Bartle's order you are arrested, in incommunicable character.*

Meio embriagado por remédios e pílulas para dormir — e também porque não entendia inglês —, o general parecia atônito. Resmungou, com a voz fina de sempre, mas enérgico:

— *No comprendo, no comprendo. Póngase de acá y llame a Juan!*

O policial britânico também não entendeu que estava sendo posto para fora do quarto e que o general queria a presença de um de seus guarda-costas chilenos. Simplesmente reiterou o que já havia dito antes, dessa vez lendo solenemente:

— *If you are Augusto Pinochet Ugarte, born in Valparaiso, Chile, on November 25, 1915, bearer of the bill of identity Chilean number 1128923, I come to communicate to you that for judge Ronald Bartle's order you are arrested, in incommunicable character.*

A mais fiel tradução das palavras do funcionário britânico, segundo o escritor Ariel Dorfman, ele próprio uma vítima da ditadura de Pinochet, deveria ser esta: "General, estou aqui para informar-lhe que três mil mortos chilenos decidiram não deixá-lo envelhecer em paz". Qualquer que fosse a tradução, o fato é que um dos mais temidos e poderosos ditadores do século estava preso.

Não eram 3 mil, nem chilenos. O homem que mudou o destino de Pinochet é um espanhol míope, de 1,80 metro de altura, com cara de galã de cinema — e que nunca pôs os pés no Chile. Naquele exato instante, 1300 quilômetros ao sul de Londres, o juiz Baltasar Garzón Real, 43 anos, estava em uma taverna de Sevilha, no coração da sua Andaluzia natal, fazendo aquilo de que mais gosta: dançando flamenco com a mulher, Rosario, e bebendo um espanholíssimo vinho tinto da região de Rioja. Só às nove da manhã de sábado, dia 17, ele ficou sabendo do ocorrido na noite anterior em Londres.

Pinochet, no entanto, ainda levaria seis dias para entender o que acontecera. A escolta pessoal que trouxera do Chile — doze homens que se revezavam em turnos de oito horas — já havia farejado movimentações suspeitas no hospital, dias antes. Temendo que antigos exilados chilenos pudessem fazer alguma provocação, os agentes pediram à polícia britânica que reforçasse a guarda de plantão na porta da clínica.

Uma semana antes, o general havia sido operado de uma hérnia no London Bridge Hospital. No dia 14, fora discretamente transferido para o centro de recuperação da London Clinic, onde ainda deveria passar dez dias, pagando uma diária de 1,6 mil dólares. Foi nessa mudança que alguém — supõe-se que um funcionário da Justiça britânica — se deu conta da presença do ex-ditador e avisou Baltasar Garzón, em Madri. O juiz já contava com a possibilidade de apanhar o general em Londres. Semanas antes ele fora informado, por amigos do serviço de inteligência francês, de que Pinochet pedira um visto especial para submeter-se a uma cirurgia na França. Mas as autoridades francesas temiam que, tão logo o ditador pusesse os pés em Paris, Garzón apresentasse um mandado de prisão contra ele. Para evitar embaraços diplomáticos, os franceses preferiram livrar-se do abacaxi com um discreto "não".

Ao receber a informação, o juiz enviou um fax ao escritório londrino da Interpol, a polícia internacional, perguntando se o cidadão chileno Augusto Pinochet Ugarte se encontrava no país. Diante da resposta afirmativa, preparou o pedido de extradição. A burocracia judiciária espanhola ainda tentou brecar o processo, alegando que a Espanha não tinha competência para investigar atividades de governos estrangeiros, mas apenas para exigir o cumprimento de leis internacionais das quais o país fosse signatário. Correndo de gabinete em gabinete, Garzón recebeu outra informação preciosa: advertido pelo serviço secreto do Exército chileno de que "algo estranho" podia estar sendo armado contra ele, Pinochet preparava-se para deixar a Inglaterra. Após alguns telefonemas para Londres (sempre com a ajuda de um assessor, já que Garzón, como Pinochet, também não fala inglês), o juiz espanhol soube que, por exigência médica, o general ainda permaneceria por mais 72 horas na Inglaterra.

Começou uma corrida contra o tempo. Nos três dias seguintes nenhum dos procuradores da equipe de Garzón deixou o salão da 5ª Vara da Audiência Nacional, em Madri. Na sexta à noite, o juiz tinha nas mãos um processo de trezentas páginas. Ao pé do calhamaço, Garzón requeria à Justiça inglesa a decretação da prisão preventiva de Pinochet para que a Espanha pudesse apresentar um pedido de extradição para julgá-lo por "prática de tortura, terrorismo e genocídio", crimes previstos em acordo internacional do qual são signatários os três países envolvidos — Chile, Espanha e Reino Unido.

Haveria tempo para pegar o velho ditador? Garzón sabia que Pinochet deveria embarcar na manhã seguinte, tão logo acordasse. Sabia também que no sábado os tribunais ingleses estariam fechados. Preparava-se para tomar um avião para Londres, com o processo dentro de uma pasta, quando foi alertado por um dos assessores: por que não mandar o processo e a petição via internet? Foi assim que, na noite de sexta-feira, o juiz Ronald Bartle recebeu, sob a forma de e-mail, o "Sumário 19/97" e, anexado a ele, o pedido de prisão. Minutos depois de aberto em Londres, o anexo transmitido por computador foi transformado no mandado de prisão que, às onze da noite, seria lido por um oficial da Scotland Yard, a mitológica polícia britânica, para um sonado Pinochet.

A chegada inesperada de um grupo de agentes da Yard à London Clinic não surpreendeu o capitão chileno Juan Gana, guarda-costas de plantão na porta do quarto do general. Certamente, imaginou, tratava-se do reforço de segurança solicitado dias antes. Daí para o espanto foi um pulo: os policiais informaram que estavam lá com uma ordem de prisão da Justiça britânica contra Pinochet. Ao ouvir que teria que entregar sua arma, o capitão tentou reagir:

— Sou oficial do Exército chileno. Não recebo ordens de autoridades estrangeiras.

Quando enfiou a mão no paletó para pegar o telefone celular, Juan Gana foi agarrado pelos britânicos, temerosos de que fosse sacar a pistola. Desarmado, foi retirado do prédio para que a ordem pudesse ser lida no quarto para Pinochet. Agitado e sem entender direito o que se passava, o general só voltaria a dormir meia hora depois, graças a soníferos, quando chegou sua mulher, Lucia Hiriart. Conhecendo o caráter explosivo do marido — que, além disso, é diabético e tem um marca-passo instalado no peito —, Lucia explicou aos médicos por que decidira esconder a verdade do general:

— Se Augusto percebe o que está acontecendo, tem um ataque de raiva e morre.

Apesar dos desmentidos da esposa, Pinochet ainda desconfiava de que alguma coisa estranha ocorria à sua volta:

— Eu não entrei neste país como um bandido, não sairei como um bandido. Sou senador vitalício do Chile e tenho imunidade diplomática.

Após muita insistência da mulher, o general deitou-se novamente e dormiu. Só seis dias depois ficaria sabendo da verdade: sim, ele corria o risco de deixar a Grã-Bretanha preso, como um bandido.

Na manhã de segunda-feira, enquanto o presidente chileno Eduardo Frei embarcava de Lisboa para Santiago, abandonando às pressas a Conferência de Cúpula dos Países Ibero-Americanos para descascar um dos maiores pepinos de seu governo, Baltasar Garzón, em Madri, cumpria sua rotina diária como se nada de anormal tivesse acontecido. Às sete da manhã deixou a casa geminada onde mora com a mulher e três filhos, num pequeno condomínio de classe média no bairro de Pozuelo de Alarcón. Acompanhado, como sempre, de quatro jovens guarda-costas, levou quinze minutos para atravessar uma Madri ensolarada e chegar à rua Genova, no arborizado bairro central de Colón. É ali, num moderno prédio de quatro andares, que está instalada a Audiência Nacional, um tribunal sem equivalente no Brasil. Foi criada em 1977, logo após o fim da ditadura franquista, para investigar, sem nenhuma limitação de competência territorial, os casos de terrorismo, narcotráfico e "delinqüência econômica organizada", ou seja, corrupção.

O juiz trabalha num ambiente simples: sua sala tem cerca de vinte metros quadrados e, como móveis, apenas um sofá, uma mesinha de canto e uma mesa de madeira clara, sobre a qual se pode ver um microcomputador Pentium II. Quem quiser ter acesso ao arsenal de Garzón terá que dar alguns passos, atravessar o corredor e cruzar outra porta. O expediente da 5ª Vara ocupa um amplo salão com cerca de quinze metros por seis. É aí que trabalham *los muchachos de Garzón*, como são conhecidos os doze promotores públicos — três mulheres e nove homens — que o acompanham há vários anos e que montam as peças de acusação para o magistrado.

O "urânio enriquecido", como dizem os jornalistas, está bem protegido na memória dos micros, que trabalham em rede e aos quais só tem acesso quem conhece a senha. É aí que começa a complicação para quem quiser bisbilhotar os segredos de Baltasar Garzón: a senha dos computadores muda automaticamente todos os dias. Quando o último micro da rede é desligado, no final do expediente, um programa especialmente criado para o juiz apaga a senha do dia e cria aleatoriamente uma nova para o dia seguinte. Um sorteio feito pelo próprio programa seleciona o único membro da equipe que será o detentor da senha que naquele dia dará acesso ao conteúdo da memória do computador. À medida que os outros promotores vão chegando, o escolhido vai transmitindo verbalmente a cada um a senha criada pelo micro, sem a qual ninguém, nem Garzón, entra no disco rígido do computador — e na montanha de informações sobre corrupção, drogas, tortura, assassinatos.

Foi daqui, desses micros, que saiu a munição que Baltasar Garzón utilizou para pôr na cadeia gente de todo tipo — desde terroristas da ETA, o grupo nacionalista espanhol que luta pela independência do País Basco, até policiais que torturavam terroristas da ETA. Daqui saíram mandados de prisão contra um ex-presidente da República do Togo, na África, acusado de corrupção; contra dois generais, um brigadeiro e um almirante argentinos, acusados de tortura; contra Amira Yoma, cunhada do presidente argentino Carlos Menem, denunciada por lavagem de dinheiro em favor de narcotraficantes; contra o milionário ex-primeiro-ministro italiano Silvio Berlusconi, que Garzón acusou por sonegação de impostos; e contra vários *capi* da Máfia italiana e traficantes de drogas dos cartéis de Cáli e Medellín, na Colômbia. Foram ainda esses jovens promotores que conduziram a investigação que permitiu a Garzón enviar para detrás das grades alguns dos mais vistosos nomes do ministério do ex-premiê socialista Felipe González (1982-1996) — de cujo governo ele próprio, Baltasar Garzón, chegou a participar, como secretário do Plano Nacional de Combate às Drogas.

Diante de tais façanhas, é de supor que o autor delas seja um Torquemada, um ferrabrás. Nada mais falso. Até o ar mal-humorado que exibe nas fotos é apenas aparente: seus dentes superiores são um pouco salientes, traço que o deixa meio bicudo e malencarado quando fecha a boca. Pessoalmente, o juiz Garzón é um homem suave, educado e gentil, dono de uma jovialidade que triunfa sobre os cabelos grisalhos. Com voz anasalada, meio fanhosa — sim, como Pinochet também ele fala fino —, raramente se exalta diante de estranhos. E, para alguém que é acusado pelos inimigos de adorar o estrelato, Garzón revela surpreendente discrição: uma busca minuciosa nos arquivos dos principais jornais espanhóis dos últimos dez anos renderá, se tanto, quatro ou cinco reportagens em que ele aparece dando declarações.

Esse deliberado silêncio, no entanto, não impediu que se convertesse na mais célebre personalidade espanhola da atualidade. Segundo levantamento feito pelo jornalista madrilenho Pepe Oneto, "nenhum personagem da história da Espanha ocupou tanto espaço no jornal *The New York Times*, na CNN ou na internet". Uma boa ferramenta de busca revela que o nome de Baltasar Garzón aparece mais de 6 mil vezes na rede mundial de computadores.

Apesar disso, e considerando tratar-se de um homem marcado para morrer — já recebeu incontáveis ameaças de morte —,

Garzón leva uma vida de espanhol normal. Ganha 700 mil pesetas mensais (cerca de 4,5 mil dólares), às quais se somam outras 150 mil do salário da mulher, professora de biologia numa escola pública secundária, o que permite uma vida de classe média confortável num país de custo de vida estável e bons preços como a Espanha. Gosta de ópera, conhece a poesia de bons autores espanhóis como García Lorca e Rafael Alberti, aluga vídeos do diretor de cinema sueco Ingmar Bergman, é um *hincha* — torcedor fanático — do Barcelona, no verão pratica canoagem e no inverno esquia nos Pireneus (quase sempre em companhia do filho, Baltasar, de catorze anos). Quando dá tempo, ajuda as filhas Maria, de quinze anos, e Aurora, de sete, nas lições de casa. Durante um jantar num restaurante, é capaz de interromper a comida, tomar a mulher pela mão e sair pelo salão dançando *sevillanas*, uma variação do flamenco.

Tem algumas manias, como a de jamais sentar-se de costas para a porta, como os caubóis do cinema — mesmo sabendo que se trata de uma medida de segurança inócua, uma vez que nunca anda armado. Outra mania, segundo os amigos e subordinados: se aparecer com um tal terno verde-escuro, é sinal de que o meritíssimo está de péssimos bofes. O Garzón de bom humor só costuma aparecer entre os poucos amigos: é nessas horas que o juiz exibe o talento de grande contador daquilo que os espanhóis chamam de *chistes verdes* — piadas pesadas.

É bom garfo e bom copo — considera-se um especialista em uísques envelhecidos e em vinhos tintos de Rioja. Mas os excessos etílicos e gastronômicos costumam cobrar-lhe um preço alto. Garzón é capaz de engordar até cinco quilos em poucos dias, uma tragédia para um homem vaidoso como ele. Sempre gostou de praticar esportes. Além do futebol de salão, que joga com os colegas do Judiciário, na juventude praticou salto em distância e chegou a ser faixa marrom de judô. Mesmo padecendo de problemas nos meniscos — mal que gosta de alardear, pois acredita tratar-se de uma "doença de craque" —, Garzón ignorou os conselhos de médicos e da mulher, e três anos atrás correu a meia maratona de Sevilha, sempre acompanhado de dois esbaforidos guarda-costas.

Depois do futebol de salão sua principal diversão são as *capeas*, espécie de minitouradas para amadores. Assim como no Brasil alugam-se campinhos para peladas de fim de semana, na Espanha as pessoas pagam para usar as *capeas*, alugando a pequena arena, a capa, os estuques (as varetas para provocar o animal) e, claro, o animal — modestos bezerros, nunca um assustador miúra. Se as qualidades do Garzón goleiro podem ser postas em dúvida, o mesmo não acontece com o Garzón *capeador*: até os inimigos reconhecem que o juiz teria dado um bom toureiro. Nunca, naturalmente, com os atuais 85 quilos.

As pessoas que privam de sua intimidade contam-se nos dedos de uma mão e entre elas está a ex-presa política argentina Adriana Arce, hoje residindo na Espanha. Ela parece ser, de todos, a mais próxima de Garzón. Sobrevivente da tenebrosa ESMA — a Escola de Mecânica da Armada argentina, que foi transformada em centro de tortura e execução de presos políticos —, Adriana, uma bela e bem-humorada quarentona, é a executiva da Fundação de Artistas e Intelectuais em Defesa dos Povos Indígenas Ibero-Americanos, presidida pelo juiz Garzón. Criada há dez anos, a entidade dedica-se essencialmente a estimular o surgimento de cultivos alternativos às plantações de coca em países da América do Sul. Parte do dinheiro para isso vem de um jogo beneficente de futebol realizado uma vez por ano, em Madri ou Barcelona, entre uma seleção dos melhores craques da Europa e um time formado por personalidades do cinema, da política e da televisão. É nesse jogo que o juiz tem oportunidade de exibir seus dotes de goleiro — sim, porque a única exigência que Garzón faz, já que a idéia foi dele, é que o lugar de arqueiro do time amador seja sempre seu. Seus quinze segundos de glória futebolística aconteceram dois anos atrás, quando pegou um pênalti batido pelo holandês Johann Cruyff.

No trabalho, Garzón é um homem duro, capaz de fazer uma grosseria em público com um funcionário que tenha descumprido uma ordem. Depois se arrepende, pede desculpas e convida o subordinado para uma *capea*. Com os inimigos, é implacável. Embora não haja notícia de que jamais tenha encostado a mão em um preso, é conhecido pelo aperto verbal a que os submete: nos interrogatórios e nas audiências, costuma levar maços de papel com trezentas, quatrocentas perguntas, de cujas respostas saem mais algumas centenas de novas indagações. Esse rigor com os que o cercam fez com que Garzón granjeasse muitos inimigos e perdesse alguns de seus melhores amigos. O mais conhecido destes é o juiz Javier Gómez de Liaño, seu colega de Audiência. Durante o chamado "caso Sogecable" — um escândalo financeiro envolvendo empresas de TV a cabo —, Garzón não hesitou em acusar de prevaricação o amigo de muitos anos. Gómez de Liaño guarda dele amargas recordações:

— Com aquela vozinha de menino mimado, Garzón é um sujeito perigoso, uma pessoa que errou a vocação. Ele não é um juiz, tem alma de polícia. Quando não houver mais ninguém para botar na cadeia, Garzón vai prender a si próprio.

Quem se dispuser a olhar a biografia de Baltasar Garzón não encontrará nenhum traço que fizesse supor que ele iria parar onde se encontra hoje. Até os dezessete anos, tinha três sonhos na vida. Queria ser, pela ordem, padre, jogador profissional de futebol ou toureiro. O caminho para a primeira vocação veio naturalmente. O agricultor Ildefonso e sua mulher, María, muito pobres, viviam na vila de Torres, na Andaluzia, quando nasceu Baltasar, o primeiro de seus cinco filhos, no dia 26 de outubro de 1955 —

época em que o major Augusto Pinochet ainda era um desconhecido oficial de Operações da Divisão de Cavalaria de Rancágua, poucos quilômetros ao sul de Santiago.

Quando terminou o primário, em 1965, o pequeno "Balta" foi matriculado no Seminário de San Felipe Néri, na cidade de Baeza. Em 1973 conheceu María del Rosario, a "Yayo", uma bela e miúda moreninha que estudava no Instituto Santíssima Trindade e morava no Convento das Freiras Felipenses, ambos em Baeza. Uma madrugada, flagrado pelo padre-bedel cantando *sevillanas* para Rosario sob as janelas do convento, Garzón foi expulso do seminário, a seis meses do fim do curso. Não fosse a paixão juvenil, é possível que tivesse seguido a vocação e que Pinochet pudesse terminar seus dias em paz no Chile. Mas a paixão venceu até mesmo a vocação. Desimpedido, começou a namorar Yayo. E resolveu também que não queria ser goleiro nem toureiro, mas advogado.

Terminada a faculdade, em 1979, Garzón casou-se com Rosario. Estimulado pela mulher, prestou concurso para juiz e, nomeado, passou por várias cidadezinhas do interior da Espanha. Seu nome só apareceria nos jornais em 1983. No auge da guerra movida pelo governo contra os bascos da ETA, Garzón conseguiu a condenação de um coronel das forças de segurança pelo assassinato de três adolescentes, confundidos com militantes da organização. Quatro anos depois, aos 31 anos, aprovado em outro concurso, passou a ser o mais jovem juiz da Inspetoria do Conselho Geral do Poder Judiciário Nacional, uma espécie de Corregedoria do Judiciário. No dia 1º de janeiro de 1988, também por concurso, assumiu o posto que o colocaria nas primeiras páginas de jornais do mundo inteiro: juiz de instrução da 5ª Vara da Audiência Nacional.

Desde o começo passou a trabalhar obsessivamente nas três frentes de que o tribunal se ocupa: drogas, terrorismo e corrupção. Sobretudo no que dizia respeito às duas últimas, ele sabia que tinha de atuar com redobrado cuidado: embora o primeiro-ministro Felipe González, recém-reeleito para mais um período de seis anos, estivesse no auge de seu prestígio, Garzón suspeitava de que alguma coisa suja estava sendo escondida pelo governo. Um dos compromissos do governo socialista com os militares era reprimir duramente o movimento independentista basco — mais precisamente, seu braço militar, a ETA. Confiando na intuição (e de posse de informações secretas), Garzón mandou desenterrar um velho processo de 1983 no qual os policiais José Amedo e Michel Domínguez eram acusados de seqüestrar por engano o industrial Segundo Marrey, supondo tratar-se do dirigente basco Mikel Gorostiola. A reabertura do processo trouxe à tona outros crimes de Amedo e Domínguez, que o juiz acabou conseguindo condenar a um total de 108 anos de prisão.

A opinião pública ainda não se esquecera do chamado "caso Amedo" quando Garzón reapareceu triunfalmente na cidade de Arosa, na Galícia, região considerada a porta de entrada da cocaína na Espanha. A bordo de um helicóptero e comandando por rádio um destacamento de 350 policiais, o jovem juiz conseguiu prender trinta traficantes espanhóis, portugueses, colombianos e turcos, todos da alta hierarquia do tráfico internacional de cocaína. As prisões produziram informações que deram margem a outra operação ousada. Meses depois, em conjunto com as polícias de Portugal e de Cabo Verde, Garzón conseguiu interceptar em alto-mar o cargueiro *Good Luck*, que partira da Colômbia, fora reabastecido em Cabo Verde e navegava em direção às ilhas Canárias, território ultramarino espanhol. Foram apreendidos 450 quilos de pó. Mas os porões do *Good Luck* transportavam coisa mais valiosa: informação. Ao final dos interrogatórios dos tripulantes, Garzón foi bater no Panamá, atrás de um empresário envolvido em lavagem de dinheiro do tráfico. E foi de lá que retornou à Espanha com dois nomes escondidos no bolso.

A revelação do primeiro caiu como uma bomba: o juiz anunciou que estava pedindo a prisão preventiva de Amira Yoma, cunhada e secretária particular do presidente Carlos Menem, da Argentina, pelo crime de lavagem de dinheiro do narcotráfico. Ao saber da denúncia, Amira telefonou furiosa para um amigo que vivia em Marbella, no sul da Espanha:

— Quem é esse juiz come-merda chamado Baltasar Garzón? Será que esse sujeito não sabe que sou cunhada do presidente da Argentina?

O amigo que estava do outro lado da linha era o sírio Monzer Al-Kassar — exatamente o segundo nome que Garzón recolhera em sua incursão panamenha. Depois de vários meses de investigações que passaram pelos serviços secretos de Israel, dos Estados Unidos e da Grã-Bretanha, o juiz conseguiu juntar as peças do quebra-cabeça e montar finalmente o retrato de Al-Kassar. Com 55 anos, baixinho, vasta cabeleira branca, sempre vestido com elegância, Monzer Al-Kassar ganhara o apelido de "príncipe de Marbella" após erguer um palacete de mármore no luxuoso balneário, onde vivia fazia dez anos.

Uma das várias denúncias que Garzón tinha contra ele era pesada: Al-Kassar teria sido o responsável pelo fornecimento das armas usadas pelo comando terrorista palestino que, em outubro de 1985, seqüestrou na costa de Alexandria, no Egito, o transatlântico italiano *Achille Lauro*, com seiscentas pessoas a bordo — para devolver os passageiros sãos e salvos, os terroristas, que acabaram presos, exigiam a libertação de cinqüenta palestinos encarcerados em Israel. As ligações de Al-Kassar com o presidente argentino vinham da coincidência de serem todos — ele, Menem, a mulher deste, Zulema, a irmã dela, Amira, e seu marido, Ibrahim Al-Ibrahim — originários de famílias nascidas em Yabrud, na Síria.

Foi com essa carga de "urânio enriquecido" dentro da pasta que Garzón bateu na porta do palácio de mármore de Monzer

Al-Kassar, em Marbella, e deu-lhe voz de prisão. Depois de ver seu cliente mofar durante meses e meses num xadrez madrilenho, os advogados do preso pediram a Garzón que estabelecesse uma fiança para que ele pudesse continuar respondendo ao processo em liberdade. Aparentemente seguro de que ninguém cometeria o desatino de desembolsar tal fortuna, o juiz fixou a fiança em estratosféricos 2 bilhões de pesetas — cerca de 12,5 milhões de dólares. No dia seguinte, porém, o dinheiro estava depositado em juízo, e Monzer Al-Kassar retornava a Marbella.

No começo de 1993, quando Al-Kassar ainda estava preso, era indiscutível o prestígio de Garzón como um juiz duro, inimigo da violência e do terrorismo, e algoz dos políticos corruptos. Ao mesmo tempo, o governo de Felipe González capengava nas pesquisas de opinião pública. Era enorme o risco de que o Partido Socialista Operário Espanhol (PSOE), no poder fazia onze anos, perdesse as eleições marcadas para junho daquele ano. Foi então que o primeiro-ministro Felipe González aplicou uma jogada de mestre. Chamou a imprensa e anunciou que o juiz Garzón, sem partido, disputaria uma cadeira de deputado nas próximas eleições como candidato independente, mas pela coligação do PSOE. E, como demonstração do prestígio de que o juiz desfrutava, González comunicou que Garzón seria o "número 2" da lista do partido, abaixo apenas dele, o primeiro-ministro. Diante do espanto dos repórteres, o premiê arrematou:

— Garzón conosco é a prova de que no PSOE há desejo de transparência. Vencidas as eleições, vou colocá-lo na cabeça de um dispositivo que criarei para investigar a fundo a corrupção na Espanha — esteja ela onde estiver, e principalmente nos partidos políticos.

Convertido em estrela da campanha, Garzón licenciou-se da Audiência Nacional e saiu à cata de votos. A eleição, claro, foi um passeio. Mas foi preciso pouco tempo para o juiz entender que, na política, as coisas talvez não funcionassem como nos tribunais. Empossado como secretário do Plano Nacional de Combate às Drogas, foi informado de que não teria autoridade sobre nenhuma força de segurança para enfrentar o narcotráfico.

Garzón começou a descobrir casos de corrupção dentro do próprio governo. Pediu providências ao primeiro-ministro, mas elas eram sempre proteladas. Com o tempo, não conseguia mais despachar e nem sequer falar com González. Em maio de 1994, Garzón anunciou que se demitia do governo e renunciava ao mandato de deputado:

— Foi preciso nove meses para descobrir que o senhor Felipe González me usou, como se usa um fantoche. Ainda sinto um travo muito amargo.

Segundo os muitos inimigos que fez no poder, Garzón levou consigo algo precioso ao deixar o governo: informações. Graças a elas, desvendou dezenas de casos de militantes bascos mortos pelos chamados Grupos Antiterroristas de Libertação (GAL), um esquadrão da morte criado clandestinamente pelo governo e mantido com verbas secretas controladas diretamente pela cúpula socialista. Descobriu, entre outras coisas, que os fundos secretos do governo tinham prêmios para os policiais que matassem militantes bascos: 12 mil dólares por cabeça. E que, ao todo, 29 pessoas haviam sido assassinadas, muitas delas depois de tortura, pelos homens dos GAL. O juiz não tardou a encurralar oficiais, coronéis, generais da polícia. Mesmo debaixo de uma brutal campanha de intimidação, continuou investigando os GAL até bater no topo da pirâmide e conseguir condenar, além de dezenas de altos funcionários do governo, três ex-ministros de Felipe González e um ex-prefeito de Madri. O estrago produzido pelo juiz apareceria nas eleições seguintes, nas quais González seria derrotado pelo atual primeiro-ministro, José María Aznar, do conservador Partido Popular.

Comparado ora ao lendário policial americano Elliot Ness, ora ao juiz italiano Giovanni Falconi, assassinado pela Máfia siciliana, o Baltasar Garzón que derrubou o governo socialista e prendeu o ex-ditador Augusto Pinochet parece não ter sucumbido à fama que o colocou nas primeiras páginas dos jornais de todo o mundo. Quando lhe perguntam que destino acha que terá o general chileno, Garzón responde com serenidade, como se aquele fosse apenas mais um de seus incontáveis processos:

— Sempre confiei na Justiça. Estou convencido de que Pinochet, mais dia, menos dia, desembarcará no aeroporto de Barajas, em Madri. E aqui será julgado pelos crimes que cometeu.

Parece ser apenas uma frase de efeito. Pode ser, mas a verdade é que o serviço médico da prisão militar de Alcalá de Henares, nas imediações de Madri, já foi avisado para se preparar, porque a qualquer momento pode chegar lá um homem de 83 anos, com marca-passo no peito, diabético e padecendo de infecção urinária crônica. Um homem que acreditava ser intocável, até o dia em que ouviu falar no nome de um jovem juiz espanhol chamado Baltasar Garzón.

ESTA OBRA FOI COMPOSTA PELO GRUPO DE CRIAÇÃO EM MINION,
FOI PROCESSADA EM CTP E IMPRESSA PELA RR DONNELLEY AMÉRICA
LATINA SOBRE PAPEL PÓLEN SOFT DA COMPANHIA SUZANO PARA
A EDITORA SCHWARCZ EM DEZEMBRO DE 2003